# Cours familier de

## Volume

Alphonse de Lamartine

**Alpha Editions**

This edition published in 2023

ISBN : 9789357969666

Design and Setting By
**Alpha Editions**
www.alphaedis.com
Email - info@alphaedis.com

# Contents

# LXIe ENTRETIEN.

Premier de la sixième année.

## SUITE DE LA LITTÉRATURE DIPLOMATIQUE.

### I

«La nature, qui prédestinait l'Angleterre à cette importance, lui avait donné un caractère qui a ses défauts sans doute, mais qui a la prédestination des grandeurs. Ils portent en eux, ces Bretons, les conditions du gouvernement d'eux-mêmes et des autres: ils sont réfléchis, ils sont audacieux et ils sont persévérants. Leur génie est naturellement hiérarchique. Ils ont un orgueil individuel quelquefois humiliant pour ce qui n'est pas eux; mais cet orgueil ou ce sentiment égoïste de leur supériorité leur donne un orgueil collectif et national qui fait une partie de leur force comme peuple. *Je m'estime quand je me compare*, c'est le mot des Anglais.

Ils ont le sentiment de la liberté, par suite de cet orgueil; mais ils ont le sentiment de l'aristocratie, par raison. Ils veulent que leur civilisation dure comme un monument: ils savent que rien ne dure dans les mobiles démocraties, gouvernements des passions et des caprices du peuple; la hiérarchie est en tout la forme de l'ordre et la condition de la durée. Ils sont glorieux de ce qui est au-dessus d'eux comme au-dessous; ils respectent leur aristocratie, et ils respectent leurs classes subalternes.

Une monarchie, pour personnifier seulement leur majesté nationale; une aristocratie, pour perpétuer leur civilisation; un peuple libre, pour justifier leur orgueil civique: voilà leur trinité nationale. Liberté à la base, aristocratie au milieu, monarchie au sommet, ordre partout; mais ordre raisonné plutôt qu'imposé. Quelle république, quelle noblesse, quelle royauté dans un même peuple! Celui qui ne l'admire pas n'est pas digne de parler des sociétés civiles.

De ces trois vertus gouvernementales dans la race anglo-saxonne est résulté le phénomène que nous voyons: une richesse incommensurable chez eux, une légitime influence sur les continents, une monarchie véritablement universelle sur les mers ou sur toutes les contrées desservies par les Océans.

### II

Or la France peut-elle espérer un allié fidèle, solide, permanent, dans ce grand peuple anglais? Je le dis avec regret, mais je le dis avec courage: non! L'égalité de grandeur, quoique de grandeur diverse dans les deux peuples, s'y oppose; il faudrait pour cela que l'Angleterre renonçât à la terre ou que la France renonçât à la mer, et que chacun de ces deux peuples se contentât de l'empire d'un seul des deux éléments. Voyez le blocus continental de

Napoléon provoquant le blocus maritime de l'Angleterre! L'orgueil légitime de l'Angleterre n'abdiquera jamais (et nous ne l'en blâmons pas) une grande part d'influence et d'action sur le continent européen.

L'ambition, légitime aussi, de la France n'abdiquera jamais une part de prétention navale considérable sur les mers. Son commerce n'en aurait pas besoin; ses colonies pourraient s'anéantir sans ruiner la mère patrie, décoration plutôt qu'élément vital de sa puissance: mais son aptitude à la marine militaire, mais ses grandes gloires et la défense de ses côtes, ne lui permettent pas cette abdication. Entre la France et l'Angleterre, il y aura donc toujours, et organiquement, trois grandes choses: la mer d'abord, l'influence continentale ensuite, enfin la passion, troisième élément plus indomptable encore que les deux autres; la passion de la rivalité, qu'une grande nécessité peut faire taire un moment, mais qui ne mourra jamais entre ces deux jumeaux, qui se combattent dans le sein de leur mère, l'Europe.

### III

La France ne peut donc pas se confier entièrement à l'alliance anglaise, ni l'Angleterre à l'alliance française. Ces deux rivales peuvent être bienveillantes par raison l'une pour l'autre, jamais identifiées l'une à l'autre: la nature, plus forte que la raison, s'y oppose. Voyez comme cet instinct de politique, par antipathie de nation, se trahit régulièrement à chaque circonstance dans la diplomatie, même amicale, de l'Angleterre envers nous! Quand on sait de quel parti est la France dans une question ou dans un congrès européen, on n'a pas besoin de s'informer de quel parti est l'Angleterre, toujours et invariablement du parti opposé à l'avis de la France; et il en est de même de la France, quoique avec moins d'animosité systématique.

Ainsi l'Amérique anglaise se soulève contre sa mère patrie: la France se compromet follement et déloyalement dans cette guerre filiale, quoique en paix officielle avec Londres.

L'Irlande s'agite: la France la remue, et lui envoie des armes et des soldats.

Dans ces dernières années, après la restauration, la France veut intervenir en Espagne: l'Angleterre proteste au congrès de Vérone, et proclame à l'instant, par la voix monarchique de M. Canning, la légitimité des insurrections des armées et des insurrections antimonarchiques des peuples.

La France s'oppose, par amitié pour l'Espagne, au déchirement des colonies espagnoles de l'Amérique du Sud: l'Angleterre, quoique précédemment soutien de l'Espagne, reconnaît l'insurrection de l'Amérique du Sud, par la seule raison que cette insurrection répugne à la France.

La France veut refréner les Barbaresques sur la côte d'Afrique: l'Angleterre conteste l'occupation très-inoffensive de l'Algérie.

En 1858, la France veut intervenir en Italie, à tort ou à droit, contre l'Autriche: l'Angleterre s'y oppose de toute sa diplomatie en Europe, de toute son éloquence dans ses tribunes.

La France persiste, et veut sagement se retirer dans sa neutralité envers le reste de l'Italie après ses victoires: l'Angleterre change à l'instant de langage et de diplomatie, prend la place abandonnée par la France, et pousse le Piémont, la France, l'Italie entière aux extrémités où nous marchons, pour ne point nous laisser le pas, même dans l'anarchie du continent.

La France veut, très-sagement cette fois, se prémunir sur ses frontières du midi contre une Italie unitaire, alliée des Anglais: l'Angleterre proteste contre cette prudence trop légitime, et crie à la conquête, quand il n'y a de conquérant dans l'Italie d'aujourd'hui que le cabinet britannique.

Ainsi partout, ainsi toujours, dès qu'il y a une folie française sur un point du globe, l'Angleterre est là pour en profiter; dès qu'il y a un intérêt légitime de la France quelque part, l'Angleterre est là pour le combattre. Comment chercher une alliance politique organique dans une si vigilante inimitié? N'y pensez pas: ce qu'il faut à la France et à la civilisation dans nos rapports avec l'Angleterre, c'est la paix, la paix difficile, la paix agitée, mais la paix méritoire, la paix utile au monde, mais la paix l'œil ouvert et la main armée.

En résumé, avec le cabinet de Londres, la paix, oui; l'alliance, jamais!

## IV

Après l'Angleterre, dont l'alliance serait un contre-sens à la nature, que voyez-vous? la Russie.

La Russie sera certainement un jour une alliance très-puissante et très-fidèle, par attrait de caractère et par conformité d'intérêt, pour la France. Napoléon a tenu cette alliance russo-orientale dans la main après qu'il avait décomposé l'Allemagne et conquis l'Italie jusqu'à Naples; mais il a brisé cette alliance, en la jetant à terre dans un mouvement d'impatience, pour tenter son expédition chimérique de Moscovie, et en forçant du même coup l'Allemagne, l'Espagne, l'Italie à secouer le joug de ses vaines victoires. L'alliance russe, toujours en perspective, a reculé pour nous dans un horizon de plusieurs siècles; et pourquoi? Vous allez le comprendre.

Les alliances se fondent sur un intérêt commun.

Quels sont aujourd'hui les intérêts de la Russie? Elle en a deux: se consolider en Pologne, empiéter sur les provinces du Danube, s'annexer les provinces grecques, non de race mais de religion, de la Turquie d'Europe, se naturaliser en Asie vers la Perse et vers la Turquie asiatique, posséder le littoral de la mer Noire, s'y créer une marine militaire sur les débris de sa marine détruite de Sébastopol; s'emparer ensuite de Constantinople, de la capitale de l'empire ottoman; marcher de là d'un côté, par le Taurus et par la Syrie, vers l'Euphrate et vers le Nil; marcher de l'autre côté, par la Grèce et l'Albanie, vers le fond de l'Adriatique, et, en resserrant ensuite ses deux bras ainsi étendus, étreindre l'empire de Constantin annexé à l'empire de Pierre le Grand. Voilà son destin, voilà sa nature, voilà sa pensée, même quand elle ne pense pas: la force des choses pense sans elle.

## V

Or quels sont les intérêts actuels de la France? Précisément le contraire de ces intérêts russes.

Comme extension vers l'Allemagne, comme assimilation de la Pologne, comme annexion des provinces danubiennes ou des provinces dalmates, serviennes, bulgares de la Turquie d'Europe, l'intérêt de la France libérale ne peut s'allier avec les usurpateurs de la Pologne, et avec un empire démesuré et toujours croissant, qui viendrait écraser l'Autriche, notre seul boulevard contre cette pression des successeurs de Souwarof sur l'Italie et sur nous-mêmes.

Ce serait en Europe l'alliance des Francs avec les Scythes contre les Germains, l'alliance du danger avec la mort. Nous ne sommes pas trop de deux contre un, quand cette prodigieuse unité croissante est déjà de soixante et dix millions d'hommes, et quand ces soixante et dix millions d'hommes sont à la fois soldats intrépides comme des barbares, politiques raffinés comme des Grecs, ayant dans le même peuple les vertus de la barbarie et les habiletés de la corruption. Une telle alliance serait pour nous la trahison de l'Europe et de nous-mêmes. Bonaparte l'a tentée, mais c'était un piége: il était plus Grec que les Grecs. Les Bourbons l'ont rêvée, mais c'était un rêve. Au premier sacrifice qu'ils auraient fait en Occident ou en Orient pour acheter cette alliance, la France et l'Europe, qui se seraient senties trahies, auraient précipité le trône des Bourbons dans le gouffre ouvert sous les fondements de l'Europe. La France libérale aurait crié vengeance contre l'alliance antipolonaise; la France catholique aurait crié anathème contre le patriarche grec.

La jalousie de l'Angleterre aurait incendié de toutes ses torches les escadres françaises à Brest et à Toulon et les escadres russes de Cronstadt et de Sébastopol; l'Allemagne tout entière, à l'exception peut-être de la Prusse, toujours prête à conniver avec tous les périls de l'Allemagne, se serait levée en masse pour défendre le Danube, la Turquie décapitée, l'Adriatique et l'Italie contre la ligue des Russes et des Français.

L'Angleterre aurait placé le quartier général de ses flottes et de ses armées dans le Bosphore ou à Constantinople; le monde eût été en feu pour une chimère du cabinet de Charles X, et cette chimère aurait dévoré les Bourbons eux-mêmes! J'ai vu naître moi-même cette fantaisie royaliste, et non cette politique sérieuse, dans le cabinet d'un ministre des affaires étrangères des Bourbons que je ne nommerai pas; mais je dois attester que cette fantaisie diplomatique, que les historiens de cette époque prennent aujourd'hui au sérieux, n'alla jamais plus loin que la porte de ce cabinet, et qu'elle ne fut jamais qu'un sujet de conversation entre des diplomates français étourdis et impatients des tracasseries de l'Autriche contre nous, forfanterie de cabinets, politique désespérée qu'on jette au vent comme une menace, mais qui ne retombe que sur ceux qui ont rêvé l'absurde ou imaginé l'impossible.

## VI

Et en Orient, quels sont les intérêts de la France? Sont-ils, comme on le dit, de doubler l'omnipotence de la Russie en lui livrant pour dépouille la moitié la plus fertile, la plus opulente, la plus maritime du monde méditerranéen, dont la France est la plus tributaire par ses ports sur cette mer de tous les commerces?

Ces intérêts sont-ils d'étendre cet empire russe, déjà si débordant, de Varsovie à Babylone, de la Laponie à l'extrême Arabie, de la mer du Nord à la mer de l'Inde?

Sont-ils de réunir quatre cents millions de sujets sous un seul sceptre?

Sont-ils enfin d'amener ainsi le contact si lourd et si direct d'un tel empire avec la France par la Méditerranée, en lui livrant les portes des Dardanelles et en faisant de Marseille et de Toulon des frontières maritimes de la Russie?

Si c'est là votre carte actuelle de l'Europe et de l'Asie, pourquoi donc avez-vous fait, très-sagement et très-héroïquement, il y a quatre ans, la guerre de Crimée? pourquoi donc avez-vous coulé sous vos boulets, dans la mer Noire, la flotte orientale de la Russie dans le port prématuré de Sébastopol? Étiez-vous fous alors, ou êtes-vous sages aujourd'hui, de livrer l'indépendance de l'univers aux czars, dans l'intérêt d'un petit prince des Alpes qui veut régner à Rome et à Naples plutôt qu'à Turin?

## VII

Est-ce la Prusse qui peut vous consoler à elle seule de l'impossibilité de l'alliance anglaise, de la chimère de l'alliance russe? Mais qu'est-ce que la Prusse, au fond, en Europe, si ce n'est un client de l'Angleterre et un avant-poste de la Russie? Son alliance, très-précaire, aurait donc pour la France le double inconvénient d'être anglaise et d'être russe, c'est-à-dire l'alliance avec la jalousie britannique et avec l'ambition moscovite.

Dépendante de l'Angleterre par les unions de famille et par la solde des subventions, dépendante de la Russie par la crainte d'être dévorée si elle n'est pas complice, la Prusse n'est pas une puissance assise sur ses propres bases:

c'est une puissance debout, mécontente, inquiète de sa mauvaise assiette territoriale entre la Russie, l'Angleterre, la France, et prête à toutes les infidélités d'alliances si on lui offre le prix de sa versatilité. Quel est l'allié du cabinet de Berlin qui n'ait pas eu à maudire le caractère de ce cabinet à quatre faces, dans ces derniers temps? La France, qu'elle flatte et qu'elle abandonne au moment de l'action en 1806? L'Autriche, qu'elle voit écraser avec complaisance en 1809? La Russie, qu'elle regarde anéantir, sans lever un bras, à Austerlitz? L'Autriche encore, qu'elle contemple aux abois à Wagram, attendant l'issue des batailles pour se déclarer amie du vainqueur? La France encore, qu'elle défie témérairement aussitôt après son traité timide avec elle, et qui la démolit en un jour, à Iéna? La Russie, une seconde fois, contre laquelle elle se retourne à la voix de Napoléon, pour obtenir son pardon par une lâcheté? L'Angleterre, à laquelle elle consent à enlever, comme un recéleur, le Hanôvre, afin de se lier avec Napoléon par un larcin? Quant à l'Autriche, dont elle n'est qu'un démembrement en Silésie, il n'y a aucune guerre, aucune négociation où la Prusse ne lui ait été ou amie infidèle ou ennemie acharnée. Cette puissance, qui se pose comme allemande par excellence, n'est qu'un schisme en Allemagne. Sa seule politique est de décomposer pour absorber: c'est le dissolvant de l'Europe centrale. Quelle alliance sûre la France peut-elle nouer avec une puissance qui représente l'Angleterre sur son flanc droit, qui représente la Russie au cœur de l'Allemagne, qui représente la coalition en avant-garde contre nous en deçà du Rhin, qui représente enfin l'*unité allemande* en espérance dans l'Allemagne du Nord? L'*unité allemande*, la perspective la plus antifrançaise que puisse offrir à nos ennemis le génie de l'absurde, génie qui semble posséder aujourd'hui nos publicistes! l'abaissement de notre puissance en Europe! quatre-vingts millions d'Allemands groupés en une seule puissance active contre trente-six millions de Français! unité destructive de tout équilibre et de toute paix, unité de l'extermination, unité mille fois plus mortelle à la France que le rêve antifrançais de l'*unité* de l'Italie à laquelle nous sommes assez aveugles pour concourir! L'unité allemande, que serait-ce autre chose que la coalition en permanence contre la France?

Une alliance franco-prussienne, qui n'aurait pour but ou pour résultat que l'unité allemande, sous la monarchie de la Prusse, serait donc tout simplement le suicide à courte échéance de la nation. Un illuminé peut la rêver, un patriote ne peut la penser sans crime.

## VIII

Examinons maintenant le dernier système d'alliance qui puisse, dans un prochain avenir, maintenir l'équilibre de l'Europe en temps de paix, et favoriser, en cas de guerre, le légitime accroissement de deux peuples que l'on voudrait détruire l'un par l'autre aujourd'hui, pour la satisfaction de l'Angleterre, pour la joie maligne de la Prusse, pour l'extension illimitée de la Russie.

Ces deux peuples sont la France et l'Autriche.

J'entends d'ici le cri de l'ignorance et de la prévention grossi par le cri des fanatiques irréfléchis de l'unité italienne; mais, avant de nous récrier, étudions.

Aujourd'hui que la maison d'Autriche a renoncé, il y a longtemps, à la monarchie universelle  de Charles-Quint; aujourd'hui que la Russie, improvisée par la Providence pour des desseins que nous ignorons en Orient, pèse du poids de cent millions d'hommes sur la Pologne, la Prusse, la Hongrie, les bouches du Danube et les provinces presque allemandes de la Servie et de la Bulgarie, qu'est-ce que l'Autriche? C'est le boulevard épais et armé qui couvre seul l'Occident contre l'extravasement moscovite de la Russie en Allemagne et sur tout le versant oriental de la mer ottomane. Nous disons *seul*, parce que du côté de la Prusse la brèche est ouverte, et que la Prusse, incapable de résister par inégalité de forces, l'est plus encore par politique; livrez-lui des provinces de plus dans le nord et dans le midi de l'Allemagne, et elle se montra toujours prête à recevoir toutes les dépouilles.

Si ce boulevard de l'Autriche contre la Russie en Allemagne et en Orient n'existait pas, il faudrait l'inventer. Or ce boulevard naturel contre la Russie n'est-il pas un des intérêts les plus vitaux de la France? L'Autriche prête à la France, par nécessité, en Hongrie et en Dalmatie, huit cent mille hommes que nous  n'avons ni à lever ni à payer pour défendre le Danube, le Rhin, l'Adriatique, contre l'omnipotence moscovite. Détruire de nos propres mains ce boulevard autrichien, ne serait-ce pas découvrir la France et livrer l'Italie, comme l'empire d'Orient, aux Souwarofs futurs? L'Autriche et la Russie, de ce côté, ne font qu'un. L'alliance n'est donc pas seulement possible: elle est naturelle, elle est nécessaire. Ce sont de ces traités auxquels les cabinets ne peuvent rien: ils sont contraints, ils sont écrits par la nature; ils sont contre-signés par la vie et par la mort des nations qui les contractent pour le salut commun.

Du côté de la Prusse, qu'est-ce que l'Autriche en Allemagne? C'est l'obstacle, jusqu'ici insurmontable, à l'unité allemande dans la main de la Prusse. Or ne venons-nous pas de vous démontrer que l'unité allemande, dans les mains de la Prusse, ce serait la coalition en permanence adossée à la Russie et inspirée par l'Angleterre contre nous? La puissance autrichienne, noyau protecteur des petites puissances de l'Allemagne méridionale, n'a-t-elle donc pas, en résistant à l'unité allemande, exactement les mêmes intérêts que la France? L'alliance, de ce côté comme du côté de la Russie, n'est-elle donc pas écrite par la communauté des intérêts de la France et de la maison d'Autriche? Favoriser de ses vœux ou de sa diplomatie la Prusse contre l'Autriche, n'est-ce pas évidemment trahir la sécurité de la France? Aussi voyez avec quel instinct révélateur de haine contre la France l'Angleterre, depuis que la Prusse germe en Allemagne, n'a-t-elle pas toujours cultivé à tout prix l'alliance prussienne! L'alliance obstinée de l'Angleterre avec le cabinet de Berlin doit éclairer le cabinet des Tuileries: l'alliance de l'Angleterre ne sera jamais une alliance française.

Voyez, au contraire, avec quel acharnement, instinctif aussi, le cabinet de Londres et l'esprit antifrançais de l'Angleterre poursuivent, depuis quelques années, l'amoindrissement systématique et la destruction, si elle était possible, de l'Autriche. Cette haine doit vous éclairer, vous, Français, sur la nature de l'Autriche. Si l'Autriche vous était moins nécessaire, l'Angleterre ne la haïrait pas tant: ses haines et ses amours cachent toujours un *mal-vouloir* contre la France. Votre boussole diplomatique, dans les questions obscures, est dans le cabinet de Londres. Voyez où son aiguille vous pousse, là est le danger!— témoin l'*unité italienne* et l'*unité allemande*, ces deux écueils où l'Angleterre vous chasse par tous les vents de sa diplomatie.

## IX

Ces deux grands intérêts vitaux, résister au débordement russe en Occident et en Orient, et résister à l'unité allemande bien plus encore qu'à l'unité italienne, sont donc deux intérêts communs, identiques à l'Autriche et à la France. L'alliance sur ces deux points entre la France et l'Autriche est donc, non pas possible, mais imposée. Supposez un moment par la pensée que l'Autriche se soit évanouie dans la nuit, que les Russes soient sur le Rhin, que la Prusse ait absorbé tous les membres de la confédération allemande, que l'unité de l'Allemagne fasse le pendant de l'unité italienne, et demandez-vous ce qu'il en serait de la France à son réveil!—Partisans dénaturés de ces unités antifrançaises, savez-vous ce que vous aurez? L'UNITE RUSSE!—Voilà ce qu'à votre insu vous poursuivez! Ô Mirabeau! ô grande clairvoyance éteinte avant le temps, tu l'avais prévu, tu l'avais dit! Mais alors la France n'avait pas le vertige des unités, qui sont sa perte, contre les fédérations et contre les équilibres, qui font son salut!

## X

Pourquoi donc, me dira-t-on, ce système d'alliance que vous proclamez le seul possible, entre l'Autriche et la France, n'existe-t-il pas encore? Pourquoi les cent voix populaires de la France répètent-elles, à la suite de ses jeunes publicistes, le cri d'extermination contre l'Autriche? C'est d'abord parce que ces publicistes sont jeunes, et qu'ils n'ont pas encore réfléchi à ce qu'ils proclament; c'est ensuite parce que le vieil écho des casernes impériales du premier empire n'a pas eu le temps d'apprendre un autre mot que celui de guerre à l'Autriche depuis Leipzig jusqu'à Fontainebleau; c'est enfin parce que deux grandes questions diplomatiques, l'Orient et l'Italie, se sont malheureusement interposées entre la France et l'Autriche depuis les traités de Vienne, et que ces deux questions, l'Italie surtout, devaient, tant qu'elles n'étaient pas tranchées, empêcher la France et l'Autriche de se reconnaître et de s'allier.

## XI

Parlons donc en peu de mots de ces deux questions, si mal posées et si mal résolues par les théoriciens de la fantaisie et par les romanciers diplomatiques.

Et d'abord, de ce qu'on appelle la question turque.

On dit: Il faut anéantir l'empire ottoman; et, si l'Autriche s'y oppose, détruisons donc à la fois l'empire autrichien et l'empire ottoman. Faisons ces deux grands vides soudains en Orient et en Occident; les remplira qui pourra!

Et moi, j'ose vous dire: L'Europe entière, pendant trente ans de guerre sur terre et sur mer, ne suffirait pas à les remplir.

Qu'arriverait-il de l'empire ottoman?

Qu'arriverait-il de l'Europe?

On croit généralement que les quatre cent mille lieues carrées, possédées en Asie et en Europe par l'empire ottoman, sont un espace peuplé de populations chrétiennes opprimées, asservies, compactes, d'une même race, d'un même culte, et qu'il suffirait de se délivrer des Ottomans pour que ces populations florissantes et libres formassent un empire européen, homogène et civilisé, au milieu de l'Asie. S'il en était ainsi, on comprendrait que les prêcheurs nomades d'une nouvelle croisade contre l'islamisme eussent quelque chance de réaliser, au profit de ce qu'ils appellent civilisation, l'expulsion ou l'extermination des Ottomans; mais cette statistique de l'empire ottoman est une grossière erreur et une grossière fiction dont les intéressés bercent les multitudes.

Premièrement, rien n'est plus faux que cette prétendue antipathie religieuse, et que cette prétendue extermination systématique des chrétiens de l'Orient par les Turcs. La preuve que les Turcs n'ont jamais exterminé les races chrétiennes de l'Orient à cause de leur culte, c'est qu'au moment même de la conquête, Mahomet II, le conquérant de l'empire grec, au lieu de proscrire et d'exterminer le christianisme, proclama le libre exercice et le respect du culte chrétien, appela autour de lui tous les prêtres de la capitale, et marcha processionnellement avec eux à Sainte-Sophie, pour leur assurer solennellement dans leur cathédrale la tolérance que les Turcs portent à toutes les religions.

La même tolérance respectueuse fut garantie par les vainqueurs dans toutes les villes grecques chrétiennes de l'empire; nul ne fut ni persécuté ni contraint pour cause de religion; les chrétiens furent seulement obligés de respecter eux-mêmes dans leurs actes et dans leurs paroles le culte mahométan. On partagea les temples entre les religions. Lisez l'histoire dans l'histoire, et non dans les légendes.

Mais surtout lisez-la dans les faits et dans les monuments religieux qui couvrent l'empire ottoman encore aujourd'hui. Si les Ottomans avaient proscrit, persécuté, exterminé le christianisme comme on vous le dit, comment se ferait-il donc que les chrétiens fussent trois fois plus nombreux et cent fois plus riches que les Turcs, sur toute la surface de leur territoire? Comment se ferait-il que les Églises chrétiennes, les monastères chrétiens, couvrissent la Turquie entière de ces témoignages éclatants de la tolérance des Turcs, depuis le mont Sinaï jusqu'au fond de l'Égypte, depuis le fond de l'Égypte jusqu'au mont Liban, tout crénelé de couvents, depuis le mont Liban jusqu'au mont Athos et à ses trois cents couvents et à sa population exclusive de moines? Comment se ferait-il que, depuis la capitale de l'empire jusqu'aux dernières villes des îles et des provinces, la partie chrétienne de la population, exerçant librement son culte, honorée dans ses patriarches, respectée dans ses cérémonies, fût précisément l'élite de la richesse, de l'industrie, du commerce, de la navigation, de la prospérité dans tout l'empire?

Comment se fait-il que tout l'archipel grec professe le christianisme, que la Valachie et la Moldavie soient chrétiennes, que la Servie et la Bulgarie soient chrétiennes, que la Macédoine, l'Albanie, la Dalmatie soient chrétiennes, que la Syrie, à l'exception d'Alep et de Damas, soit chrétienne?

Comment se fait-il que, dans l'intérieur même de l'Asie Mineure, jusqu'aux pieds du *Taurus*, les villages chrétiens soient mêlés aux villages turcs, de telle sorte que le voyageur a peine à savoir laquelle des deux populations domine l'autre en nombre, en autorité, en richesse, dans toutes ces parties de l'empire?

Ce n'est donc nullement la religion qui fait le signe de distinction dans l'empire: c'est la race conquérante et la race conquise. Les chrétiens vivent, multiplient, prient, trafiquent, s'enrichissent, possèdent leurs priviléges sous la protection de leurs magistrats ou de leurs consuls; les Turcs règnent et gouvernent: voilà toute la différence.

Ils administrent mal, voilà tout leur crime aux yeux des Européens. Ce vice est commun à tous les gouvernements orientaux; on peut même dire qu'il est endémique en Orient, ce vice de mauvaise administration; il tient aux lieux, aux climats, à la configuration des terres, aux montagnes, aux distances, aux déserts. Dans de telles profondeurs de plaines incultes, comment l'administration des tribus peut-elle être autre que patriarcale, c'est-à-dire arbitraire et indirecte? Comment des peuples pasteurs, nomades, aujourd'hui ici, demain à cent lieues, suivant les saisons, l'été sur les côtes, l'hiver dans les steppes, toujours à cheval, transportant sur leurs chameaux leurs familles et leurs tentes, comment de pareilles populations pourraient-elles se prêter au genre d'administration directe, uniforme et sédentaire de l'Europe? La tente et la maison établissent des modes d'administration et de gouvernement entièrement opposés. Donnez donc des systèmes représentatifs aux nomades de la Mésopotamie; donnez des tribunes à des peuples qui parlent des langues différentes; donnez la liberté de la presse aux sauvages Kurdes des frontières de Perse; donnez des préfets et des receveurs généraux aux huttes des Tartares, aux tentes errantes de l'Éthiopie ou de la Mecque!

Cette manie d'uniformité de gouvernement, que nous voulons imposer à des peuples que l'origine, le sol, le climat, ont faits si dissemblables, est une absurdité contre nature. Offrez donc les bienfaits de la liberté à des peuples à cheval, qui possèdent dans l'espace et dans les pieds de leurs chevaux la liberté illimitée du désert!

L'administration de l'Orient sera donc toujours, aux yeux d'un Européen, vicieuse, parce qu'elle ne sera jamais l'administration de l'Europe. Il faut en prendre son parti: c'est Dieu qui l'a voulu, en faisant croître l'herbe ici, et en ne faisant croître ailleurs que l'épine du chameau; en faisant des déserts de quarante jours de traversée sans une source dans le sable, et en faisant déborder le Nil, cet arrosoir de l'Égypte, des nuées encore inconnues de l'Abyssinie.

## XII

Quant au gouvernement de l'empire ottoman sur ces multitudes fixes ou errantes, une ou deux batailles suffiraient sans doute pour le changer, en refoulant la race d'Othman d'où elle est venue, ou en l'exterminant sur place, comme Timour ou Gengis-Kan, ces exterminateurs de race. Mais que gagnerez-vous, vous Europe, à ce meurtre fantastique de douze ou quinze millions d'hommes, coupables seulement de leur nom? Comment remplaceriez-vous ce peuple gouvernant par les gouvernés? Je le concevrais s'il y avait dans l'empire ottoman une race, chrétienne ou non chrétienne, assez nombreuse, assez compacte, assez courageuse, assez intelligente pour se substituer de plein droit à l'empire et pour gouverner ces quatre cent mille lieues dépeuplées de leurs possesseurs; mais ce fait n'existe pas. Il y a, en effet, dans l'empire plus de population non turque qu'il n'y a de population turque: il y a des *Éthiopiens*, des *Cophtes*, des *Abyssins*, des *Égyptiens*, des *Arabes*, des *Bédouins*, des *Kurdes*, des *Syriens* natifs, des *Syriens grecs*, des *Juifs* de Jérusalem et des *Juifs* de Samarie, des *Mutualis*, des *Druses*, des *Maronites*, des *Insulaires*, des *Candiotes*, des *Cypriotes*, des *Arméniens*, des *Tartares*, des *Caucasiens*, des *Hymirètes*, des *Bulgares*, des *Serbes*, des *Albanais*, des *Grecs* surtout en nombre considérable; en tout, je crois, trente ou quarante races différentes d'origine, de mœurs, de sol, de religion, répandues çà et là dans toute la surface de l'empire.

Mais aucune de ces races néanmoins, chrétienne ou non chrétienne, n'y existe en nombre assez prédominant pour y succéder à l'empire ottoman, si cet empire s'écroulait par une décomposition spontanée ou par la violence de l'Europe. De plus, ces peuplades, de race et de religion semblables, telles que les Grecs, par exemple, ne sont pas contiguës les unes avec les autres sur la surface des territoires qu'elles occupent, de manière à former un noyau, une unité quelconque de peuple; mais elles sont séparées par d'autres groupes de populations différentes qui interceptent les communications entre elles et qui leur sont antipathiques: en sorte que les populations supposées habiles à succéder aux Turcs forment une véritable mosaïque de peuples concassés, comme le granit sous le pilon, en véritable poussière d'hommes qui ne peut plus se conglomérer en masse imposante.

Voyez, par exemple, la population grecque: elle existe dans le Péloponnèse, puis elle est interceptée du reste du territoire européen par des millions de Bulgares et de Serbes, véritables Helvétiens de la Turquie. On retrouve une autre population grecque à Constantinople, puis elle est séparée du reste de l'Asie par six millions de Turcs et des millions de Tartares et de peuples caucasiens; on la retrouve dans les îles et sur l'extrême littoral de l'Ionie et de l'Asie, puis elle est noyée dans des millions de Turcs et de Caramaniens jusqu'au Taurus et au delà; elle reparaît en Syrie, mais en extrême minorité, comparée aux Syriens, aux Maronites, aux peuples d'Alep, de Damas; enfin elle se perd au delà de la Mésopotamie, dans l'océan des races arabes, kurdes, persanes, égyptiennes, qui vont se perdre elles-mêmes dans les peuples noirs du Sennaar et de l'Éthiopie.

## XIII

Aucune de ces races, pas même la race grecque, n'est donc assez agglomérée dans les mêmes provinces d'Europe, d'Asie ou d'Afrique, pour s'y lever en une unité puissante et pour dire: «Je suis la population héritière des Turcs.»

Il y a plus encore: c'est que toutes les races, chrétiennes ou autres, disséminées sur le sol ottoman sont mille fois plus antipathiques entre elles qu'elles ne le sont aux Turcs sous l'empire desquels ces races vivent, et que, si l'on mettait aux voix *à qui l'empire*, il n'y a pas une de ces tribus qui ne répondît sans hésiter: «Aux Turcs plutôt qu'aux Grecs; aux Turcs plutôt qu'aux Arméniens; aux Turcs plutôt qu'aux Arabes; aux Turcs plutôt qu'à aucune de ces petites races faibles et tyranniques, assez fortes pour nous opprimer, trop peu pour nous défendre. Mieux vaut pour nous cette subalternité dans l'empire turc que le joug tracassier et persécuteur de ces populations rivales qui nous haïssent.»

La substitution d'une race politique en Turquie à la race gouvernante des Ottomans serait donc une anarchie sanguinaire qu'aucune de ces races ne serait assez prédominante pour étouffer sous la force; l'Orient se dépeuplerait sous leur lutte. Voyez ce qui se passe en Syrie entre les Maronites, les Druses, les Grecs, les Arabes, les Bédouins de la Mésopotamie, toutes les fois qu'une rixe nationale s'élève, et que les Turcs ne sont pas là assez nombreux pour remettre l'ordre et imposer la paix. Voyez, même à Jérusalem, la rixe incessante des Grecs schismatiques et des Grecs catholiques à la porte du saint sépulcre. Ces conflits de race, de schisme et d'orthodoxie sont tels qu'en 1817 les antagonistes incendièrent le saint sépulcre pour l'arracher à leurs rivaux chrétiens, et que, sans les Turcs, arbitres de ces querelles, le saint sépulcre aurait déjà disparu sous la jalousie stupide de ces sacriléges profanateurs de leur propre sanctuaire.

## XIV

Mais, si l'empire ottoman ne peut être remplacé en Europe, et en Asie surtout, par les populations indigènes, comment serait-il remplacé par les puissances européennes elles-mêmes?

Sera-ce par la Russie? Mais nous avons démontré que ce serait livrer trois continents aux Moscovites. Qui est-ce qui y consent, excepté les Grecs, dans ces trois continents? Et que serait l'Europe sous cette monarchie gréco-barbare des Scythes? L'avenir verra cet empire; mais nous ne devons pas être les complices de cette vaste servitude. On a vu, à la guerre de Crimée, que l'Europe entière avait l'instinct unanime du danger de livrer l'empire ottoman aux Russes. La France, sans s'informer si elle servait en cela l'Angleterre, a volé à Sébastopol, a versé le sang chrétien pour préserver le sang ottoman, et la France a bien fait. Il ne s'agissait pas en Crimée de religion: il s'agissait de la liberté et de l'équilibre du monde. Puissance civilisée, la France a été là à sa place, à la tête de la civilisation contre la force.

Serait-ce à l'Autriche qu'on livrerait la Turquie? Mais l'Autriche ne serait ni assez hardie pour tenter cette conquête, ni assez forte pour la garder. Que ferait la Russie? Que dirait l'Angleterre? Que tolérerait la France? Qui peut posséder l'Adriatique, les Dardanelles, la mer Égée, la mer de Marmara, l'Archipel, la mer Noire, à moins d'être la première puissance navale du monde? Les flottes anglaises et les flottes françaises combinées détruiraient tous les jours par mer ce que l'Autriche aurait construit d'empire sur la terre; Constantinople aurait le sort de Sébastopol avant qu'une année fût écoulée.

Est-ce la France? Mais la France y rencontrerait en y arrivant les Russes, les Autrichiens, les Anglais, et l'Orient ne serait que le champ de bataille de l'Europe.

Ces puissances se partageraient-elles l'empire ottoman? Mais qui fixera et surtout qui garantira les bornes? Est-ce que, par sa supériorité navale, l'Angleterre ne sera pas toujours la première au poste envié? Est-ce que, par sa contiguïté avec l'empire ottoman en Europe et en Asie, la Russie ne couvrira pas avant nous l'empire de ses armements? Est-ce que, par les provinces de l'Adriatique, et par la Grèce, par la Servie, par la Bulgarie, par le Danube, l'Autriche ne dévorera pas avant nous ce tiers d'un empire? À un tel partage la France a tout à perdre, et rien à gagner que la force doublée de ses ennemis naturels. La puissance du continent occupé par les Allemands et les Russes sépare la France de la Turquie d'Europe; la largeur de la Méditerranée la sépare de la Turquie d'Asie. C'est une proie qui est évidemment dévolue à ses rivaux de terre et de mer; à aucun prix la France ne doit leur faciliter ou leur livrer une telle proie.

## XV

L'empire ottoman n'est donc pas, comme on vous le dit, une démolition prochaine qui donnera de l'air à l'Europe, de la place aux rivalités de l'Europe, de la paix aux intérêts rivaux des puissances, des progrès aux civilisations chrétiennes: l'empire ottoman ne serait que le sujet d'une guerre aussi vaste, aussi prolongée que les ambitions de l'Europe; ou bien ce ne serait qu'un vide immense dans lequel deux civilisations, la civilisation européenne et la civilisation orientale, s'engloutiraient à la fois.

Ces deux civilisations tendent à se rapprocher et à se fondre: votre politique est de favoriser ce progrès parallèle, en maintenant l'empire ottoman à la place qu'il occupe sur la carte, et en protégeant par un grand *concordat politique* avec le chef nominal, et en ce moment très-vertueux, de cet empire, les populations tributaires du Grand-Seigneur par le gouvernement, et tributaires de l'Europe par l'origine, les mœurs, les religions; c'est ce grand *concordat* entre la Turquie et l'Europe qui doit être en ce moment la pensée dominante de la diplomatie française. Que la France y pense. Elle aura fait ainsi plus qu'une conquête: elle aura fait l'ordre français en Turquie, au lieu du désordre européen.

## XVI

L'autre question, c'est l'Italie; elle brûle en ce moment, et l'incendie imprévoyant que le Piémont y a allumé, et que la France n'a pas étouffé à temps, menace de consumer toute l'Europe.

Essayons d'en décomposer les éléments et d'en chercher une solution compatible avec le rétablissement de l'équilibre et avec le maintien de la paix en Europe.

La diplomatie n'était autrefois que nationale; depuis la révolution, la diplomatie est en quelque sorte européenne. On ne traitait qu'avec les cours;

on traite maintenant, dans une certaine proportion, avec l'opinion. L'élément nouveau appelé l'opinion, force morale, s'est mêlé aux autres éléments de force matérielle que les négociations et les traités avaient pour objet de concilier et d'asseoir.

Cela est nécessaire à dire, avant de parler de ce qui se remue aujourd'hui en Italie.

## XVII

L'Italie, par la noblesse légitime de sa race, par le prestige éternel de ses souvenirs, par l'intelligence exquise de ses peuples, et par l'énergie, non pas nationale, mais individuelle, de ses fils, souffrait depuis longtemps de sa subalternité politique en face des grandes puissances militaires librement constituées qui prédominaient en Europe. Il y avait un juste orgueil dans les reproches de ses patriotes à leurs gouvernements. L'Italie cherchait les occasions de devenir libre et grande. Cet esprit de revendication d'un haut rang dans le monde était toutefois plus sensible dans l'aristocratie italienne et dans les classes lettrées que dans les peuples. Cela est naturel: c'est par en haut que les peuples pensent, c'est par le cœur que les peuples sentent; la pensée et le sentiment ne sont pas dans les membres.

Le malaise moral de l'Italie, intolérable dans l'aristocratie italienne, était très-peu senti dans les masses. De là vient que l'Italie a beaucoup gémi, beaucoup maudit, beaucoup conspiré avant d'agir. La tête ne trouvait pas les bras à son service; les tribuns ne manquaient pas, mais les armées manquaient aux tribuns.

Un petit peuple à peine italien, plus cisalpin que romain, le Piémont, race de soldats héroïques, rudement maniés, tantôt contre la liberté par des princes clients de la sainte alliance (comme de 1814 à 1848), tantôt pour la révolution (comme de 1848 à 1860), se dit, par la bouche de ses deux derniers souverains: «C'est moi qui suis l'Italie; je vais prendre en main sa cause, je vais en faire la mienne. Ma monarchie, jusqu'ici de troisième ordre et presque inaperçue dans la famille des monarchies, va grandir en un moment, non pas comme une puissance régulière et par un accroissement progressif, mais à la manière des explosions révolutionnaires, jusqu'à la proportion de trente millions d'âmes, d'un trône composé des ruines de cinq ou six trônes, et d'une armée de cinq ou six cent mille hommes qui deviendront mon armée. Monarque d'une si riche péninsule, chef courageux d'une si imposante armée, présent par l'ubiquité du nom de roi d'Italie dans mes cinq ou six capitales, maître de mille lieues de côtes couvertes de ports militaires sur la Méditerranée, pouvant à mon gré les ouvrir ou les fermer aux escadres ou aux débarquements de l'Angleterre, je veux faire compter l'Autriche et au besoin la France avec moi; c'est un terrible poids à placer ou à déplacer dans la balance du continent que trente millions d'âmes, cinq cent mille hommes, l'alliance nécessaire de l'Angleterre et un drapeau qui sera, à mon gré, selon les circonstances, celui de la monarchie absolue, celui de la dictature soldatesque, ou celui de la révolution!»

Que dites-vous de l'ambition d'un si grand cœur dans un si petit prince? Si elle s'accomplit, l'Autriche n'est plus l'Autriche, sans doute; mais la France aussi n'est plus la France!

En s'alliant à l'Autriche, le roi d'Italie amène à son gré un million de soldats sur nos Alpes;

En s'alliant avec nous, le roi d'Italie amène à son heure un million d'hommes sur le Tyrol et sur l'Allemagne du Midi;

En s'alliant avec l'Angleterre, le roi d'Italie amène une *armada* britannique sur toutes ses côtes, dans tous ses ports, et fait, au premier signe, de l'Italie maritime entière, un avant-poste de l'Angleterre au midi de la France ou de l'Autriche. Il n'y a plus de Méditerranée pour nous! Cela est plus vrai et plus certain que le mot: Il n'y a plus de Pyrénées!

Aussi voyez avec quelle ardeur fébrile l'aristocratique Angleterre a saisi l'idée révolutionnaire de l'unité piémontaise en Italie. L'Angleterre saisit le fer chaud quand il s'agit de prendre une position si redoutable contre la France.

## XVIII

La France, cependant, qui devait se borner à empêcher les envahissements autrichiens contre le Piémont, à prévenir les interventions étrangères dans les États italiens, à favoriser, sans y intervenir de la main, le système fédératif entre les nationalités italiennes, la France a prêté deux cent mille hommes, des millions et deux victoires à la pensée antifrançaise du Piémont. Nous ignorons ses motifs, à plus longue vue que les nôtres, sans doute; les cabinets à une seule tête sont les plus sûrs des secrets d'État.

Mais nous voyons se développer jusqu'ici une diplomatie anglo-piémontaise de nature à donner un jour de grands motifs d'inquiétude à la France sur sa sécurité en cas de guerre avec le continent ou en cas de guerre avec la Grande-Bretagne. Car ne nous faisons pas d'illusion sur l'éternelle reconnaissance et sur l'indissoluble alliance entre la France et la monarchie piémontaise de l'Italie *une*: les rois hommes d'honneur, les ministres qui se respectent, peuvent être reconnaissants par honneur, par pudeur, par intérêt momentané; mais les rois meurent, les ministres passent, les cabinets restent avec l'esprit de leur situation géographique en Europe. Or l'allié nécessaire de l'Angleterre sur le trône unique de l'Italie, trop voisin de la France, ne sera jamais un allié de la France contre la volonté de l'Angleterre.

Si nous voulons des alliés sûrs au delà des Alpes, et nous avons le droit de les vouloir, ne permettons pas à une seule maison royale d'affecter la monarchie universelle de l'Italie, et de retourner contre nous, à la merci de l'Angleterre, cette monarchie universelle que nous aurions nous-mêmes fondée contre nous-mêmes. Où serait l'équilibre? où serait la paix?

## XIX

Que devons-nous, libéralement et nationalement, à l'Italie?

Empêcher l'Autriche d'empiéter sur les États italiens, piémontais ou autres dont les traités ont garanti l'indépendance, afin que l'Italie, destinée à être libre, ne devienne pas une monarchie autrichienne, trop pesante sur ces peuples libres, et trop pesante aussi contre nous-mêmes au midi de l'Europe.

Que devons-nous de plus à l'Italie, le Piémont compris?

Des vœux sincères, et des bons offices licites au besoin, pour que ces diverses et inconsistantes nationalités constituées dans la Péninsule se développent en institutions propres, favorables à leur liberté, et se groupent en confédérations indépendantes pour se protéger mutuellement contre l'Autriche ou contre toute autre puissance armée, anglaise, russe, prussienne, même piémontaise, qui tenterait ou de les conquérir ou de les monopoliser à son profit. Enfin nous lui devons une force française, toujours prête à garantir cette confédération italienne.

Voilà ce que nous devons à l'Italie, et pas plus; mais ce que nous impose le Piémont, encouragé dans son *ambition à outrance* par l'Angleterre, est-ce bien cela?

Quoi! devons-nous au Piémont deux victoires par mois et cinquante mille hommes par an pour soutenir ses provocations, plus anglaises que françaises, à la formidable unité d'une monarchie piémontaise, où nous devons avoir l'œil, si nous n'y avons pas la main?

Devons-nous au Piémont le fardeau à perpétuité de deux cent mille hommes, toujours sur pied pour aller défendre au besoin, à toute heure, la monarchie unitaire du Piémont contre quiconque voudra, du nord ou du midi, résister à ce monopole de la maison de Savoie?

Devons-nous au Piémont le sacrifice de tout ce qui a constitué jusqu'ici, parmi les sociétés civilisées, ce qu'on appelle *le droit public*, le droit des gens: le respect des traités, la sainteté des limites, la légitimité des possessions traditionnelles, l'inviolabilité des peuples avec lesquels on n'est pas en guerre? Lui devons-nous le droit exceptionnel d'invasion dans toutes les provinces neutres et dans toutes les capitales où un caprice ambitieux le porte, au nom d'une prétendue nationalité que le Piémont invoque pour lui en la foulant aux pieds chez les autres?

Devons-nous au Piémont le débordement, sans déclaration de guerre et sans titre, de ses baïonnettes dans toutes les principautés à sa convenance dans l'Italie septentrionale?

Devons-nous au Piémont son irruption soudaine et non motivée, à main armée, dans cette Toscane des Médicis et des Léopold, toujours notre fidèle alliée, même sous notre première république, par la communauté des principes de 89 et des législations libérales de Léopold, Léopold, le premier des réformateurs couronnés et des philosophes sur le trône?

Devons-nous au Piémont l'invasion inopinée, par cent mille Piémontais, dans ces États du pape avec lesquels le Piémont n'était pas en guerre, et pendant que nos propres troupes, par leur présence à Rome, semblaient devoir garantir au moins l'inviolabilité de fait des territoires? Le drapeau français fut-il jamais affronté avec une telle irrévérence, je ne dirai pas par des ennemis, mais par des alliés intimes à qui nous venions de rendre des services aussi éclatants que Magenta et Solferino?

Devons-nous au Piémont les débarquements scandaleux d'une armée piémontaise en Sicile pendant que ses ambassadeurs assuraient le roi de Naples de son respect pour ses États, et que les ambassadeurs de Naples portaient à Turin une constitution fraternelle en gage de paix et d'alliance?

Devons-nous enfin au Piémont l'entrée de quatre-vingt mille hommes dans Naples même, pour y recevoir des mains d'un autre Jean sans Terre un royaume de neuf millions d'hommes stupéfaits par l'héroïque débarquement d'un intrépide soldat, mais nullement conquis dans une guerre légitime par la maison de Savoie?

Devons-nous au roi de Piémont le droit impuni d'aller, à la tête d'une armée royale, poursuivre, assiéger, bombarder dans son dernier asile, à Gaëte, un jeune roi à qui sa jeunesse, innocente du despotisme de son père, n'avait pas même permis de commettre des fautes qui motivent l'animadversion d'un ennemi ou le jugement d'un peuple? Ce droit des boulets et des bombes sur la tête des rois, des femmes, des enfants, des jeunes princesses d'une maison royale avec laquelle on n'est pas en guerre, est-il devenu le droit des rois contre les rois de la même famille? Est-ce là la fraternité des trônes pour un prince qui veut universaliser la monarchie?

Non, nous ne devons rien de tout cela au roi de Piémont, lors même que, pour légitimer ces énormités monarchiques, il se servirait du beau prétexte de la liberté à porter aux peuples.

La liberté que les peuples se font à eux-mêmes est légitime et sacrée; la liberté que les peuples reçoivent de l'invasion étrangère, à la pointe des baïonnettes du roi de Piémont ou avec les bombes de Gaëte, n'est qu'une ignominieuse servitude.

Tous les peuples de l'Italie ont le droit moderne et incontestable de se donner la liberté chez eux, de détruire ou de constituer le gouvernement national qui leur convient; mais nul n'a droit de leur imposer, sous le nom de *liberté* et le canon sur la gorge, la monarchie de la maison de Savoie.

Garibaldi, lui, avait le droit, à ses risques et périls, de l'insurrection; car sa tête répondait de son audace, et il ne répondait à aucun allié, à aucun droit public, à aucun principe diplomatique, de ses exploits tout individuels. Il portait un défi personnel aux rois et aux peuples, au-dessus desquels il se plaçait; il était le grand *hors la loi, ex lege*, du droit des nations.

Mais le roi de Piémont était un roi, roi par le droit public respecté en lui, et qui devait être respecté par lui chez les autres; roi allié de la France, roi défendu dans deux batailles par la France, roi responsable devant la France, roi dont la France était en quelque sorte elle-même responsable, depuis qu'elle lui avait prêté sa force pour défendre son royaume et pour l'agrandir contre ces mêmes envahissements qu'il pratique aujourd'hui chez les autres.

La France a donc parfaitement le droit et, je dis plus, le devoir de ne pas avouer l'ambition d'un roi qui est roi par la grâce du sang français versé pour lui dans la Lombardie, et de ne pas reconnaître une unité monarchique piémontaise de toute l'Italie, qui serait un péril national créé contre la sécurité de la nation française.

C'est le cas, ou jamais, de conférer avec l'Europe ou de déchirer pour toujours le droit public, cette charte des peuples, des États, des trônes, de jouer le monde au jeu des insurrections royales, et de ne plus mettre dans les balances que des ambitions et des boulets, au lieu de droit public!

## XX

La France ne fera certainement pas la partie si belle à ses dangereux alliés de Turin, et à ses adversaires naturels de Londres.

Que fera-t-elle, si elle est bien inspirée par l'évidence des dangers futurs que l'unité monarchique de la maison de Savoie, et la nouvelle situation que cette unité monarchique piémontaise donne contre nous en permanence à l'Angleterre, nous prépare?

Elle se dira, dans sa sagesse, ceci:

Le mouvement libéral, national, né de lui-même, de son sol et de sa pensée en Italie, est beau de souvenir et d'espérance.

L'aspiration d'une grande race éclairée, courageuse, à rentrer en possession d'elle-même, est un droit; c'est la légitimité de l'âme des nations.

Nous devons, dans la limite du droit public, respecter, honorer, au besoin favoriser ce droit, s'il était nié ou attaqué dans son exercice par des puissances étrangères à l'Italie.

## XXI

Ainsi, que le Piémont, tenu si longtemps dans l'asservissement de l'Autriche ou de l'Église par la maison de Savoie jusqu'en 1848, reçoive ou se donne des institutions représentatives ou républicaines si le pays le veut, et que l'Autriche l'en punisse par une invasion des principes rétrogrades représentés par ses baïonnettes, nous devons voler au secours de l'indépendance du Piémont.

Que la Toscane, pays le plus mûr pour la liberté, parce qu'il a été mûri par les institutions de Léopold Ier, s'affranchisse d'une dynastie qu'elle aime, mais qu'elle suspecte, et se donne les lois de son ancienne république, nous devons regarder avec respect cette résolution spontanée de Florence, et empêcher qu'une intervention autrichienne ne vienne contester ce mouvement de vie dans une terre toujours vivante.

## XXII

Que les États du souverain pontife modifient leur gouvernement par leur libre et propre volonté; que les Romains se donnent un gouvernement politique romain, au lieu d'un gouvernement étranger; que Rome veuille être une patrie, au lieu d'être un concile; que la souveraineté traditionnelle du pontife se combine avec la souveraineté civile de la nation romaine par des institutions représentatives et par des administrations laïques, ou même que Rome concilie, comme le voulaient *Pétrarque, Rienzi, Dante*, les souvenirs de sa république avec le séjour d'un pontife roi d'un empire spirituel, qu'avons-nous à nous immiscer dans les transactions du peuple et des princes? Laissons la puissance à l'un, la liberté à l'autre, la transaction éventuelle entre les deux. L'inviolabilité des régimes intérieurs des peuples chez eux est le droit commun: le droit des peuples, le droit des républiques, le droit des théocraties, je dirai plus, le droit du destin. Ne mettons pas la main entre la Providence et son œuvre. L'œuvre que vous voudrez faire sera précaire; l'œuvre qu'elle accomplira elle-même par la main des peuples et par la main de son premier ministre, le temps, sera durable. Qui a donné au Piémont le droit de juger ou de préjuger de la volonté des Toscans, des Romains, des Napolitains, des Siciliens, et de préjuger de la volonté vraie de ces peuples à son profit? Le jugement des intéressés exprimé par des armées et rédigé par des conquêtes est suspect à tout le monde.

## XXIII

Ainsi encore, qu'un jeune roi de Naples, à peine échappé à la tutelle ombrageuse de son père, élevé, dans la solitude royale de Caserte, à cultiver un jardin royal pour toute instruction politique, monte, encore enfant, sur le trône et s'y tienne à tâtons pendant un orage; qu'ensuite il jette une constitution hasardée à ses peuples pour apaiser l'insurrection de Sicile, comme on jette un à un ses vêtements royaux derrière soi pour retarder la poursuite de la révolution pendant qu'elle les ramasse;

Qu'il décompose lui-même son armée par les conseils de ministres incapables ou perfides;

Que ses oncles même abandonnent ce malheureux neveu pour aller se joindre à ses ennemis;

Qu'il sorte de sa capitale pour en écarter les bombes et les obus des Piémontais; qu'il reprenne courage dans l'honneur et dans le désespoir; qu'il s'abrite avec ses derniers défenseurs, avec sa mère, ses frères, ses jeunes sœurs, dans une ville de guerre pour tomber au moins avec la majesté, le courage du soldat, sur le dernier morceau de rocher de sa patrie; et que le Piémont, étranger à cette question entre les Napolitains et leur jeune roi, avec lequel le patriotisme et la liberté les réconciliaient, entre, sans querelles, sans déclaration de guerre, avec ses armées dans le royaume, et vienne, auxiliaire de l'expulsion, écraser de ses boulets les casemates de Gaëte devenues le dernier palais d'un dernier Bourbon: quel droit peut alléguer contre son parent innocent le roi de Piémont, pour s'emparer du trône démoli par ses canons? et quel titre à la monarchie de Naples, que cette violation impitoyable des droits du peuple, des droits du trône, des droits même de la nature et de la parenté! Et quelle diplomatie, excepté la diplomatie anglaise, peut contraindre la France à ratifier de telles audaces contre le droit des peuples?— Aussi voyez comme l'orgueil national humilié de ces neuf millions d'hommes de Naples et de Sicile commence à protester par son soulèvement de cœur contre une annexion aux Piémontais, qui ne fut qu'une surprise de la liberté, mais qui leur paraîtrait bientôt une surprise de l'ambition!

Quel spectacle, en effet, que ce peuple qui veut bien se donner à son libérateur, comme Garibaldi, mais qui ne veut pas se laisser prendre par un envahisseur couronné! Quel spectacle que cette capitale, ce royaume, ces millions d'hommes de cœur, regardant disposer d'eux comme d'un troupeau, entre leur tribun Garibaldi, qui les soulève, et le roi de Piémont, leur maître, qui les annexe! Et quelle durée des trocs pareils de population, contre tout droit et contre toute nature, peuvent-ils faire augurer au monde politique pour une unité monarchique de l'Italie, dont chaque membre proteste contre la tête, et ne présente pour tête que des gueules de canon?

## XXIV

Mais, si cette unité piémontaise de l'Italie, conception désespérée d'une péninsule justement impatiente de nationalité qui ressuscite, ne présente à l'Italie monarchisée qu'une perspective de déchirement intestin sous la pression d'un roi militaire, et ne présente, au premier grand trouble européen, que la perspective d'un reflux redoutable de l'Allemagne en Italie; quelle perspective cette unité de la monarchie de Turin, à Naples, à Palerme, à Rome, à Florence, à Milan, présente-t-elle à la diplomatie pacifique de la France dans un prochain avenir?

Examinons, et récapitulons:

Nous avons vu que l'alliance autrichienne était la seule alliance d'équilibre et de paix pour la France, d'ici à très-longtemps.

Or la monarchie unitaire de l'Italie, sur la tête d'un roi de Piémont, rend à jamais impossible l'alliance entre la France et l'Autriche.

Pourquoi? parce qu'une Italie monarchique unitaire, sur la tête d'un roi soldat et sous le joug d'un peuple militaire comme les Piémontais, tendra éternellement par sa nature à inquiéter l'Autriche, non-seulement en Tyrol, mais jusqu'en Allemagne. Ne les voyez-vous pas, dès aujourd'hui, former des légions hongroises et proclamer hautement le plan d'insurger la Hongrie et de démembrer l'Autriche?

Or la seule menace d'insurger la Hongrie précipite de nouveau l'Autriche dans les bras de la Russie. Je l'ai toujours dit aux publicistes français et italiens, complices à leur insu de cette pensée antifrançaise et antiitalienne: «Prenez-y garde! la première insurrection fomentée par vous en Hongrie refait la sainte alliance.

«La Russie et l'Autriche oublieront ce jour-là tous leurs ressentiments, pour écraser de leurs armées combinées les mouvements de la Hongrie, qui pourraient remuer aussi la Pologne.—Avais-je tort? Demandez-le au congrès de Varsovie: tout son mystère est percé à jour par qui sait lire à travers les murailles.»

La monarchie unitaire piémontaise en Italie, à la tête de cinq cent mille hommes, et l'Autriche toujours menacée, seraient donc sans cesse l'arme au bras, l'une pour insurger, l'autre pour se défendre et reconquérir.

## XXV

Qu'en résultera-t-il pour nous, France?

Serons-nous alliés à tout prix de la monarchie unitaire du Piémont en Italie?

Serons-nous alliés de l'Autriche?

Si nous sommes alliés de l'Autriche, nous agirons contre notre nature et contre nos intérêts en aidant l'Autriche à reprendre une situation prépondérante en Italie.

Si nous sommes alliés de l'unité monarchique piémontaise en Italie, nous serons quatre puissances militaires réunies en une seule agression contre l'Autriche: la France, l'Angleterre, la Prusse et l'Italie.

Qu'arrivera-t-il?

Nous anéantirons inévitablement l'Autriche sous cette quadruple alliance contre elle. Or, l'Autriche anéantie stupidement par nous, qu'aurons-nous fait? Deux choses, que la France doit redouter plus que toute chose au monde.

Premièrement, nous aurons fait cette monstruosité antifrançaise, l'UNITÉ DE L'ALLEMAGNE sous la main anglaise de la Prusse, c'est-à-dire l'unité de cinquante millions d'Allemands liés à l'Angleterre contre trente-six millions de Français seuls dans le monde.

Secondement, nous aurons renversé, en détruisant l'Autriche, notre seul boulevard contre la Russie. La Russie aura la route libre sur nous et sur l'Italie. Le monde sera, quand la Russie voudra, moscovite. Il n'y aura plus que deux puissances, l'Angleterre et la Russie; ou bien la France, sans alliance, sera obligée de descendre à la subalternité des puissances secondaires; ou bien encore la France, comme après Azincourt, sera obligée de se reconquérir elle-même par une énergie qui est en elle, mais qui ne se retrouvera sur terre et sur mer que dans son sang.

Voilà ce que nous aura coûté la monarchie unitaire du Piémont en Italie! Je défie le logicien diplomate le plus intrépide d'arriver pour la France à un autre résultat d'une monarchie unitaire italienne suscitée par l'Angleterre et réalisée dans la maison de Savoie.

## XXVI

Quelle doit donc être, dans une crise si délicate, si compliquée et si destructive de l'équilibre européen, la conduite diplomatique de la France?

Cette conduite nous est tracée par les considérations très-irréfutables que nous venons de dérouler devant vous.

Ces considérations, je les récapitule en finissant:

L'alliance russe est prématurée de plusieurs siècles pour la France. Cette alliance livrerait l'Orient à la Russie sans fortifier la France en Occident; elle motiverait au contraire contre la France l'inimitié à mort de l'Angleterre.

L'alliance prussienne est une duperie, puisque la Prusse est, par sa situation géographique, la pointe de l'épée russe sur le cœur de la France; puisque, par son ambition et par ses affinités traditionnelles, la Prusse est un cabinet annexe de l'Angleterre; puisque, par sa rivalité germanique avec l'Autriche, la Prusse est le noyau de l'unité allemande, unité que nous devons craindre comme la mort.

L'alliance anglaise est impossible, puisque l'Angleterre, par sa nature, ne peut pas abdiquer la prépondérance sur les mers, et que la France, par sa nature, ne doit pas abdiquer sa prépondérance sur le continent.

Deux rivalités légitimes et organiques s'opposent ainsi à la sincérité d'une alliance anglo-française.

Ces deux grands peuples peuvent être pacifiés, jamais alliés, tant que la France voudra avoir une escadre sur les mers, tant que l'Angleterre voudra avoir la main dans un cabinet du continent. La paix, oui; l'alliance, non! Ces deux individualités ne sont pas condamnées à se faire la guerre, mais elles sont destinées à se faire toujours contre-poids.

## XXVII

L'alliance autrichienne, depuis que la maison d'Autriche a abdiqué les pensées gigantesques de Charles-Quint, de monarchie universelle en Europe, et même d'empire unitaire en Allemagne et dans les Pays-Bas, l'alliance autrichienne est la seule qui réponde à la fois à tous les intérêts légitimes de l'Autriche et à tous les intérêts de sérieuse et de légitime grandeur de la France.

La France seule empêche la Prusse de conspirer l'unité allemande par l'anéantissement de l'Autriche;

La France soutient l'Autriche contre le poids accablant de la Russie;

La France prévient, de concert avec l'Autriche, le démembrement européen de l'empire ottoman et l'annexion de cet empire à la Russie, toujours convoitante.

Tous ces intérêts sont communs aux deux cabinets de Paris et de Vienne.

De son côté, l'Autriche, en arc-boutant l'Allemagne méridionale contre la Prusse, empêche l'accomplissement fatal de l'unité allemande, qui serait la fin de tout équilibre sur le Rhin, en Belgique, en Hollande et sur le Danube ottoman. L'Autriche est le *nec plus ultra*, la colonne d'Hercule de l'Occident contre la Russie; et la ruine de ce boulevard découvrirait la France.

L'Autriche, enfin, couvre l'empire ottoman en Europe contre la Russie. Ces deux puissances, l'Autriche et la France, sont donc nécessaires l'une à l'autre.

Le seul obstacle de l'alliance entre la France et l'Autriche, c'était l'Italie. Cet obstacle est à moitié renversé depuis la campagne de France en Italie, et depuis le refoulement des prétentions autrichiennes au pied des Alpes et sur l'extrême rive de l'Adriatique.

Rien de plus négociable aujourd'hui qu'une constitution géographique de la Vénétie qui donne à la fois satisfaction à l'indépendance fédérative de l'Italie, et satisfaction à la dignité nationale et à la sécurité militaire de cette frontière de l'Allemagne du midi.

Si la France met à ce prix une alliance permanente avec le cabinet de Vienne, l'Autriche donnera la main à la seule main qui peut la sauver d'immenses hasards.

L'article unique de ce traité d'alliance indissoluble est celui-ci:

La France sanctionne, en cas de guerre défensive contre la Prusse, toutes les conquêtes de l'Autriche sur la Prusse en Allemagne. L'Autriche sanctionne, en cas de guerre défensive avec la Prusse, toutes les conquêtes de la France sur la Prusse sur la rive gauche du Rhin.

## XXVIII

Ce seul article tiendra l'Europe en repos pendant un siècle; car ce sera la coalition éventuelle de six cent mille soldats de l'Autriche avec six cent mille soldats de la France. Ni l'Angleterre, à cause de la Belgique; ni la Prusse, à cause des limites du Rhin; ni la Russie, à cause du Danube, ne porteront défi à ces douze cent mille hommes, soldats de la paix.

Quel avenir pour l'Autriche et la France qu'une alliance qui les rend maîtresses de l'équilibre du monde, ou maîtresses de leur agrandissement pour venger cet équilibre! Croyez-moi, voilà l'alliance du destin de l'Europe; sachez la voir, sachez la saisir, et, au besoin, sachez la venger!

L'unité monarchique de l'Italie, sous la maison de Savoie, est une menace perpétuelle à l'Autriche, si la France préfère l'alliance de guerre de Turin à l'alliance de paix avec l'Autriche.

La France doit-elle autre chose à l'Italie que la liberté et l'indépendance?

Doit-elle un trône de trente millions d'hommes à la maison de Savoie?

Lui doit-elle à tout prix des conquêtes italiennes faites contre son avis, contre ses intérêts français, contre le droit des nations, contre la liberté même des États italiens, qui préféreraient à la monarchie piémontaise un gouvernement propre?

Non, la France ne doit rien de tout cela au roi de Piémont. Le roi de Piémont abuse évidemment de l'héroïsme; brave comme s'il n'était que soldat, et encouragé à tout oser par l'Angleterre, à qui tout convient de ce qui peut nous nuire, le roi de Piémont, comme le grand Condé, qui jetait son chapeau au milieu de la mêlée, a jeté sa couronne de Sardaigne par-dessus les Apennins à Florence, à Rome, à Naples, à Palerme, pour que les soldats lui rapportent celle d'Italie! Mais est-ce à la France à la lui rapporter?

Non, la couronne unitaire d'Italie n'est ni un intérêt italien, ni un intérêt français: c'est un intérêt anglais et une folie sarde.

L'intérêt italien, c'est une confédération italienne, une république d'États avec une diète nationale. Une telle fédération est le droit de l'Italie indépendante, constituée; la confédération garantit l'Italie contre tous, et ne menace personne. La France et l'Autriche elle-même sont intéressées à reconnaître cette fédération pacificatrice, qui garantit l'inviolabilité de l'Italie contre tout le monde, et qui leur défend à elles-mêmes d'attenter à l'Italie libre, mais qui ne leur défend plus de former l'alliance de l'équilibre et de la paix.

Le seul obstacle à l'alliance franco-autrichienne, c'était l'Italie; depuis Magenta, cet obstacle n'existe plus. L'Italie est libre, si le Piémont cesse d'en affecter la domination. Une négociation forte et prudente entre Paris et Vienne neutralisera facilement la Vénétie, rendue à elle-même, et non annexée au Piémont. Assez combattu! négocions. Mais négocions pour une Italie libre, et non pour une Italie sarde ou anglaise. C'est assez conseiller: il faut vouloir.

## XXIX

Nous sommes les diplomates de l'équilibre et de la paix; nous n'en rougissons pas devant les fanatiques du détrônement universel, transformés tout à coup en fanatiques du trône unique. Nous croyons que la forme fédérative, cette république de nations, est la seule forme qui assurera dignement la durée de l'indépendance italienne, et la seule aussi qui ne livre pas à l'Angleterre une position continentale neuve et menaçante contre nous au midi de l'Europe. Nous croyons qu'une fois la monarchie militaire et unitaire du Piémont écartée, le système fédéral n'éprouvera aucune opposition sérieuse de l'Europe, excepté de la part de l'Angleterre. Nous croyons que la question de la Vénétie se dénouera plus aisément par la négociation qu'elle ne se tranchera par la guerre. Nous croyons qu'une fois cette question de la Vénétie partagée ou résolue, comme le fut la question belge et hollandaise en 1830, l'alliance de la France et de l'Autriche sera l'alliance de la paix et de la grandeur des deux peuples.

Nous le croyons avec tant de foi que, malgré notre amour de la paix, si le Piémont et l'Angleterre s'obstinaient, le Piémont par ambition, l'Angleterre par ressentiment de nos victoires et par prévision de nos embarras, à ruiner le système d'une Italie fédérale, à élever avec les débris de tant d'États un trône, italien de nom, anglais de base, antifrançais d'intention, sur toute la péninsule; et si le Piémont et l'Angleterre mettaient l'élévation de ce trône au prix de la paix ou de la guerre avec le Piémont et avec l'Angleterre, nous dirions franchement: La GUERRE! Car, si la monarchie unitaire de l'Italie doit être anglaise, nous sommes Français avant d'être Italiens, et nous dirons: Plutôt point de trône qu'un trône anglais en Italie!...

La fédération italienne ou le trône piémontais unique en Italie, ce n'est qu'une opinion; mais le salut de la France est un devoir. Qu'est-ce qu'une opinion devant la patrie? Soyons prodigues de notre sang, mais ne soyons pas dupes de nos victoires; donnons sa place à l'Italie, mais gardons la nôtre en Europe. Le système fédératif, républicain ici, monarchique là, fait de la péninsule régénérée les ÉTATS-UNIS ITALIENS. Cela ne vaut-il pas le trône improvisé et précaire de la maison de Savoie?

Les ÉTATS-UNIS ITALIENS seront défendus par tout le monde, même par l'Autriche. Le trône unique de la maison de Savoie sera continuellement contesté par l'Italie, éternellement menacé par tout le monde; ce ne sera qu'une dictature imposée aux peuples d'Italie par des baïonnettes, au lieu d'une liberté fédérale laissant à chaque nationalité italienne son caractère, sa noblesse et sa dignité.

L'un est la paix de l'Europe; l'autre est la guerre à perpétuité. Choisissez!

## XXX

Ainsi aurait parlé M. de Talleyrand, ainsi parlent la raison et la paix du monde. Que Dieu leur suscite de tels organes dans les futurs congrès!

Les *États-Unis italiens*, voilà le mot de la situation, voilà la politique de la France, voilà la gloire et la liberté de l'Italie. Le reste est une intrigue anglaise; ceci est un principe italien.

Lamartine.

# LXIIᵉ ENTRETIEN

## CICÉRON

### I

Cicéron est le plus grand *homme littéraire* qui ait jamais existé parmi les hommes de toutes les races humaines et de tous les siècles, si nous en exceptons peut-être *Confucius*. Les uns ont été plus poëtes, les autres aussi éloquents, quelques-uns aussi politiques, ceux-ci aussi philosophes, ceux-là aussi écrivains; mais nul, sans en excepter Voltaire, n'a été, dans tous les exercices de la pensée, de la parole ou de la plume, aussi vaste, aussi divers, aussi élevé, aussi universel, aussi complet que Cicéron. C'est le nom culminant de toute littérature antique; il résume en lui deux mondes, le monde grec et le monde romain. Celui qui connaîtrait bien les œuvres de Cicéron connaîtrait à peu près tout ce que les hommes ont pensé, dit et écrit de plus juste et de plus parfait sur ce globe, avant l'Évangile.

Nous allons essayer de vous faire apprécier ce grand esprit; si nous y réussissons, vous pourrez dire que vous avez vécu avec la meilleure compagnie de tous les siècles, avec la plus haute personnification de l'homme de lettres.

Quelques lignes d'abord sur sa vie, que nous avons écrite dans un autre ouvrage. Grâce à cette étude approfondie de sa vie et grâce à sa correspondance, nous le connaissons comme s'il eût été un de nos collègues dans les affaires publiques ou un de nos amis dans la vie privée.

### II

Aucun homme, disions-nous dans cette histoire, ne réunit autant de facultés diverses et puissantes que Cicéron. Poëte, philosophe, citoyen, magistrat, consul, administrateur de provinces, modérateur de la république, idole et victime du peuple, théologien, jurisconsulte, orateur suprême, honnête homme surtout, il eut de plus le rare bonheur d'employer tous ces dons divers, tantôt à l'amélioration, au délassement et aux délices de son âme dans la solitude, tantôt au perfectionnement des arts de la parole par l'étude, tantôt au maniement du peuple, tantôt aux affaires publiques de sa patrie, qui étaient alors les affaires de l'univers, et d'appliquer ainsi ses dons, ses talents, son courage et ses vertus au bien de son pays, de l'humanité, et au culte de la Divinité, à mesure qu'il perfectionnait ces dons pour lui-même!

### III

On ne peut lui reprocher que deux fautes: la vaine gloire dans la contemplation de lui-même, et des faiblesses réelles ou plutôt des indécisions regrettables, à la fin de sa vie, envers les tyrans de sa patrie. Mais ces deux fautes, si on étudie bien son histoire, ne sont pas les fautes de son caractère: elles sont surtout les fautes de son temps.

La vaine gloire était la vertu des grands hommes à ces époques où une religion, plus magnanime et plus épurée des vanités humaines, n'avait pas encore enseigné aux hommes l'abnégation, la modestie, l'humilité, qui déplacent pour nous la gloire de la terre, et qui la reportent dans la satisfaction muette de la conscience ou dans la seule approbation de Dieu.

Et, quant aux compositions avec les événements et avec les tyrannies qu'on reproche de loin à Cicéron, il faut se reporter à l'état de la république romaine, à la corruption des mœurs, à la lâcheté du peuple, à l'énervation des caractères de son temps, pour être juste envers ce grand homme. À aucune époque de sa carrière civile il n'a montré devant son devoir une hésitation. S'il faiblit devant César, il ne faiblit pas devant la mort; mais, pour appuyer le levier de cette force d'âme qu'on lui demande, et pour soutenir seul la république contre César, il lui fallait un point d'appui dans la république: il n'y en avait plus. Ce n'était pas le levier qui manqua à Cicéron, ce fut le point d'appui. On peut plaindre le temps, mais non accuser le citoyen.

## IV

Aucune forme de gouvernement, autant que la république romaine, ne fut propre à former ces hommes complets, tels que nous venons de les définir dans le plus grand orateur de Rome. On n'avait pas inventé alors ces divisions de facultés et ces spécialités de professions qui décomposent un homme entier en fractions d'homme, et qui le rapetissent en le décomposant. On ne disait pas: Celui-ci est un citoyen civil, celui-là est un citoyen militaire, celui-ci est poëte, celui-ci est orateur, celui-là est un avocat, celui-là est un consul, on était tout cela à la fois, si la nature et la vocation vous avaient donné toutes ces aptitudes. On ne mutilait pas arbitrairement la nature, au grand détriment de la grandeur de la patrie et de l'espèce humaine. On n'imposait pas à Dieu un maximum de facultés qu'il lui était défendu de dépasser quand il créait une intelligence plus universelle ou une âme plus grande que les autres. César plaidait, faisait des vers, écrivait l'*Anti-Caton*, conquérait les Gaules. Cicéron écrivait des poëmes, faisait des traités de rhétorique, défendait les causes au barreau, haranguait les citoyens à la tribune, discutait le gouvernement au sénat, percevait les tributs en Sicile, commandait les armées en Syrie, philosophait avec les hommes d'étude, et tenait école de littérature à Tusculum. Ce n'était pas la profession, c'était le génie qui faisait l'homme, et l'homme alors était d'autant plus homme qu'il était plus universel: de là la grandeur de ces hommes multiples de l'antiquité. Quand, mieux inspirés, nous voudrons grandir comme elle, nous effacerons ces barrières jalouses et arbitraires que notre civilisation moderne place entre les facultés de la nature et les services qu'un même citoyen peut rendre sous diverses formes à sa patrie.

Nous ne défendrons plus à un philosophe d'être un politique, à un magistrat d'être un héros, à un orateur d'être un soldat, à un poëte d'être un sage ou un citoyen. Nous ferons des hommes, et non plus des rouages humains. Le monde moderne en sera plus fort et plus beau, et plus conforme au plan de Dieu, qui n'a pas fait de l'homme un fragment, mais un ensemble.

## V

Cicéron, tel que nous le trouvons dans les portraits et dans les lettres de ses contemporains ou de lui-même, était de haute taille, telle qu'elle est nécessaire à un orateur qui parle devant le peuple, et qui a besoin de dominer de la tête ceux qu'il doit dominer de l'esprit. Ses traits étaient sévères, nobles, purs, élégants, éclairés par l'intelligence intérieure qui les avait, pour ainsi dire, façonnés à son image; le front, élevé, et poli comme une table de marbre destinée à recevoir et à effacer les mille impressions qui le traversaient; le nez, aquilin, très-resserré entre les yeux; le regard, à la fois recueilli en lui-même, ferme et assuré sans provocation quand il s'ouvrait et se répandait sur la foule; la bouche, fine, bien fendue des lèvres, sonore, passant aisément de la mélancolie des grandes préoccupations à la grâce détendue du sourire; les joues, creuses, pâles, amaigries par les contentions de l'étude et par les fatigues de la tribune aux harangues. Son attitude avait le calme du philosophe, plutôt que l'agitation du tribun. Ce n'était pas une passion, c'était une pensée, qui se posait et qui se dessinait en lui sous les yeux du peuple. On voyait qu'il aspirait à illuminer, non à égarer la foule. Toute l'autorité de la vertu publique, toute la majesté du peuple romain, se levaient avec lui quand il se levait pour prendre la parole.

Un nombreux et grave cortége de rhéteurs grecs, d'affranchis, de clients, de citoyens romains sauvés par ses talents, l'accompagnait quand il traversait la place pour monter aux *rostres*. Il tenait à la main un rouleau de papier et un stylet de plomb pour noter ses exordes, ses démonstrations, ses péroraisons, parties préparées ou inspirées de ses discours. Son costume, soigneusement conforme à la coupe antique, n'avait rien de la négligence du cynique ou de la mollesse de l'épicurien. Il ne blessait pas les yeux par la recherche, et ne les offensait pas par la sordidité. Il était vêtu, non paré, de sa robe à plis perpendiculaires, serrée au corps. Il ne voulait pas que les couleurs, en attirant les yeux, donnassent des distractions aux oreilles. Son aspect maladif, surtout dans sa jeunesse, intéressait à cette langueur du corps dompté par l'esprit. On y lisait ses insomnies et ses méditations. Excepté sa voix grave et façonnée par l'exercice, toute son apparence extérieure était celle d'une pure intelligence qui n'aurait emprunté de la matière que la forme strictement nécessaire pour se rendre visible à l'humanité.

Mais le peuple romain, comme le peuple grec, accoutumé, par la fréquentation du *forum*, à juger ses orateurs en artiste, appréciait dans César, dans Hortensius, cette exténuation du corps qui attestait l'étude, la passion, les veilles, la consomption de l'âme. La maigreur et la pâleur de Cicéron étaient une partie de son prestige et de sa majesté.

## VI

Il était né dans une petite ville municipale des environs de Rome, nommée Arpinum, patrie de Marius. Sa mère, Helvia, femme supérieure par le courage et la vertu, comme toutes les mères où se moulent les grands hommes, l'enfanta sans douleurs. Un génie apparut à sa nourrice, dit la rumeur antique, et lui prédit qu'elle allaitait, dans cet enfant, le salut de Rome, ce qui signifie que la physionomie et le regard de cet enfant répandaient dans le cœur de sa mère et de sa nourrice on ne sait quel pressentiment de grandeur et de vertu innées.

Helvia était d'un sang illustre; sa famille paternelle cultivait obscurément ses domaines modiques dans les environs d'Arpinum, sans rechercher les charges publiques et sans venir à Rome, contente d'une fortune modique et d'une considération locale dans sa province. Malgré la nouveauté de son nom, que Cicéron fit le premier éclater dans Rome, cette famille remontait, dit-on, par filiation, jusqu'aux anciens rois déchus du Latium. Le grand-père et les oncles de Cicéron s'étaient distingués déjà par l'aptitude aux affaires et par quelques symptômes inattendus d'éloquence dans des députations envoyées par leur ville à Rome pour y soutenir de graves intérêts. Il est rare que le génie soit isolé dans une famille; il y montre presque toujours des germes avant d'y faire éclore un fruit consommé. En remontant de quelques générations dans une race, on reconnaît à des symptômes précurseurs le grand homme que la nature semble y préparer par degrés. Ce fut ainsi dans la famille poétique du Tasse, dont le père était déjà un poëte de seconde inspiration; ainsi, dans la famille de Mirabeau, dont le père, et surtout les oncles, étaient des orateurs naturels et sauvages, plus frustes, mais peut-être plus natifs que le neveu; ainsi de Cicéron et de beaucoup d'autres. La nature élabore longtemps ses chefs-d'œuvre dans les minéraux comme dans les végétaux. Dieu semble agir de même à l'égard de l'homme, cet être successif qui retrace et contient peut-être dans une seule âme les vertus des âmes de cent générations.

## VII

Ces aptitudes et ces goûts oratoires et littéraires de la famille de Cicéron, et la tendresse qui se change en ambition pour son fils dans le cœur d'une noble mère, firent élever dans les lettres grecques et romaines l'enfant, qui promettait de bonne heure tant de gloire à sa maison.

La littérature grecque était alors pour les jeunes Romains ce que la littérature latine a été depuis pour nous: la tradition de l'esprit humain, le modèle de la langue, le grand ancêtre de nos idées.

La rapide et universelle intelligence de l'enfant fit une explosion plutôt que des progrès aux premières leçons qu'il reçut, en sortant du berceau, sous les yeux de sa mère. Sa vocation aux choses intellectuelles fut si prompte, si merveilleuse et si unanimement reconnue autour de lui dans les écoles d'Arpinum, qu'il goûta la gloire, dont il devait épuiser l'ivresse, presque en goûtant la vie.

Les petits enfants, ses compagnons d'école, le proclamèrent d'eux-mêmes *roi des écoliers*; ils racontaient à leurs parents, en rentrant des leçons, les prodiges de compréhension et de mémoire du fils d'Helvia, et ils lui faisaient d'eux-mêmes cortége jusqu'à la porte de sa maison, comme au patron de leur enfance. Quand la supériorité est démesurée parmi les enfants, elle ne suscite plus l'envie; on la subit et on l'acclame comme un phénomène; et, comme les phénomènes sont isolés et ne se renouvellent pas, ils n'humilient pas la jalousie parmi les hommes, ils l'étonnent. Tel était le sentiment qu'inspirait le jeune Cicéron aux enfants d'Arpinum. Que n'en inspira-t-il un aussi noble et aussi honorable plus tard à Clodius, à Octave et à Antoine!

## VIII

La poésie, cette fleur de l'âme, l'enivra la première. Elle est le songe du matin des grandes vies; elle contient en ombres toutes les réalités futures de l'existence; elle remue les fantômes de toutes choses avant de remuer les choses elles-mêmes; elle est le prélude des pensées et le pressentiment de l'action. Les riches natures, comme César, Cicéron, Brutus, Solon, Platon, commencent par l'imagination et la poésie: c'est le luxe des séves surabondantes dans les héros, les hommes d'État, les orateurs, les philosophes. Malheur à qui n'a pas été poëte une fois dans sa vie!

## IX

Cicéron le fut de bonne heure, longtemps et toujours. Il ne fut si souverain orateur que parce qu'il fut poëte. La poésie est l'arsenal de l'orateur. Ouvrez Démosthène, Cicéron, Chatam, Mirabeau, Vergniaud: partout où ces orateurs sont sublimes, ils sont poëtes; ce qu'on retient à jamais de leur éloquence, ce sont des images et des passions dignes d'être chantées et perpétuées par des vers.

En sortant de l'adolescence, Cicéron publia plusieurs poëmes qui le placèrent, disent les histoires, parmi les poëtes renommés de son temps. Plutarque affirme que sa poésie égala son éloquence.

Il étudiait en même temps la philosophie sous les maîtres grecs de cette science, qui les contient toutes. Il suivait surtout les leçons de Philon, sectateur de Platon. Il ouvrait ainsi son âme par tous les pores à la science, à la sagesse, à l'inspiration, à l'éloquence. Recueillant tout ce qui avait été pensé, chanté ou dit de plus beau avant lui sur la terre, pour se former à lui-même dans son âme un trésor intarissable de vérités, d'exemples, d'images, d'élocution, de beauté morale et civique, il se proposait d'accroître et d'épuiser ensuite ce trésor pendant sa vie, pour la gloire de sa patrie et pour sa propre gloire, immortalité terrestre dont les hommes d'alors faisaient un des buts et un des prix de la vertu.

Il suivait assidûment aussi, à la même époque, les séances des tribunaux et les séances du *forum*, ce tribunal des délibérations politiques devant le peuple écoutant, regardant agir les grands maîtres de la tribune de son temps, Scévola, Hortensius, Cotta, Crassus, et surtout Antoine, dont il a depuis immortalisé lui-même l'éloquence dans ses traités sur cet art. Il s'honorait d'être leur disciple, et il s'étudiait, en rentrant chez lui, à reproduire de mémoire sous sa plume les traits de leurs harangues qui avaient ému la multitude ou charmé son esprit. Ignoré encore lui-même comme orateur, sa renommée comme poëte s'étendait à Rome par la publication d'un poëme épique sur les guerres et sur les destinées de Marius, son grand compatriote.

# X

Rome était alors à une de ces crises tragiques et suprêmes qui agitent les empires ou les républiques, au moment où leurs institutions les ont élevés au sommet de vertu, de gloire et de liberté auquel la Providence permet à un peuple de parvenir. Arrivées à ce point culminant de leur existence et de leur principe, les nations commencent à chanceler sur elles-mêmes avant de se précipiter dans la décadence, comme par un vertige de la prospérité ou par une loi de notre imparfaite nature. C'est le moment où les peuples enfantent les plus grands hommes et les plus scélérats, comme pour préparer des acteurs plus sublimes et plus atroces à ces drames tragiques qu'ils donnent à l'histoire. Cicéron apparaissait dans la vie précisément à ce moment de l'achèvement et de la décomposition de la république romaine; en sorte que son histoire, mêlée à celle de sa patrie depuis sa naissance jusqu'à son supplice, est à la fois celle des hommes les plus mémorables ou les plus exécrables de l'univers, celle des plus grandes vertus et des plus grands crimes, des plus éclatants triomphes et des plus sinistres catastrophes de Rome.

La liberté, la servitude de l'univers, se conquièrent, se perdent, se jouent pendant un demi-siècle en lui, autour de lui ou avec lui. L'âme d'un seul homme est le foyer du monde, et sa parole est l'écho de l'univers.

## XI

Le principe de la république romaine était l'annexion d'abord de l'Italie, puis de l'Europe, puis enfin du monde alors connu, à la domination des Romains. Grandir était leur loi; on ne grandit en territoire que par la guerre, la guerre était donc la fatalité de ce peuple. D'abord défensive dans ses commencements, la guerre romaine était devenue offensive, puis universelle. La guerre donne la gloire; la gloire donne la popularité; la popularité donne aux ambitieux la puissance politique. Le triomphe à Rome était devenu une institution: il donnait pour ainsi dire un corps à la renommée, et faisait, des triomphateurs, des candidats à la tyrannie.

## XII

Pour entretenir cette concurrence de triomphes et cette guerre universelle et perpétuelle, de grandes armées, presque permanentes aussi, étaient devenues nécessaires.

De grandes armées permanentes sont l'institution la plus fatale à la liberté et au pouvoir tout moral des lois.

Celles qui restaient rassemblées en légions dans les provinces conquises ou en Italie commençaient à élever leurs généraux au-dessus du sénat et du peuple, et à former pour ou contre ces généraux de grandes factions militaires, armées bien autrement dangereuses que les factions civiles.

Celles qui étaient licenciées, après qu'on leur avait partagé des terres, formaient, dans l'Italie même et dans les campagnes de Rome, des noyaux de mécontents prêts à recourir aux armes, leur seul métier, et à donner des bandes ou des légions aux séditions politiques, aux tribuns démagogues ou aux généraux ambitieux.

Le sénat et le peuple étaient donc tout prêts à être dominés et subjugués dans Rome même par la guerre et par la gloire qu'ils avaient destinées à subjuguer le monde.

Les Romains avaient envoyé des tyrans au monde, et le monde vaincu leur renvoyait des tyrans domestiques. Déjà l'épée se jouait des lois; déjà, sous un respect apparent pour l'autorité nominale du sénat, les généraux et les triomphateurs marchandaient entre eux les charges, les consulats. Les gouverneurs de provinces troquaient leurs légions ou se prêtaient leurs armées, pour se les rendre après le temps voulu par les lois. Rome n'était plus qu'une grande anarchie dominatrice du monde au dehors, mais où les citoyens avaient cédé la réalité de la souveraineté aux légions, où la constitution ne conservait plus que ses formes, où les généraux étaient des tribuns, et où les factions étaient des camps.

Tel était l'état de la république romaine quand le jeune Cicéron revêtit la robe virile pour prendre son rôle de citoyen, d'orateur, de magistrat sur la scène du temps.

## XIII

Marius, plébéien d'Arpinum, après s'être illustré dans les camps et avoir sauvé l'Italie de la première invasion des barbares du Nord, avait pris parti à Rome pour le peuple contre les patriciens et contre le sénat. Démagogue armé et féroce, il avait prêté ses légions à la démocratie pour immoler l'aristocratie. Ses proscriptions et ses assassinats avaient décimé Rome et inondé de sang l'Italie.

Sylla, patricien de Rome, d'abord lieutenant, puis rival de Marius, lui avait à son tour enlevé sa gloire et ses légions, les avait ramenées contre sa patrie, avait proscrit les proscripteurs, égorgé les égorgeurs, assassiné en masse le peuple, asservi le sénat en le rétablissant, élevé les esclaves au rang de citoyens romains, partagé les terres des proscrits entre ses cent vingt mille légionnaires, puis abdiqué sous le prestige de la terreur qu'il avait inspirée au peuple, et remis en jeu les ressorts de l'antique constitution, faussés, subjugués, ensanglantés par lui.

Une guerre qu'on appelait la *guerre sociale*, guerre des auxiliaires de la république contre Rome elle-même, avait compliqué encore, par l'insurrection de l'Italie, cette mêlée d'événements, de passions, de proscriptions, de sang et de crimes. Sylla en triompha. Les bons citoyens de Rome s'enrôlèrent pour défendre la patrie, même sous la dictature d'un tyran.

Cicéron suivit dans le camp de Sylla son modèle et son maître, l'orateur Hortensius. Il en revint, avec les légions victorieuses de Sylla, pour assister avec horreur à l'éclipse de toute liberté, aux dictatures, aux proscriptions, aux égorgements de Rome.

Son extrême jeunesse et sa vie studieuse à Arpinum le dérobèrent, non au malheur, mais au danger du temps. Il reparut à Rome après le rétablissement violent, mais régulier, des choses et du sénat par Sylla.

Il se prépara à la tribune politique et aux charges de la république par l'exercice du barreau, noviciat des jeunes Romains qui aspiraient ainsi à l'estime et à la reconnaissance du peuple avant de briguer ses suffrages pour les magistratures. Il publia en même temps des livres sur la langue, sur la rhétorique, sur l'art oratoire, qui décelaient la profondeur et l'universalité de ses études.

Ses premiers plaidoyers pour ses clients étonnèrent les orateurs les plus consommés de Rome. Sa parole éclata comme un prodige de perfection, inconnue jusqu'à ce jeune homme, dans la discussion des causes privées.

Invention des arguments, enchaînement des faits, conclusion des témoignages, élévation des pensées, puissance des raisonnements, harmonie des paroles, nouveauté et splendeur des images, conviction de l'esprit, pathétique du cœur, grâce et insinuation des exordes, force et foudre des péroraisons, beauté de la diction, majesté de la personne, dignité du geste, tout porta, en peu d'années, le jeune orateur au sommet de l'art et de la renommée.

Ses discours, préparés dans le silence de ses veilles, notés, écrits à loisir, effacés, écrits de nouveau, corrigés encore, comparés studieusement par lui aux modèles de l'éloquence grecque, appris fragments par fragments, tantôt aux bains, tantôt dans ses jardins, tantôt dans ses promenades autour de Rome, récités devant ses amis, soumis à la critique de ses émules ou de ses maîtres, prononcés en public sur le ton donné par des diapasons apostés dans la foule, enrichis de ces inspirations soudaines qui ajoutent la merveille de l'imprévu et le feu de l'improvisation à la sûreté et à la solidité de la parole réfléchie, étaient des événements dans Rome. Ces discours existent, revus et publiés par l'orateur lui-même; ils sont encore des événements pour la postérité. Nous n'en parlerons pas en ce moment: ils forment des volumes; ils sont restés monuments de l'esprit humain.

## XIV

Ces discours furent la base de la renommée et de la vie publique du jeune Cicéron. Mais il fut consumé par sa propre flamme: son corps fragile ne put supporter ces excès d'études, de parole publique, de clientèle et de gloire dont il était submergé. Sa maigreur, sa pâleur, ses évanouissements fréquents, l'insomnie, la voix brisée par l'effort pour répondre à l'avidité et aux applaudissements de la foule, son exténuation précoce, qui, pour une gloire du barreau et des lettres trop tôt cueillie, menaçait une vie avide d'une plus haute et plus longue gloire, peut-être aussi les conseils que lui donnèrent ses amis d'échapper à l'attention de Sylla, qu'une si puissante renommée pouvait offusquer dans un jeune favori du peuple, et que Cicéron avait légèrement blessé en défendant un de ses proscrits que personne n'avait osé défendre; toutes ces causes, et plus encore la passion d'étudier la Grèce en Grèce même, décidèrent Cicéron à quitter Rome et le barreau, et à visiter Athènes.

## XV

Il s'y livra presque exclusivement, sous les philosophes grecs les plus renommés, à l'étude de la philosophie. Sous le charme de ces études, qui dépaysent l'âme des choses terrestres pour l'élever aux choses immatérielles, il avait pour un temps renoncé à Rome, à l'ambition et à la gloire. Lié avec Atticus, riche Romain, voluptueux d'esprit, qui n'estimait les choses que par le plaisir qu'elles donnent, Cicéron se proposait de recueillir son modique patrimoine en Grèce, et de s'établir à Athènes pour y passer obscurément sa vie dans l'étude du beau, dans la recherche du vrai, dans la jouissance de l'art. Mais sa santé se rétablissait; les maîtres des écoles d'éloquence les plus célèbres d'Athènes, de Rhodes, de l'Ionie, accouraient pour l'entendre discourir dans les académies de l'Attique, et, pénétrés d'admiration pour ce jeune barbare, ils confessaient avec larmes que Rome les avait vaincus par les armes, et qu'un Romain les dépassait par l'éloquence. Il leur donnait des leçons de pensée, et ils lui en donnaient de diction, d'harmonie, d'intonation, de geste.

La nouvelle de la mort de Sylla, qui arriva en ce moment à Athènes, et qui présageait de nouvelles destinées à la liberté de Rome, enleva Cicéron à lui-même. Il se sentit appelé par des événements inconnus, et il partit pour Rome, en passant par l'Asie, pour visiter toutes les grandes écoles de littérature et d'éloquence, et pour s'assurer aussi si ces temples fameux, d'où le paganisme avait envoyé ses superstitions et ses fables à Rome, ne contenaient pas le mot caché sur la Divinité, objet suprême de ses études. Il consulta les oracles. Celui du temple de Delphes lui dit la grande vérité des hommes de bien destinés à prendre part aux événements de leur pays dans les temps de révolution.

«Par quel moyen, lui demanda Cicéron, atteindrai-je la plus grande gloire et la plus honnête?—En suivant toujours tes propres inspirations, et non l'opinion de la multitude,» lui répondit l'oracle.

Cet oracle le frappa; et c'est en y conformant sa vie qu'il mérita, en effet, sa réputation d'homme de bien, sa gloire et sa mort.

## XVI

Rentré à Rome, Cicéron y vécut quelques années dans l'ombre, ne s'attachant à aucune des factions qui divisaient la république, ne faisant cortége à aucun des chefs de parti dont la faveur poussait les jeunes gens aux candidatures, et ne sollicitant rien du peuple.

On le méprisait, disent les historiens, pour ce mépris qu'il faisait des hommes et des richesses, et pour cette estime qu'il gardait aux choses immatérielles. On l'appelait poëte, lettré, homme *grécisé*, philosophe spéculatif, noyé dans la contemplation des choses inutiles. Le vulgaire méprise dans tous les siècles tout ce qui n'est pas vulgaire comme lui.

Cicéron ne s'émut pas de ces railleries, et continua à se perfectionner en silence par le seul amour du beau et du bien.

Il vivait alors familièrement avec le plus grand acteur de la scène romaine, Roscius. Ils étudiaient ensemble: l'acteur, à imiter les intonations, les attitudes et les gestes que la nature inspirait d'elle-même à Cicéron; l'orateur, à imiter l'action que l'art enseignait à Roscius; et, de cette lutte entre la nature qui imite et l'art qui achève, résultait, pour l'acteur et pour l'orateur, la perfection, qui consiste, pour l'acteur, à ne rien feindre au théâtre qui ne jaillisse de la nature, et, pour l'orateur, à ne rien professer à la tribune qui ne soit avoué par l'art et conforme à la suprême convenance des choses, qu'on nomme le beau.

## XVII

Cependant le père, la mère, les oncles de Cicéron et ses amis le conjuraient de faire violence à son goût pour la retraite, et de ne pas priver la république, dans des temps difficiles, des dons que les dieux, l'étude, les lettres, les voyages, avaient accumulés en lui. «La vertu et l'éloquence ne lui avaient été données, lui disaient-ils, que comme deux armes divines pour la grande lutte qui se balançait entre les hommes de bien et les scélérats, entre la république et la tyrannie, entre l'anarchie des démagogues et la liberté des bons citoyens.»

Cicéron céda à leurs instances, et sollicita la *questure* la même année où les deux plus grands orateurs du temps, ses maîtres et ses modèles Hortensius et Cotta, sollicitèrent le *consulat*, première magistrature de Rome, qui durait un an.

Le peuple, lassé des hommes de guerre qui avaient assez longtemps ensanglanté Rome, voulut relever la liberté et la tribune en les nommant tous les trois.

La *questure* était une magistrature qui donnait entrée dans le sénat. Les questeurs étaient chargés de percevoir les tributs et d'approvisionner Rome.

Le sort, qui distribuait les provinces entre les questeurs, donna la Sicile à Cicéron.

Tout en prévenant, par ses mesures, la disette qui menaçait le peuple romain, il ménagea la Sicile, et s'y fit adorer; il la parcourut tout entière, moins en proconsul qu'en philosophe et en historien curieux de rechercher dans ses ruines les vestiges de sa grandeur antique. Il y découvrit le tombeau d'Archimède, un des plus grands génies que la mécanique ait jamais donnés aux hommes, et il fit restaurer à ses frais le monument de cet homme presque divin.

Plein du bruit que son nom, son éloquence et sa magistrature heureuse faisaient en Italie, Cicéron s'étonna, en revenant à Rome, de trouver ce nom et ce bruit étouffés par le tumulte tous les jours nouveau d'une immense capitale absorbée dans ses propres rumeurs, dans ses passions, dans ses intérêts, dans ses jeux, et divisée entre ses tribuns, ses agitateurs et ses orateurs. Il comprit que, pour influer sur ce peuple mobile et sensuel, il ne fallait pas disparaître un seul jour de ses yeux. Il épousa Térentia, femme d'illustre extraction et de fortune modique. Il acheta une maison plus rapprochée du centre des affaires que sa maison paternelle, située dans un quartier d'oisifs. Il ouvrit cette maison à toute heure à la foule des clients ou des plaideurs qui assiégeaient à Rome le seuil des hommes publics. Il apprit de mémoire le nom et les antécédents de tous les citoyens romains, afin de les flatter par ce qui flatte le plus les hommes, l'attention qu'on leur marque le plus dans la foule, et de les saluer tous par leur nom quand ils l'abordaient dans la place publique. Il n'eut plus besoin ainsi d'un affranchi, qu'on appelait le *nomenclateur*, et qui suivait toujours les candidats aux charges, ou les magistrats, pour leur souffler, à voix basse, le nom des citoyens.

Parvenu à l'âge de quarante et un ans, possesseur par ses héritages personnels et par la dot de Térentia, sa femme, d'une fortune qui ne fut jamais splendide (car il ne plaida jamais que gratuitement, pour la justice ou pour la gloire, jugeant que la parole était de trop haut prix pour être vendue); lié d'amitié avec les plus grands, les plus lettrés et les plus vertueux citoyens de la république, Hortensius, Caton, Brutus, Atticus, Pompée; père d'un fils dans lequel il espérait revivre, d'une fille qu'il adorait comme la divinité de son amour; n'employant son superflu qu'à l'acquisition de livres rares, que son ami, le riche et savant Atticus, lui envoyait d'Athènes; distribuant son temps, entre les affaires publiques de Rome et ses loisirs d'été dans ses maisons de campagne à Arpinum, dans les montagnes de ses pères; à Cumes, sur le bord de la mer de Naples; à Tusculum, au pied des collines d'Albe, séjour caché et délicieux; mesurant ses heures dans ces retraites comme un avare mesure son or; donnant les unes à l'éloquence, les autres à la poésie, celles-ci à la philosophie, celles-là à l'entretien avec ses amis ou à ses correspondances, quelques-unes à la promenade sous les arbres qu'il avait plantés et parmi les statues qu'il avait recueillies, d'autres au repas, peu au sommeil; n'en perdant aucune pour le travail, le plaisir d'esprit, la santé; se couchant avec le soleil, se levant avant l'aurore pour recueillir sa pensée avant le bruit du jour dans toute sa force, sa santé se rétablissait, son corps reprenait l'apparence de la vigueur, sa voix ces accents mâles et cette vibration nerveuse que Démosthène faisait lutter avec le bruit des vagues de la mer, et plus nécessaires aux hommes qui doivent lutter avec les tumultes des multitudes. Il était sage, honoré, aimé, heureux, pas encore envié.

La destinée semblait lui donner tout à la fois, au commencement de sa vie, cette dose de bonheur et de calme qu'elle mesure à chacun dans sa carrière, comme pour lui faire mieux savourer, par la comparaison et par le regret, les années de trouble, d'action, de tumulte, d'angoisse et de mort dans lesquelles il allait bientôt entrer.

## XVIII

De charge en charge, par la protection de Pompée, chef de l'aristocratie conservatrice de Rome, Cicéron fut élevé à la charge suprême de la république, le consulat. De graves circonstances l'attendaient: elles furent l'occasion de sa plus vive éloquence d'homme d'État.

Indépendamment des grandes factions militaires dont nous avons parlé, factions représentées dans Marius, dans Sylla, dans Pompée, et bientôt après dans César; indépendamment aussi des factions permanentes des patriciens et des plébéiens qui déchiraient la république depuis quelques années, il y avait à Rome une faction de l'anarchie, de la démagogie et du crime, qui couvait sous toutes les autres, et qui n'attendait, pour les renverser et les submerger toutes dans leur propre sang, que l'occasion d'un trouble civil ou d'une faiblesse du gouvernement. Les éléments de cette faction impie, qui bouillonne toujours dans la lie des sociétés vieillies et malades, étaient d'abord la populace, écume du peuple, qui s'imprègne et qui se corrompt de tous les vices du temps, et qui flotte, à la surface des grandes villes, au vent de toutes les séditions.

C'étaient ensuite les affranchis, les prolétaires et les esclaves, rejetés par des lois jalouses en dehors des droits des citoyens, et toujours prêts à briser le cadre des lois qui ne s'élargissaient pas pour leur faire leur juste place.

C'étaient, après, cette multitude de soldats licenciés de Sylla, de Marius, de Pompée lui-même, à qui on avait distribué des terres dans certaines parties de l'Italie, mais qui, bientôt lassés de leur médiocrité et de leur oisiveté dans ces colonies militaires, ou ayant épuisé promptement dans la prodigalité des nouveaux enrichis leur fortune, demandaient à s'en faire une autre en prêtant leurs armes aux séditions de la patrie.

Enfin c'était un petit nombre de jeunes gens des premières maisons de Rome, tels que Clodius, César, Catilina, Crassus, Céthégus, qui, ayant gardé le crédit en perdant les vertus de leur ancêtres, corrompus de mœurs, pervertis de débauche, ruinés de prodigalités, signalés de scandales, indifférents d'opinions, avides de fortune, trahissant leur sang, leur caste, leurs traditions, la gloire de leur nom, se faisaient les flatteurs, les instigateurs, les tribuns, les complices masqués ou démasqués de la populace, et cherchaient leur richesse perdue et leur grandeur future dans l'abîme de leur patrie!

## XIX

Voilà quels étaient à Rome, au moment où Cicéron atteignait au pouvoir, les ferments et les fauteurs de bouleversements.

Le chef momentanément reconnu de toutes ces factions liguées pour la ruine de la république, si toutefois l'anarchie peut avoir un chef, était Catilina.

Catilina, homme d'un sang illustre, d'une trempe virile, d'une audace effrontée, audace que le peuple prend souvent pour la grandeur d'âme, d'une renommée militaire, seule qualité qu'on ne peut lui contester, d'une de ces éloquences dépravées qui savent faire bouillonner les vices dans les parties honteuses du cœur humain; soupçonné, sinon convaincu, du meurtre d'un frère, d'assassinats sur la voie Appienne, d'empoisonnements secrets, de débauches presque aussi infâmes que des crimes; mais assez insolent de sa naissance, assez fort de sa popularité, assez prêt à la vengeance, et enfin assez prémuni de liaisons secrètes avec César, Clodius, Crassus et d'autres sénateurs, sénateur lui-même, pour qu'un certain crédit couvrît sa douteuse renommée, pour que nul n'osât lui reprocher tout haut les forfaits dont beaucoup l'accusaient tout bas.

Catilina était encore préteur: il avait élevé son ambition jusqu'au consulat.

À peine eut-il été précipité de son espérance par le triomphe du grand orateur, qu'il médita de renverser ce qu'il n'avait pu conquérir, d'égorger le consul, de proscrire une partie du sénat, d'appeler les soldats licenciés, les prolétaires, les esclaves, à l'assassinat de Rome, et de faire naître dans cette conflagration de toutes choses une occasion de revanche, et une dictature de crimes pour lui et pour ses complices.

Si César lui-même n'était pas un complice, il était au moins un confident muet et peut-être impatient du succès de la conspiration.

## XX

À l'immense rumeur d'une si vaste conspiration, dont les têtes seules étaient cachées, mais dont les membres révélaient partout l'existence, Cicéron rassemble le sénat, et somme Catilina d'avouer ou de désavouer son crime. «Mon crime? répond insolemment le factieux; est-ce donc un crime de vouloir donner une tête à la puissance décapitée de la multitude, quand le sénat, qui est la tête du gouvernement, n'a plus de corps et ne peut rien pour la patrie?»

À ces mots, Catilina sort, et le sénat, épouvanté de tant d'audace, donne la dictature temporaire à Cicéron pour sauver Rome.

Catilina ne s'endort pas après une si franche déclaration de guerre à sa patrie; il envoie à Manlius, un de ses complices, qui commandait un corps de vétérans en Toscane, le signal de soulever ses soldats et de marcher sur Rome. Chaque quartier de la ville est donné par lui à un des conjurés, qui doit à heure fixe en rassembler le peuple et diriger les mouvements. Les armes, les torches, sont prêtes; les édifices, les victimes, comptés: Cicéron est la première de ces victimes. C'est dans le sang de son premier citoyen que les scélérats doivent éteindre les lois antiques de Rome.

Une femme illustre, maîtresse d'un des jeunes patriciens associés au complot, court dans la nuit avertir Cicéron de fermer le lendemain sa maison aux sicaires. Ils se présentent en effet en armes au point du jour à la porte du consul, dont ils avaient promis la tête; ils trouvent cette porte gardée par une poignée de bons citoyens. Cicéron vivant, la ville a un centre, les lois une main, la patrie une voix, le sénat un guide. L'exécution du complot est ajournée.

Cicéron n'ajourne pas la vigilance; il convoque le sénat, à la première heure du jour, dans le temple fortifié de Jupiter Stator, ou conservateur de Rome.

Catilina ose s'y présenter, convaincu que l'absence de preuves contre lui attestera son innocence, ou que l'audace intimidera le consul.

À son entrée dans le sénat, tous les sénateurs s'écartent de Catilina, comme pour se préserver de la contagion ou même du soupçon du crime. L'horreur, avant la loi, fait le vide autour du conspirateur.

Cicéron, indigné, mais non intimidé, se lève et adresse à l'ennemi public la terrible et éloquente apostrophe qui a laissé sur le nom de Catilina la même trace que le feu du ciel laisse sur un monument foudroyé. La pensée s'y précipite sans haleine en paroles courtes, comme si l'impatience et l'indignation essoufflaient le génie. En voici quelques mots qui feront juger l'orateur et le criminel:

## XXI

«Jusques à quand, Catilina, abuseras-tu de notre patience? Combien de temps ta rage éludera-t-elle nos lois? À quel terme s'arrêtera ton audace? Quoi! ni la garde qui veille la nuit sur le mont Palatin, ni les forces répandues dans toute la ville, ni la consternation du peuple, ni ce concours de tous les bons citoyens, ni le lieu fortifié choisi pour cette assemblée, ni les regards indignés de tous les sénateurs, rien n'a pu t'ébranler? Tu ne vois pas que tes projets sont découverts? Ta conjuration est ici environnée de témoins, enchaînée de toutes parts! Penses-tu qu'aucun de nous ignore ce que tu as fait la nuit dernière et celle qui l'a précédée? dans quelle maison tu t'es rendu? quels complices tu as réunis? quelles résolutions tu as prises? Ô temps! ô mœurs! Tous ces complots, le sénat les connaît, le consul les voit, et Catilina vit encore! Il vit, que dis-je? il vient au sénat; il est admis au conseil de la république; il choisit parmi nous et marque de l'œil ceux qu'il veut immoler. Et nous, hommes pleins de courage, nous croyons faire assez pour la patrie si nous évitons sa fureur et ses poignards! Depuis longtemps, Catilina, le consul aurait dû t'envoyer à la mort, et faire tomber ta tête sous le glaive dont tu veux nous frapper. Le premier des Gracques essayait contre l'ordre établi des innovations dangereuses; un illustre citoyen, le grand pontife P. Scipion, qui cependant n'était pas magistrat, l'en punit par la mort. Et lorsque Catilina s'apprête à faire de l'univers un théâtre de carnage et d'incendie, les consuls ne l'en puniraient pas!

«Je ne rappellerai point que Servilius Ahala, pour sauver la république des changements que méditait Spurius Mélius, le tua de sa propre main: de tels exemples sont trop anciens. Il n'est plus, non, il n'est plus ce temps où de grands hommes mettaient leur gloire à frapper avec plus de rigueur un citoyen pernicieux que l'ennemi le plus acharné. Aujourd'hui un sénatus-consulte nous arme contre toi, Catilina, d'un pouvoir terrible. Ni la sagesse des consuls, ni l'autorité de cet ordre, ne manquent à la république; nous seuls, je le dis ouvertement, nous seuls, consuls sans vertu, nous manquons à nos devoirs..... ......Rappelle à ta mémoire l'avant-dernière nuit, et tu comprendras que je veille encore avec plus d'activité pour le salut de la république que toi pour sa perte. Je te dis que l'avant-dernière nuit tu te rendis (je te parlerai sans déguisement) dans la maison du sénateur Léca. Là se réunirent en grand nombre les complices de tes criminelles fureurs. Oses-tu le nier? Tu gardes le silence! Je t'en convaincrai, si tu le nies; car je vois ici dans le sénat des hommes qui étaient avec toi. Dieux immortels! Où sommes-nous? Dans quelle ville, ô ciel! vivons-nous? Quel gouvernement est le nôtre? Ici, Pères conscrits, ici même, parmi les membres de cette assemblée, dans ce conseil auguste où se pèsent les destinées de l'univers, des traîtres conspirent ma perte, la vôtre, celle de Rome, celle du monde entier. Et ces traîtres, le consul les voit et prend leur avis sur les grands intérêts de l'État; quand leur sang devrait déjà couler, il ne les blesse pas même d'une parole offensante. Oui, Catilina, tu as été chez Léca l'avant-dernière nuit; tu as partagé l'Italie entre tes complices; tu as marqué les lieux où ils devaient se rendre; tu as choisi ceux que tu laisserais à Rome, ceux que tu emmènerais avec toi; tu as désigné l'endroit de la ville où chacun allumerait l'incendie; tu as déclaré que le moment de ton départ était arrivé; que, si tu retardais de quelques instants, c'était parce que je vivais encore. Alors il s'est trouvé deux chevaliers romains qui, pour te délivrer de cette inquiétude, t'ont promis de venir chez moi cette nuit-là même, un peu avant le jour, et de m'égorger dans mon lit. À peine étiez-vous séparés, que j'ai tout su. Je me suis entouré d'une garde plus nombreuse et plus forte. J'ai fermé ma maison à ceux qui, sous prétexte de me rendre leurs devoirs, venaient de ta part pour m'arracher la vie. Je les ai nommés d'avance à plusieurs de nos premiers citoyens, et j'avais annoncé l'heure où ils se présenteraient...............

«Peux-tu, Catilina, jouir en paix de la lumière qui nous éclaire, de l'air que nous respirons, lorsque tu sais qu'il n'est personne ici qui ignore que, la veille des calendes de janvier, le dernier jour du consulat de Lépidus et de Tullus, tu te trouvas sur la place des Comices, armé d'un poignard? que tu avais aposté une troupe d'assassins pour tuer les consuls et les principaux citoyens? que ce ne fut ni le repentir ni la crainte, mais la fortune du peuple romain, qui arrêta ton bras et suspendit ta fureur? Je n'insiste point sur ces premiers crimes; ils sont connus de tout le monde, et bien d'autres les ont suivis. Combien de fois, et depuis mon élection, et depuis que je suis consul, n'as-tu pas attenté à ma vie! Combien de fois n'ai-je pas eu besoin de toutes les ruses de la défense pour parer des coups que ton adresse semblait rendre inévitables! Il n'est pas un de tes desseins, de tes succès, pas une de tes intrigues dont je ne sois instruit à point nommé. Et cependant rien ne peut lasser ta volonté, décourager tes efforts. Combien de fois ce poignard, dont tu nous menaces, a-t-il été arraché de tes mains! Combien de fois un hasard imprévu l'en a-t-il fait tomber! Et cependant il faut que ta main le relève aussitôt. Dis-nous donc sur quel affreux autel tu l'as consacré, et quel vœu sacrilége t'oblige à le plonger dans le sein du consul!

«À quelle vie, Catilina, es-tu désormais condamné! car je veux te parler en ce moment, non plus avec l'indignation que tu mérites, mais avec la pitié que tu mérites si peu. Tu viens d'entrer dans le sénat: eh bien, dans une assemblée si nombreuse, où tu as tant d'amis et de proches, quel est celui qui a daigné te saluer? Si personne, avant toi, n'essuya jamais un tel affront, pourquoi attendre que la voix du sénat prononce le flétrissant arrêt si fortement exprimé par son silence? N'as-tu pas vu, à ton arrivée, tous les siéges rester vides autour de toi? N'as-tu pas vu tous ces consulaires, dont tu as si souvent résolu la mort, quitter leur place quand tu t'es assis, et laisser désert tout ce côté de l'enceinte? Comment peux-tu supporter tant d'humiliation? Oui, je te le jure, si mes esclaves me redoutaient comme tous les citoyens te redoutent, je me croirais forcé d'abandonner ma maison; et tu ne crois pas devoir abandonner la ville! Si mes concitoyens, prévenus d'injustes soupçons, me haïssaient comme ils te haïssent, j'aimerais mieux me priver de leur vue que d'avoir à soutenir leurs regards irrités; et toi, quand une conscience criminelle t'avertit que depuis longtemps ils ne te doivent que de l'horreur, tu balances à fuir la présence de ceux pour qui ton aspect est un cruel supplice! Si les auteurs de tes jours tremblaient devant toi, s'ils te poursuivaient d'une haine irréconciliable, sans doute tu n'hésiterais pas à t'éloigner de leurs yeux. La patrie, qui est notre mère commune, te hait: elle te craint; depuis longtemps elle a jugé les desseins parricides qui t'occupent tout entier. Tu te révolteras contre son jugement! tu braveras sa puissance! eh quoi! tu mépriseras son autorité sacrée! Je crois l'entendre en ce moment t'adresser la parole: Catilina, semble-t-elle te dire, depuis quelques années, il ne s'est pas commis un forfait dont tu ne sois l'auteur, pas un scandale où tu n'aies pris part. Toi seul as eu le privilége d'égorger impunément les citoyens, de tyranniser et de piller les alliés. Contre toi les lois sont muettes et les tribunaux impuissants, ou plutôt tu les as renversés, anéantis. Tant d'outrages méritaient toute ma colère: je les ai dévorés en silence. Mais être condamnée à de perpétuelles alarmes à cause de toi seul, ne voir jamais mon repos menacé que ce ne soit par Catilina, ne redouter aucun complot qui ne soit lié à ta détestable conspiration, c'est un sort auquel je ne peux me soumettre. Pars donc, et délivre-moi des terreurs qui m'obsèdent: si elles sont fondées, afin que je ne périsse point; si elles sont chimériques, afin que je cesse de craindre.»

# XXII

À part un peu de déclamation plus oratoire que politique, l'éloquence humaine a-t-elle bouillonné jamais dans aucune poitrine en pareils accents? Voilà Cicéron orateur politique.

Nous avons assisté de nos jours, dans un pays aussi lettré que Rome, dans des temps aussi révolutionnaires que le temps de Cicéron, à des scènes d'éloquence aussi décisives que celle du sénat romain, entre des hommes de bien, des hommes de subversion, des ambitieux, des factieux, des Catilinas, des Clodius, des Cicérons, des Pompées, des Césars modernes; nous avons assisté, disons-nous, aux drames les plus tumultueux et les plus sanglants de notre époque: mais nous n'avons jamais entendu des accents où la colère et le génie oratoire, le crime ou la vertu vociférés par des lèvres humaines, fussent autant fondus en lave ou en foudre dans des harangues si ardentes d'invectives, si solennelles de vertu et si accomplies de langage!

Il faut remonter à Vergniaud, parlant devant les assassins qui l'attendent à la porte de la Convention, pour comparer quelque chose à cette colère de la vertu et à ce défi à la mort. Les passions n'ont pas baissé de nos jours; mais l'éloquence littéraire a perdu les foudres dont Démosthène, Cicéron, Vergniaud, ébranlaient leurs tribunes et pulvérisaient les factions ou la tyrannie. Qu'est-ce que le harangueur parlementaire d'aujourd'hui (sauf de rares exceptions) auprès de ces héros du discours? Le métier tue l'art: la voix tonne, la poitrine n'y résonne pas; il y a un rôle dans la harangue, il n'y a point d'âme et par conséquent point d'immortalité. Essayez de relire, après que la vibration de la voix a cessé de tinter dans l'oreille: vous ne le pouvez pas; tout s'est évaporé avec le geste et le son de voix. L'engouement de parti exalte de tels hommes comme des gladiateurs de théâtre. On les appelle des Cicérons et des Démosthènes: ils ne sont que des musiciens de phrases. Où sont-ils aux jours des tempêtes civiles? Ils sont disparus, ils sont muets, ils sont ensevelis dans l'ombre de leur Tusculum, adorant l'écho, suivant la timide sagesse de Pythagore. De là ils nourrissent de flatteries obligées l'espérance, toujours ajournée, des partis, dont ils se proclament les ministres, ministres des songes qui endorment depuis trente ans leurs clients... Et ils accusent les hommes de cœur qui se jettent dans le gouffre pour le combler, et ils dénoncent à la haine ou à l'ingratitude des sectes ou des cours ceux qui se brûlent les mains en tirant leur patrie de l'incendie, allumé par les torches de leurs discours! Et ils conseillent les épurations à leur patrie, pour rester seuls à la perdre et à la flatter jusqu'à la fin! Voilà ces hommes!

Mais revenons à l'éloquence patriotique et virile de Cicéron.

# XXIII

Catilina, frappé d'effroi par la parole de Cicéron, s'enfuit jusqu'en Toscane.

Cicéron prend sur lui d'achever le coup d'État contre la démagogie en immolant les complices de Catilina.

Se croyant sûr de l'appui de Pompée, il poursuit les démagogues jusque dans la personne de Clodius.

Clodius était ami du jeune César.

César, patricien corrompu, cherchait un appui dans la plèbe romaine; il commençait la tyrannie, comme elle commence toujours, par la licence; il soutenait, à ce titre, Clodius; il affectait de l'intérêt pour Catilina.

Clodius ameutait le peuple contre Cicéron.

Pompée s'isolait majestueusement à la campagne.

Cicéron, poursuivi et menacé jusque dans sa maison par les sicaires de Clodius, invoquait en vain le peuple, qu'il avait sauvé: le peuple l'abandonnait lâchement à ses ennemis. Les consuls, intimidés, fermaient les yeux pour ne pas voir ce qu'ils n'avaient pas la force de punir. Cicéron fut obligé de s'exiler. Un *plébiscite* rédigé par Clodius lui interdit le sol romain jusqu'à une distance de cinq cents milles.

Le sauveur de Rome chercha asile en Grèce: c'était la patrie de son âme.

Pendant qu'il débarquait au Pirée, port d'Athènes, Clodius, suivi d'une bande de populace, incendiait sa maison à Rome, ravageait ses maisons de campagne et faisait vendre à l'encan jusqu'à ses livres. Mais le respect pour Cicéron et la répugnance à s'enrichir de ses dépouilles étaient tels que les livres et les jardins restèrent sans acheteurs.

## XXIV

Cicéron, proscrit, en arrivant en Grèce, se proposait de séjourner dans sa chère Athènes, que l'exemple ou les lettres de son ami Atticus lui avaient appris à tant aimer.

Mais l'ombre de leur vie passée suit les hommes publics jusque sur la terre étrangère: la mer, qui les sépare de leur patrie, ne les sépare pas de leur nom. Cicéron apprit que les restes du parti de Catilina et les complices de Clodius l'attendaient à Athènes pour lui demander compte, le poignard à la main, de la vie de Catilina, de Lentulus et de Céthégus. Il se détourna prudemment de cette trace de sang qui semblait le devancer et le poursuivre, et se réfugia à Thessalonique, colonie romaine au fond de la Méditerranée, au pied des montagnes de la Macédoine.

«Que je me repens, écrit-il en route, que je me repens, mon cher Atticus, de n'avoir pas prévenu par ma mort volontaire l'excès de mes malheurs! En me suppliant de vivre, vous ne pouvez qu'une chose: arrêter ma main, prête à me frapper moi-même; mais, hélas! je ne m'en repens pas moins tous les jours de ne pas avoir sacrifié cette vie pour sauver mon héritage à ma famille; car qu'est-ce qui peut maintenant m'attacher à l'existence? Je ne veux pas, mon cher Atticus, vous énumérer ces malheurs, dans lesquels j'ai été précipité bien moins par le crime de mes ennemis, que par la lâcheté de mes envieux.» (Allusion poignante à Pompée, à Crassus, à César.) «Mais j'atteste les dieux que jamais homme ne fut écrasé sous une telle masse de calamités, et qu'aucun n'eut jamais occasion de souhaiter davantage la mort!... Ce qui me reste de temps à vivre n'est pas destiné à guérir mes maux, mais à les finir!... Vous me reprochez le sentiment et la plainte de mes maux. Mais y a-t-il une seule des adversités humaines qui ne soit accumulée dans la mienne? Qui donc tomba de plus haut, d'un sort plus assuré en apparence, doué de telles puissances de génie, de sagesse, de faveur publique, d'estime et d'appui d'une telle masse de grands et de bons citoyens?... Puis-je oublier en un jour ce que j'étais hier, ce que je suis encore aujourd'hui? À quelles dignités, à quelle gloire, à quels enfants, à quels honneurs, à quelles richesses d'âme et de bien, à quel frère, enfin (un frère que j'aime à cet excès qu'il m'a fallu, par un genre inouï de supplice, me séparer sans l'embrasser, de peur qu'il ne vît mes larmes, et que je ne pusse moi-même supporter sa pâleur et son deuil), je suis arraché!... Ah! si j'énumérais encore bien d'autres causes de désespoir, si mes larmes elles-mêmes ne me coupaient la voix!... Je sais, et c'est là la plus amère de mes peines, que c'est par ma faute que j'ai été abîmé dans une telle ruine!... Vous me parlez, dans votre dernière lettre, de l'image que l'affranchi de Crassus vous a faite de mon désespoir et de ma maigreur!... Hélas! chaque jour qui se lève accroît mes maux au lieu de les soulager. Le temps diminue le sentiment des autres malheurs; mais les miens sont de telle nature qu'ils s'aggravent continuellement par le sentiment de la misère présente comparée avec la félicité perdue!... Pourquoi un seul de mes amis ne m'a-t-il pas mieux conseillé? Pourquoi me suis-je laissé glacer le cœur par cette froideur de Pompée? Pourquoi ai-je pris une résolution et une attitude de coupable suppliant, indignes de moi? Pourquoi n'ai-je pas affronté ma fortune? Si je l'avais fait, ou je serais mort glorieusement à Rome, ou je jouirais maintenant du fruit de ma victoire!... Mais pardonnez-moi ces reproches, ils doivent tomber sur moi plus que sur vous; et si je parais vous accuser avec moi, c'est moins pour m'accuser moi-même que pour me rendre ces fautes plus pardonnables en y associant un autre moi-même!...

Non, je n'irai point en Asie, parce que je fuis les lieux où je puis rencontrer les Romains, et où la célébrité, autrefois ma gloire, me poursuit maintenant comme une honte!... Et puis je ne voudrais pas m'éloigner davantage, de peur que si, par hasard, il arrivait quelque changement inespéré à ma fortune du côté de Rome, je ne fusse trop longtemps à l'ignorer. J'ai donc résolu d'aller me réfugier dans votre maison d'Épire, non pas à cause de l'agrément du séjour, bien indifférent au malheureux qui fuit même la lumière du jour, mais pour être, dans ce port que vous m'offrez, plus prompt à repartir pour ma patrie, si jamais elle m'était rouverte, pour y recueillir ma misérable existence dans une solitude qui me la fera supporter plus tolérablement, ou, ce qui vaudrait mieux encore, qui m'aidera à dépouiller plus courageusement la vie. Oui, je dois écouter encore les supplications de la plus tendre et de la plus adorée des filles!... Mais, avant peu, ou l'Épire m'ouvrira le chemin du retour dans ma patrie, ou je m'ouvrirai à moi-même le chemin de la vraie délivrance!..... Je vous recommande mon frère, ma femme, ma fille, mon fils; mon fils, à qui je ne laisserai pour héritage qu'un nom flétri et ignominieux!...»

## XXV

Mais au moment où Cicéron se préparait à mourir, pour se punir lui-même du crime de ses ennemis, de la lâcheté de ses amis et de sa propre infortune, l'excès de la tyrannie populaire rappelait la pensée de Rome vers celui qui l'avait sauvée, par son éloquence et par son courage, de la nécessité des dictateurs ou de la honte des anarchies.

Clodius, sans contre-poids, obligé d'enchérir chaque jour sur les démences et sur les excès de la veille, afin de rester à la tête de la populace, à laquelle on ne peut complaire qu'en lui cédant, commençait à fatiguer la licence elle-même et à inquiéter Pompée, non-seulement sur sa puissance, mais sur sa vie: il menaçait également César jusqu'au sein de son armée des Gaules. César, Pompée, le sénat, les patriciens opprimés, les plébéiens vertueux, se liguèrent sourdement pour inspirer au peuple l'horreur de Clodius et le rappel de Cicéron, le seul homme qu'ils pussent opposer, à la tribune aux harangues, à la popularité perverse du tribun.

## XXVI

Un homme intrépide, client de Cicéron, tribun lui-même, nommé Fabricius, osa proposer ce rappel au peuple du haut de la tribune.

Clodius, qui s'attendait à cette tentative des amis de Cicéron, et qui avait rempli le forum de ses partisans, de ses gladiateurs et de ses sicaires, craignant l'estime et l'amour du peuple pour le grand proscrit, donna le signal du meurtre à ses assassins, précipita Fabricius de la tribune, dispersa le cortége des amis de Cicéron, et couvrit de cadavres la place publique.

Le frère de Cicéron, blessé lui-même par le fer des gladiateurs de Clodius, n'échappa à la mort qu'en se cachant sous les corps amoncelés sur les marches de la tribune.

Sextius, un des tribuns, fut immolé en résistant aux fureurs de son collègue.

Clodius, vainqueur, ou plutôt assassin de Rome, courut, la torche à la main, brûler le temple des Nymphes, dépôt des registres publics, afin d'anéantir jusqu'aux rouages mêmes du gouvernement.

À la lueur de l'incendie, il alla attaquer la maison du tribun Milon et du préteur Cécilius. Milon repoussa avec ses amis les satellites du démagogue, et, convaincu qu'il n'y aurait plus de justice dans Rome que celle qu'on se ferait désormais à soi-même, il enrôla une troupe de gladiateurs pour l'opposer aux sicaires de Clodius.

Le sénat, abrité enfin par cette poignée de satellites de Milon, et encouragé à l'audace par l'indignation du peuple, qui commençait à rougir de lui-même, porta le décret de rappel de Cicéron.

Le même décret ordonnait que ses maisons seraient rebâties aux frais du trésor public.

Pompée lui-même sortit de son apathie, et rentra à Rome pour y rétablir les lois et pour y appuyer de l'autorité des armes le rappel de Cicéron.

Le retour de l'orateur à Rome fut un triomphe continu de Brindes jusqu'à Rome.

Clodius, à la tête de la populace, osa l'affronter encore. Cicéron fut obligé de s'abriter contre ce persécuteur dans sa retraite d'Antium et dans la seule culture des lettres. Nous verrons plus tard ce qu'il y composa. Ce fut l'époque poétique de sa vie; le loisir et l'infortune le refirent poëte. Ses poëmes, perdus aujourd'hui, étaient, dit-on, dignes de son éloquence.

Cependant un honnête homme indigné, Milon, tua Clodius.

Cicéron revint à Rome pour y défendre Milon devant ses juges.

Mirabeau, dans son discours sur la banqueroute, a évidemment imité une des figures les plus hardies de la péroraison du discours de Cicéron pour son ami et son vengeur Milon.

«Et ne dites donc pas qu'emporté par la haine, je déclame avec plus de passion que de vérité contre un homme qui fut mon ennemi. Sans doute personne n'eut plus que moi le droit de haïr Clodius; mais c'était l'ennemi commun, et ma haine personnelle pouvait à peine égaler l'horreur qu'il inspirait à tous. Il n'est pas possible d'exprimer ni même de concevoir à quel point de scélératesse ce monstre était parvenu. Et, puisqu'il s'agit de la mort de Clodius, imaginez, citoyens (car nos pensées sont libres, et notre âme peut se rendre de simples fictions aussi sensibles que les objets qui frappent nos yeux), imaginez, dis-je, qu'il soit en mon pouvoir de faire absoudre Milon sous la condition que Clodius revivra... Eh quoi! vous pâlissez! Quelles seraient donc vos terreurs s'il était vivant, puisque, tout mort qu'il est, la seule pensée qu'il puisse vivre vous pénètre d'un tel effroi!..............

«Les Grecs rendent les honneurs divins à ceux qui tuèrent des tyrans. Que n'ai-je pas vu dans Athènes et dans les autres villes de la Grèce! Quelles fêtes instituées en mémoire de ces généreux citoyens! quels hymnes! quels cantiques! Le souvenir, le culte même des peuples consacrent leurs noms à l'immortalité; et vous, loin de décerner des honneurs au conservateur d'un si grand peuple, au vengeur de tant de forfaits, vous souffririez qu'on le traîne au supplice!..

«Il existe, oui, certes, il existe une puissance qui préside à toute la nature; et si, dans nos corps faibles et fragiles, nous sentons un principe actif et pensant qui les anime, combien plus une intelligence souveraine doit-elle diriger les mouvements admirables de ce vaste univers! Osera-t-on la révoquer en doute parce qu'elle échappe à nos sens et qu'elle ne se montre pas à nos regards? Mais cette âme qui est en nous, par qui nous pensons et prévoyons, qui m'inspire en ce moment  où je parle devant vous, notre âme aussi n'est-elle pas invisible? Qui sait quelle est son essence? qui peut dire où elle réside? C'est donc cette puissance éternelle, à qui notre empire a dû tant de fois des succès et des prospérités incroyables, c'est elle qui a détruit et anéanti ce monstre, et lui a suggéré la pensée d'irriter par sa violence et d'attaquer à main armée le plus courageux des hommes, afin qu'il fût vaincu par un citoyen dont la défaite lui aurait pour jamais assuré la licence et l'impunité. Ce grand événement n'a pas été conduit par un conseil humain; il n'est pas même un effet ordinaire de la protection des immortels. Les lieux sacrés eux-mêmes semblent s'être émus en voyant tomber l'impie, et avoir ressaisi le droit d'une juste vengeance. Je vous atteste ici, collines sacrées des Albains, autels associés au même culte que les nôtres, et non moins anciens que les autels du peuple romain, etc.»

C'est là l'apparition personnifiée de la *hideuse* banqueroute qui faisait tressaillir l'Assemblée nationale dans la prosopopée de Mirabeau. Seulement Mirabeau n'eut jamais ces accents religieux de Cicéron qui sont la divinité de l'éloquence; il en appela à la raison, jamais aux dieux de la patrie, dans ses harangues. Cicéron montait plus haut, aussi haut que l'invocation humaine peut monter.

«Ô Rome ingrate, si elle bannit Milon! Rome misérable, si elle perd un tel défenseur! Mais finissons: les larmes étouffent ma voix, et Milon ne doit pas être défendu par des larmes!...» Les sanglots du peuple coupèrent ses dernières paroles: Mirabeau ne fit jamais pleurer. Les assemblées parlementaires ont des colères et jamais de larmes. Quant à nous, qui avons vu parler devant le peuple, nous l'avons vu cent fois, ce peuple, pleurer d'émotion honnête et patriotique, comme les Romains de Cicéron.

## XXVII

Cicéron fut nommé pontife, puis proconsul en Syrie. Il commanda des légions; il pacifia les provinces orientales de la république; il s'y fit adorer pour sa justice et pour sa bonté. Les étrangers l'appelèrent le père des alliés de Rome et des tributaires.

Revenu à Rome, il y tomba en pleine guerre civile.

César avait passé le Rubicon, en jetant au hasard le sort de la république.

Pompée, resté à Rome avec les derniers hommes libres et vertueux de la patrie, s'associait à Cicéron.

César caressait l'orateur pour l'entraîner dans son crime.

Cicéron flottait de l'un à l'autre, tâchant de prévenir le choc de ces deux grands rivaux.

Ses anxiétés usaient, non sa vertu, mais son caractère.

Sa haute intelligence lui montrait des deux côtés des dangers presque égaux pour la patrie: l'anarchie et la faiblesse avec Pompée, la violence et la tyrannie avec César.

Ses lettres, à cette époque, sont la confession d'un homme de bien; il méprise presque autant le parti de Pompée qu'il déteste celui de César. La postérité a vu en cela de la faiblesse; ce n'était, hélas! que de la profondeur de jugement. Les hommes de génie sont jugés par les esprits médiocres: c'est le secret des accusations de la postérité contre la vertu civique de Cicéron. Il y a des temps si malheureux que les meilleurs patriotes n'ont le choix qu'entre deux calamités pour leur patrie. Qui oserait s'étonner que ces grands patriotes hésitent à choisir? Telle était la situation de Cicéron.

## XXVIII

À la fin, la vertu, plus que la conviction, l'entraîna dans le parti de Pompée; il savait qu'il se perdait, mais il se perdait avec Caton et Brutus. Mieux vaut la mort avec les honnêtes gens que la victoire avec les pervers.

Il ne se trompait pas. Pompée, fugitif d'Italie, alla perdre la bataille de la république en Épire. Pharsale fut le champ de bataille et le tombeau de la liberté du monde.

Pompée s'enfuit en Égypte, et meurt sur le rivage par la main d'un assassin soudoyé, qui veut offrir sa tête en présent à César.

Caton meurt en philosophant sur l'immortalité de l'âme.

Brutus meurt dans un blasphème ironique sur l'inanité de la vertu.

Cicéron, amnistié par le vainqueur, vit et revient pleurer la république en Italie.

César s'excuse auprès de Cicéron de sa victoire; il va lui-même le visiter dans sa retraite en Campanie; il lui demande, pour ainsi dire, grâce pour son triomphe; il ne croit pas le monde conquis, si Cicéron n'a pas ratifié la fortune.

Cicéron cède à demi à tant de caresses; il revient à Rome, il y reprend son rôle de défenseur des citoyens; il invoque, dans des harangues trop adulatrices, la magnanimité de César pour les vaincus de Pharsale; il admire l'homme dans César, tout en détestant le tyran.

L'abstention complète eût été plus digne, l'exil même eût été plus stoïque: c'est sur cette époque de sa vie que les admirateurs de Cicéron auraient eu besoin de jeter un voile d'indulgence. Mais, s'il y eut complaisance envers la fortune dans cette conduite du grand orateur romain, il n'y eut jamais complicité avec César. Cicéron désespéra de la liberté romaine: mais ce désespoir, trop fondé en fait, ne fut jamais une trahison; il continua à déplorer à haute voix la chute de l'antique constitution et de maudire en secret César. Quand César tomba sous la conspiration des honnêtes gens de Rome, tels que Brutus, Cassius, Caton, Cicéron se réjouit de leur courage, et se rangea, sans hésiter, de leur parti.

## XXIX

On sait que César se faisait pardonner la tyrannie par la grâce, et Cicéron, les regrets de la liberté perdue, par les complaisances.

Vers le même temps, quoiqu'il eût déjà passé la soixantième année de sa vie, il répudia sa première femme Térentia, coupable de l'avoir négligé pendant ses disgrâces, et il épousa une de ses pupilles, très-jeune, très-belle, très-riche, qu'un père mourant lui avait confiée.

Éprise du génie et de la renommée de son second père, cette jeune Romaine l'aima et en fut aimée avec une passion qui effaça la distance des années. Ce furent, non les plus glorieuses, mais les plus sévères et les plus fécondes de sa vie; elles furent courtes.

La mort lui ayant enlevé bientôt après sa fille Tullia, délices et orgueil de son cœur, il en conçut une telle douleur qu'il s'offensa de ce que cette douleur n'était pas assez partagée par sa nouvelle épouse, jalouse, sans doute, de n'être pas le seul objet de ses tendresses, et qu'il s'éloigna d'elle et se renferma dans la solitude avec ses larmes et son génie.

C'est là qu'il écrivit, sans relâche et sans lassitude, ses plus belles œuvres littéraires.

# XXX

Bien qu'il n'eût trempé en rien dans le meurtre de César, Cicéron fut coupable, aux yeux d'Antoine, de Lépide et d'Octave, neveu de César, de s'être trop réjoui de la mort du tyran.

Il avait de plus, dans plusieurs harangues immortelles, soufflé dans Rome le feu de la colère publique contre Antoine. Ces harangues, appelées les *Philippiques*, par allusion aux harangues de Démosthène contre Philippe de Macédoine, furent l'arrêt de mort de Cicéron.

Quand Antoine, Lépide et Octave se furent réconciliés en se livrant mutuellement les têtes de leurs ennemis personnels comme gage de paix, Antoine demanda la tête de Cicéron; elle fut disputée, mais enfin accordée.

Cicéron apprit son arrêt sans y croire. Il aimait Octave: Octave commencerait-il par un parricide? Cicéron n'était-il pas son second père? Il espérait, contre toute espérance, en lui, mais craignait tout d'Antoine, et surtout de Fulvie, la nouvelle épouse de ce débauché. Les hommes pardonnent; les femmes se vengent, parce qu'elles ont moins de force contre leur passion.

Dans cette perplexité, Cicéron avait le temps de fuir, et peut-être était-ce la pensée d'Octave. L'hésitation, cette faiblesse des grands esprits parce qu'ils pèsent plus d'idées contre plus d'idées que les autres, fut la cause de sa mort, comme elle avait été le fléau de sa vie. Il perdit les jours et les heures à débattre, avec lui-même et avec ses amis, lequel était préférable, à son âge, de tendre stoïquement le cou aux égorgeurs et de mourir en laissant crier son sang contre la tyrannie sur la terre libre de sa patrie, ou d'aller mendier en Asie le pain et la vie de l'exil parmi les ennemis des Romains. Son âme parut se décider et se repentir tour à tour de l'un ou de l'autre parti. Ses pas errèrent, comme ses pensées, du rivage de la mer à ses maisons de campagne, et de ses maisons de campagne au bord de la mer.

Enfin il voulut retarder le moment de la résolution suprême en s'éloignant de Tusculum, trop voisin de Rome. Il quitta ce séjour avec son frère Quintus Cicéron, et avec son neveu, qui le chérissait comme un père. Il se retira dans sa maison plus reculée d'Astura, séjour de deuil où il avait, comme on l'a vu, nourri la mélancolie de la mort de sa fille Tullia: l'âpreté du lieu et la profondeur des bois semblaient l'abriter de la scélératesse des hommes.

Cette maison était sur le bord de la mer de Naples. Il y passa quelques jours à écouter de loin le bruit des pas de l'armée des triumvirs qui s'approchaient de Rome; il semblait résolu à y attendre la mort sans se donner la peine ni de la fuir plus loin ni de la braver de plus près. Cependant son frère, son neveu, ses affranchis, ses esclaves, espèce de seconde famille que la reconnaissance, les lois et les mœurs attachaient jusqu'au trépas aux anciens, lui représentèrent qu'un homme tel que Cicéron n'était jamais vieux tant que son génie pouvait conseiller, illustrer ou réveiller sa patrie; que Caton, en mourant, avait éteint prématurément lui-même une des dernières espérances de la république par une impatience ou par une lassitude de vertu; que, s'il était résolu à mourir, il ne fallait pas du moins que sa mort fût inutile à la cause des bons citoyens, qui était celle des dieux; que, Brutus et Cassius vivant encore, et rassemblant en Afrique des légions fidèles à la mémoire de Pompée et à la république, prêtes à combattre les armées vénales des triumvirs, il devait aller rejoindre ces derniers des Romains, raviver par sa présence et par sa voix une cause qui n'était pas encore désespérée tant qu'il lui restait Cicéron et Brutus; ou, s'il fallait périr, périr du moins avec la justice, la vertu et la liberté.

## XXXI

Ces conseils prévalurent un moment dans son âme. Il quitta sa retraite d'Astura avec son frère et le cortége de ses esclaves et de ses familiers, pour se rapprocher de la mer et pour y monter sur une galère qu'on lui avait préparée. Mais la précipitation avec laquelle il avait quitté Rome et Tusculum aux premières rumeurs de sa proscription ne lui avaient pas permis d'emporter l'or ou l'argent nécessaire pour une longue expatriation. À peine était-il sur la route, qu'il réfléchit à l'indigence à laquelle il allait être exposé avec sa famille et ses amis pendant son exil, et fit arrêter sa litière (fort brancard fermé par des rideaux et porté par des esclaves, qui servait de voiture aux riches Romains), et il fit approcher celle de son frère Quintus, qui marchait derrière lui.

Les deux litières étaient posées côte à côte sur le chemin, et les porteurs éloignés; les deux frères s'entretinrent un moment sans témoin par les portières. Il fut convenu que Quintus, comme le moins illustre et le plus oublié des deux, retournerait seul à Antium, leur pays natal; qu'il en rapporterait l'argent nécessaire à leur fuite, et qu'il rejoindrait en toute hâte Cicéron dans sa maison de la côte de Gaëte, où il allait l'attendre pour s'embarquer. Puis les deux proscrits, comme s'ils avaient eu le pressentiment de leur éternelle séparation, se récrièrent sur l'extrémité de leur malheur, qui ne leur permettait pas même de le supporter ensemble, pleurèrent de tendresse sur le chemin à la vue de leurs esclaves, et, se serrant dans les bras l'un de l'autre, se séparèrent et se rapprochèrent plusieurs fois, comme dans un dernier adieu.

## XXXII

Quintus retourna vers Astura pour regagner, par les sentiers des montagnes, sa maison d'Antium avec son fils. Cicéron poursuivit sa route vers le bord de la mer, et s'embarqua sur une galère.

Il possédait, dans une anse du rivage de Gaëte, à l'endroit où l'on voit encore aujourd'hui son tombeau s'élever comme un écueil de la gloire auprès des écueils de la mer, une maison de campagne embellie de tous les luxes et ornée de tous les délices d'une résidence d'été pour les grands citoyens de Rome. Elle s'élevait sur un promontoire d'où le regard embrassait une vaste étendue de mer, tantôt limpide et silencieuse, tantôt écumeuse et murmurante, enceinte par le demi-cercle d'un golfe peuplé de villes maritimes, de temples, de villas romaines, de navires, de barques et de voiles qui en variaient les bords et les flots. Les vents étésiens, qui soufflent du nord pendant la canicule, en rafraîchissant la température; des jardins en terrasses descendaient d'étages en étages de la maison aérée à la plage humide; des cavernes naturelles, achevées par l'art, pavées de mosaïques, entrecoupées de bassins où l'eau de la mer, en pénétrant par des canaux invisibles, renouvelait la fraîcheur, y servaient de bains. Un temple domestique, vraisemblablement celui qu'il avait consacré à sa fille Tullia, laissait éclater au-dessus ses colonnes et ses chapiteaux de marbre de Paros, à demi voilés par les orangers, les lauriers, les figuiers, les pins, les myrtes et les pampres des hautes vignes qui tapissent éternellement cette côte, où nous avons si souvent rêvé.

C'est là que Cicéron descendit de sa galère pour y attendre l'heure du départ et le retour de son frère Quintus. Les triumvirs étaient encore à plusieurs journées d'étape de Rome; la Campanie était libre de troupes, et tout annonçait que les sicaires d'Antoine n'y marcheraient pas aussi vite que sa vengeance.

## XXXIII

Mais sa vengeance le devançait. À peine Quintus et son fils étaient-ils arrivés secrètement dans leur villa paternelle d'Antium, pour y vendre leurs biens et pour en rapporter le prix à Cicéron, que la vengeance domestique révéla leur présence aux émissaires des triumvirs, et qu'ils furent égorgés, le père et le fils, pour le crime de leur nom.

À cette nouvelle, les affranchis et les esclaves de Cicéron le conjurent avec plus d'instance de fuir. Il monte sur sa galère, et navigue jusqu'au promontoire de Circé, cap avancé du golfe de Gaëte, pour faire voile vers l'Afrique. Il s'y fit descendre à terre, malgré les instances des pilotes et la faveur des vents. Il ne pouvait s'arracher à cette dernière plage de l'Italie, ni désespérer tout à fait du cœur et de la reconnaissance d'Octave. Il reprit à pied et en silence, le long de la plage, le chemin qui ramenait vers Rome: sa galère le suivait à quelque distance sur les flots. Après avoir marché ainsi quelques milles, abîmé dans ses perplexités, la nuit commençant à tomber, il fit signe à ses rameurs d'approcher de la plage, et se confia de nouveau aux flots.

Il avoua à ses affranchis que, lassé d'incertitude et de fuite, il avait résolu un moment de rentrer à Rome, et d'aller s'ouvrir lui-même les veines sur le seuil d'Octave, afin de se venger du moins, en mourant, d'une ingratitude écrite en caractères de sang sur le nom de ce parricide, et d'attacher à ses pas, avec la mémoire de son crime, une *furie* qui ne le laissât reposer jamais!...

La crainte des tortures qu'on lui ferait subir, s'il était arrêté avant d'avoir accompli son suicide, l'avait retenu et ramené à bord. Il navigua quelque temps indécis en vue du rivage; puis, rappelé encore par on ne sait quelles pensées, il ordonna à ses rameurs de le ramener à sa maison de campagne de Gaëte, qu'il avait quittée le matin. Ses serviteurs lui obéirent en gémissant et en pleurant sur son trépas. La galère se rapprocha de la plage où s'élevait le temple.

## XXXIV

Les présages, langue divinatoire perdue aujourd'hui, qui annonçait, interprétait, solennisait tous les grands actes tragiques des citoyens ou des empires, avertirent et consternèrent, en abordant, les serviteurs de Cicéron. Au moment où la galère cherchait à franchir les dernières lames pour jeter l'ancre au pied du promontoire, une nuée de corbeaux, oiseaux fatidiques qui perchaient sur les corniches du temple, s'élevèrent du toit avec de grands cris, et, voltigeant au-devant de la galère, parurent vouloir repousser ses voiles et ses vergues vers la grande mer, comme pour lui signaler un danger sur le bord.

Cicéron, soit que sa philosophie s'élevât au-dessus de ces superstitions populaires, soit qu'il acceptât l'augure sans chercher à l'écarter, n'en monta pas moins les rampes qui conduisaient à sa maison. Il y entra, et, s'étant jeté tout habillé sur un lit pour se reposer de ses angoisses ou pour se recueillir dans ses pensées, il ramena sur son front le pan de sa toge, afin de ne pas voir la dernière lueur du jour.

Mais les corbeaux, qui l'avaient repoussé de la plage, l'avaient suivi vers sa maison. Soit que ces oiseaux familiers eussent de la joie de revoir leur maître, soit qu'en s'élevant très-haut dans les airs ils eussent aperçu, avant les serviteurs, les armes inusitées des nombreux soldats d'Antoine répandus dans les campagnes, et se glissant comme des assassins vers les jardins de Cicéron, ils s'agitaient comme par un instinct caché. L'un d'eux, pénétrant par la fenêtre ouverte à la brise de mer, se percha jusque sur le lit de Cicéron, et, tirant avec son bec le pan de son manteau ramené sur sa tête, il lui découvrit le visage et sembla le presser de sortir d'une maison qui le repoussait.

À ce signe de l'instinct des oiseaux, les serviteurs de Cicéron s'émurent, s'attendrirent, versant des larmes et se reprochant à eux-mêmes d'avoir, pour le salut de leur maître, moins de prudence et moins de zèle que les brutes:

«Quoi! se dirent-ils entre eux, attendrons-nous, les bras croisés, d'être les spectateurs de la mort de ce grand homme, pendant que les bêtes elles-mêmes veillent sur lui et semblent s'indigner des crimes qu'on prépare?» Animés par ces reproches mutuels, les esclaves de Cicéron se jettent à ses pieds, lui font une douce violence, le forcent à remonter dans sa litière, et le portent, par des sentiers détournés et ombragés, des jardins vers le rivage, où la galère l'attendait à l'ancre.

À peine avaient-ils fait quelques pas qu'une troupe de soldats commandés par Hérennius et Popilius, deux de ces chefs de bandes qui prêtent leur épée à tous les crimes, et qui n'ont d'autre cause que celle qui les solde, arrivèrent sans bruit aux murs des jardins, du côté de la terre, et, trouvant les portes fermées, les firent enfoncer et se précipitèrent vers la maison.

L'un de ces chefs, Popilius, avait été défendu et sauvé autrefois par le grand orateur dans une accusation de parricide. Pressé d'effacer la mémoire de l'ingratitude dans le sang du bienfaiteur, il somma les serviteurs et les affranchis restés dans la maison de lui dénoncer la retraite de leur maître. Tous répondaient qu'ils ne l'avaient pas vu, et lui donnaient ainsi le temps de fuir, quand un lâche adolescent, disciple chéri de Cicéron, fils d'un affranchi de son frère, cultivé par lui comme un fils dans la science et dans les lettres, et nommé Philologus, indiqua du geste aux soldats l'allée du jardin par laquelle son patron et son second père descendait vers la mer. À ce signe mortel, Hérennius, Popilius et leur troupe s'élancent au galop sur les traces de la litière, et font résonner de leurs cris, du cliquetis de leurs armes et des pas de leurs chevaux, le chemin creux du jardin qui mène au rivage.

À ce bruit tumultueux qui s'approche, qui tranche toutes ses irrésolutions, et qui repose enfin son âme dans la certitude de la mort, Cicéron veut au moins la recevoir, et non la fuir: il ordonne à ses esclaves de s'arrêter et de déposer la litière sur le sable. On lui obéit; il attend sans pâlir ses assassins; il appuie son coude sur son genou, soutient son menton dans sa main, comme c'était son habitude de corps quand il méditait en repos dans le sénat ou dans sa bibliothèque, et, regardant d'un œil intrépide Hérennius et Popilius, il leur évite la peine de l'arracher de sa litière, et leur tend la gorge comme un homme qui, en allant au-devant du coup, va au-devant de l'immortalité.

Hérennius lui tranche la tête, et la porte lui-même à Antoine pour qu'aucun autre, en le devançant, ne lui dérobe la première joie du triumvir, le prix du crime auquel il a dévoué son épée.

## XXXV

Antoine, qui venait d'entrer à Rome, présidait l'assemblée du peuple pour les élections des nouveaux magistrats au moment où Hérennius fendait la foule pour lui offrir la tête du sauveur du peuple. «C'en est assez!» s'écria

Antoine en apercevant le visage livide de celui qui l'avait fait si souvent pâlir lui-même; «voilà les proscriptions finies!» témoignant ainsi, par ce mot, que la mort de Cicéron lui valait à elle seule une multitude de victimes, et délivrait son ambition de la dernière vertu de Rome.

Il ordonna de clouer la tête sanglante de Cicéron, entre ses deux mains coupées, sur la tribune aux harangues, suppliciant ainsi la plus haute éloquence qui fut jamais par les deux organes de la parole humaine, le geste et la voix.

Mais Fulvie, femme d'Antoine, ne se contenta pas de cette vengeance; elle se fit apporter la tête de l'orateur, la reçut dans ses mains, la plaça sur ses genoux, la souffleta, lui arracha la langue des lèvres, la perça d'une longue épingle d'or qui retenait les cheveux des dames romaines, et prolongea, comme les Furies, dont elle était l'image, le supplice au delà de la mort: honte éternelle de son sexe et du peuple romain!

Cicéron mort, les triumvirs s'entre-disputèrent la république: Octave prévalut. La tyrannie,  qui n'avait été jusque-là qu'une éclipse de la liberté, devint une institution; elle dispensa le peuple de toute vertu; elle fit aux Romains, selon le hasard des vices ou des vertus de leurs maîtres, tantôt des temps de servitude prospère, tantôt des règnes de dégradation morale et de sang, qui sont l'ignominie de l'histoire et le supplice en masse du genre humain.

Voilà la vie de Cicéron, orateur et homme d'État: maintenant voyons ses œuvres.

Lamartine.

# LXIII<sup>e</sup> ENTRETIEN.

## CICÉRON

### DEUXIÈME PARTIE.

### I

On vient de voir, dans le précédent entretien, que toute la vie de Cicéron ne fut qu'un admirable équilibre entre la pensée et l'action: homme d'État pendant les convulsions politiques de sa patrie, il devenait homme de lettres pendant les loisirs que l'impopularité ou l'exil lui faisaient à la campagne ou hors de l'Italie. Cet équilibre dans les deux exercices alternatifs des grandes facultés de l'homme est la condition de son développement le plus complet sur la terre. La pensée, nourrie par l'étude, prépare à l'action politique; l'action politique donne un corps à la pensée, exerce le caractère, enseigne par l'expérience les choses humaines et construit en nous le suprême résultat d'une longue vie, la philosophie (ce que les anciens appelaient la sagesse).

Je sais bien que l'envie et la médiocrité, qui veulent tout rabaisser à leur niveau, contestent dans ce siècle la possibilité de cet équilibre entre les facultés de l'homme d'action et les facultés de l'homme de pensée. Mais l'histoire de tous les siècles et de tous les pays proteste contre cet axiome; Moïse, David en Judée, Confucius en Chine, Mahomet en Arabie, Solon et Démosthène en Grèce, Scipion, Cicéron et César à Rome, Dante et Machiavel à Florence, vingt hommes d'État historiques, à la fois grands orateurs, grands écrivains, grands courages, attestent la compatibilité puissante de l'action et de la pensée.

C'est plutôt le contraire qui est vrai: scinder l'homme en deux, c'est le diminuer de moitié, c'est vouloir des têtes sans bras ou des bras sans tête. Si l'on aperçoit une insuffisance dans quelques grands hommes d'action, c'est que la pensée, à un certain degré, leur manque. Si l'on sent la faiblesse dans quelques grands hommes de lettres, c'est que l'action n'a pas retrempé leur âme dans la réalité des choses. Laissons donc l'envie et la médiocrité se consoler de leur impuissance en mutilant les puissantes natures: elles seront toujours écrasées toutes les fois qu'il naîtra un vrai grand homme, et qu'il naîtra une vraie postérité pour le juger.

### II

Jamais cet équilibre entre les deux facultés, penser et agir, ne fut plus caractérisé que dans Cicéron. On sait que Rome formait par ses institutions des hommes tout entiers, précisément parce qu'elle les employait tout entiers, au forum, au sénat, dans les magistratures, dans les pontificats, dans les proconsulats, dans les lettres, à la guerre. Cicéron fut un Romain complet.

## III

On s'étonne, en réfléchissant à ses accablantes occupations d'homme public, comme défenseur ou accusateur devant les tribunaux, comme orateur politique devant le peuple ou au sénat, comme consul dans des temps d'orages civils, comme proconsul en Asie, comme général d'armée, comme administrateur de provinces, comme candidat aux magistratures, comme aspirant au triomphe, comme conseil de Pompée, comme ami de Brutus, comme ennemi de Clodius ou d'Antoine, comme tuteur et victime d'Octave; on s'étonne, disons-nous, qu'il soit resté tant de loisirs à cet esprit universel pour toutes les parties de la littérature depuis la rhétorique et la poésie jusqu'à la philosophie et la religion. On s'étonne bien plus quand on contemple le degré de perfection auquel il a porté tous ces ouvrages. Trente-quatre volumes ont à peine suffi à les contenir. Nous n'avons pas tout. Voltaire seul, dans les temps modernes, a autant écrit; mais Voltaire, maître, pendant une longue vie, de ses heureux loisirs, n'était ni orateur dans les causes privées, ni orateur dans les causes publiques, ni proconsul, ni général d'armée, ni consul, ni lieutenant de Pompée, ni négociateur avec César, ni accusateur de Catilina, ni sauveur de la patrie, ni proscrit, ni victime des triumvirs.

Sa liberté et sa retraite, tantôt à Potsdam chez un roi lettré, tantôt à Cirey chez une amie, tantôt à Ferney chez lui-même, doublaient sa vie.

## IV

Celle de Cicéron était répandue dans tout l'univers romain et décimée par tout le monde, en sorte que ce n'est pas seulement le génie qu'il faut admirer dans Cicéron, c'est la volonté. Il ne perdit pas une heure dans toute sa vie, pas même l'heure de sa mort; il écrivait encore on ne sait quoi sur ses tablettes dans sa litière, au moment où, arrêté par les sicaires d'Antoine, il leur tendit sa tête pour mourir.

C'est l'amour de la campagne qui multipliait en lui le goût et le temps des études. Cet amour était très-habituel aux grands Romains, nourris par la louve, et fils de Cincinnatus, le grand laboureur. Le sol de la Sabine, celui de Rom, celui de la Campanie (Naples), étaient couverts de leurs maisons des champs. Scipion, Pompée, Lucullus, Sylla, César, Cicéron, Brutus, Caton et plus tard Horace possédaient partout des *villas* où ils se retiraient du bruit de Rome. Cicéron, aussitôt qu'il avait un jour d'inaction, allait s'enfermer à Tusculum, au milieu de ses livres, accompagné de ses secrétaires et quelquefois d'un ou deux amis. Là il préparait ou revoyait ses harangues, enlevant avec la plume les imperfections de la parole; il dictait les règles des différents genres d'éloquence, il composait ses deux poëmes épiques, il commentait la philosophie grecque de Platon, il la dépouillait de ses rêveries sophistiques, il la fortifiait par cette sévérité logique et expérimentale, caractère de la haute et sévère raison des Romains. Enfin il s'élevait de raisonnements en raisonnements jusqu'au ciel, et il y découvrait, autant que la faible intelligence humaine le permet, la vraie nature de la Divinité, unique, infinie et parfaite à travers le nuage des idolâtries de son temps. Puis il se délassait de ces théologies philosophiques par des traités familiers sur la vieillesse, lui pour qui la vieillesse n'était que la récolte d'automne de sa vie. Parcourons ses œuvres.

## V

La première des œuvres littéraires de Cicéron, c'est le recueil de ses discours. Mais ces discours sont trop nombreux pour que nous les parcourions même rapidement dans ce coup d'œil sur cet écrivain monumental. Nous le ferons quand, dans nos entretiens de l'année prochaine, nous vous parlerons de l'éloquence sous toutes ses formes. L'éloquence est la littérature directe et parlée: la plus passionnée, la plus impressive, mais la plus fugitive de toutes les littératures. Elle ne survit pas à la circonstance ou à la passion qui la fait naître, à l'orateur qui la profère, au peuple qui l'écoute, ou plutôt elle n'y survit qu'à condition que l'orateur soit en même temps un écrivain accompli, tel que Démosthène, Eschine, Cicéron, Bossuet, Chatam, Shéridan, Mirabeau, Vergniaud, hommes qui, en parlant au jour, gravent pour l'éternité.

## VI

L'éloquence romaine, née des institutions libres, aristocratiques et populaires de Rome, avait fleuri avant Cicéron. Elle connaissait, elle pratiquait ces règles innées du discours, le commencement, le milieu, la fin, l'exorde, l'exposition, le raisonnement, le pathétique, la péroraison; elle savait que l'ordre dans les idées et dans les faits, la clarté et la force dans le langage, la chaleur dans les sentiments, l'agrément même dans la diction, sont les conditions sans lesquelles l'orateur ne peut ni commander l'attention, ni communiquer la conviction aux assemblées publiques. L'expérience déjà longue du forum, du sénat, des tribunaux, du peuple, avait instruit les Romains des convenances et des moyens de l'art oratoire. Tout citoyen romain était orateur dans la mesure de son esprit et de son talent; la grande loi, la loi suprême, la loi de la place publique, c'était la parole. Elle fut longtemps aussi presque la seule littérature. Les Caton l'employaient à modérer le peuple; les Gracques, formés par leur mère Cornélie, à le soulever; Hortensius, à le charmer; Catilina, à renverser la société romaine; César, à corrompre la multitude afin de l'asservir par ses vices à son ambition naissante. Cicéron, à l'âge de vingt-quatre ans, homme nouveau comme disaient les Romains, c'est-à-dire sans illustration héréditaire sur son nom, avait à lutter contre ces modèles ou contre ces émules. La nature et l'étude l'avaient façonné pour ces luttes; l'habitude de plaider des questions judiciaires devant les tribunaux inférieurs l'avait exercé.

Après avoir parlé devant les juges, il ne craignait plus de parler devant le peuple, puis devant le sénat. Il s'éleva aux causes politiques, les seules qui rendent historique le nom d'un orateur.

Profondément versé dans les poëtes, dans les philosophes et dans les orateurs grecs, il s'était, de bonne heure, proposé de donner à la parole dans le discours toute la solidité, toute la durée, toute l'élégance classiques, toute la grâce, tout l'atticisme de la parole écrite: on croyait lire en écoutant. Sa mémoire, puissance qu'on multiplie en la chargeant, le servait avec fidélité, mais aussi avec cette liberté qu'elle doit laisser à l'improvisation, tout en rappelant l'orateur à son but et à son texte; sa diction, sans être théâtrale, était modulée. La prose oratoire avait à Rome un peu du rhythme de la poésie; l'orateur était pour le peuple romain un musicien de la pensée ou de la passion. Ces orateurs avaient rendu l'oreille du peuple exigeante comme un auditoire d'artistes; des instruments donnaient le diapason à la voix de l'orateur.

Rien, dans nos assemblées ou dans nos tribunes modernes, ne peut donner l'idée de ces conditions de l'éloquence antique. C'était un cirque dont les orateurs étaient les lutteurs devant un peuple délicat. Il fallait charmer ou mourir. Le son de voix, l'attitude, les gestes, étaient l'objet d'une étude dont Tacite, Cassius, Brutus, Quintilien et Cicéron donnent les règles dans leurs traités.

## VII

Ces règles, il les pratiqua le premier avec une supériorité de nature et d'étude qui le laissa promptement sans rival à Rome. Ses premiers discours contre le proconsul Verrès, spoliateur et assassin de la Sicile, sont un modèle d'éloquence accusatrice. Il n'y a rien de comparable à ces discours contre Verrès, que les deux immortels discours de Burke et de Shéridan contre lord Hastings et contre les spoliateurs de l'Inde dans le parlement britannique; peut être aussi, en France, l'accusation et la contre-accusation mutuelle de Robespierre et de Vergniaud se vouant l'un l'autre à la mort dans les séances de la Convention qui précédèrent la mort des Girondins. Mais, si ces derniers discours étaient aussi envenimés, ils n'étaient pas aussi oratoires: l'homme y était animé à la vengeance, l'artiste en discours n'y était pas aussi complet. Il faut lire les sept discours successifs de Cicéron dans l'accusation contre Verrès, pour se faire une idée de toute l'*invention*, de toute la *disposition*, de tout le *pathétique*, de toutes les fécondités d'arguments d'un accusateur qui veut faire partager son indignation contre le crime, sa pitié pour les victimes, sa colère, sa fureur même, contre l'accusé.

Cependant c'était là encore le début de Cicéron dans les causes politiques. Il y a un peu trop d'apprêt, un peu trop de déclamation juvénile, on y sent trop l'avocat, pas assez le citoyen. Mais, comme perfection d'éloquence écrite, rien n'est égal dans aucune langue.

Dans ses discours contre Catilina on sent autant l'orateur, mais on sent mieux le consul, l'homme d'État, le vengeur, le sauveur, le père de la patrie. Sa situation était très-embarrassée et donne une apparence d'inconséquence à ce discours aux yeux de ceux qui ne connaissent pas parfaitement la circonstance. Si Cicéron consul, se dit-on, jugeait en conscience Catilina si criminel et si dangereux pour Rome, pourquoi donc ne l'arrêtait-il pas, et pourquoi se bornait-il à l'invectiver et à le conjurer, à force d'imprécations, de sortir de Rome?

Le secret de cette inconséquence et de cette faiblesse apparente, c'est que Cicéron parlait devant César et devant les amis de César; il savait, sans pouvoir le prouver, que César et les amis de César, dans le sénat, étaient secrètement complices de Catilina, mais il n'avait point de preuves contre eux. De plus, ils étaient si populaires parmi la multitude, qu'il était obligé de les ménager en frappant de sa parole leur complice à visage découvert. Il fallait donc déverser sur Catilina seul tout l'odieux de la conspiration et le contraindre à fuir de peur d'avoir à le juger. Voilà tout le mystère de ces discours qui ont fait accuser Cicéron de pusillanimité par les rhétoriciens qui ne savaient pas assez l'histoire. Mais lisez maintenant cette immortelle apostrophe, et vous comprendrez sous les paroles ce que les paroles cachaient, comme le poignard d'Aristogiton, sous les derniers replis du cœur du consul!

«Jusques à quand, Catilina, abuseras-tu de notre patience? Combien de temps encore ta fureur osera-t-elle nous insulter? Quel est le terme où s'arrêtera cette audace effrénée? Quoi donc! ni la garde qui veille la nuit au mont Palatin, ni celles qui sont disposées par toute la ville, ni tout le peuple en alarme, ni le concours de tous les bons citoyens, ni le choix de ce lieu fortifié où j'ai convoqué le sénat, ni même l'indignation que tu lis sur le visage de tout ce qui t'environne ici, tout ce que tu vois enfin ne t'a pas averti que tes complots sont découverts, qu'ils sont exposés au grand jour, qu'ils sont enchaînés de toute part? Penses-tu que quelqu'un de nous ignore ce que tu as fait la nuit dernière et celle qui l'a précédée, dans quelle maison tu as rassemblé tes conjurés, quelles résolutions tu as prises? Ô temps! ô mœurs! le sénat en est instruit, le consul le voit, et Catilina vit encore! Il vit! que dis-je? il vient dans le sénat! il s'assied dans le conseil de la république! il marque de l'œil ceux d'entre nous qu'il a désignés pour ses victimes! et nous, sénateurs, nous croyons avoir assez fait si nous évitons le glaive dont il veut nous égorger! Il y a longtemps, Catilina, que les ordres du consul auraient dû te faire conduire à la mort... Si je le faisais dans ce même moment, tout ce que j'aurais à craindre, c'est que cette justice ne parût trop tardive, et non pas trop sévère. Mais j'ai d'autres raisons pour t'épargner encore. Tu ne périras que lorsqu'il n'y aura pas un seul citoyen, si méchant qu'il puisse être, si abandonné, si semblable à toi, qui ne convienne que ta mort est légitime. Jusque-là tu vivras: mais tu vivras comme tu vis aujourd'hui, tellement assiégé (grâce à mes soins) de surveillants et de gardes, tellement entouré de barrières, que tu ne puisses faire un seul mouvement, un seul effort contre la république. Des yeux toujours attentifs, des oreilles toujours ouvertes, me répondront de toutes tes démarches, sans que tu puisses t'en apercevoir. Et que peux-tu espérer encore, quand la nuit ne peut plus couvrir tes assemblées criminelles, quand le bruit de ta conjuration se fait entendre à travers les murs où tu crois te renfermer? Tout ce que tu fais est connu de moi, comme de toi-même. Veux-tu que je t'en donne la preuve? Te souvient-il que j'ai dit dans le sénat qu'avant le 6 des calendes de novembre, Mallius, le ministre de tes forfaits, aurait pris les armes et levé l'étendard de la rébellion? Eh bien! me suis-je trompé, non-seulement sur le fait, tout horrible, tout incroyable qu'il est, mais sur le jour? J'ai annoncé en plein sénat quel jour tu avais marqué pour le meurtre des sénateurs: te souviens-tu que ce jour-là même, où plusieurs de nos principaux citoyens sortirent de Rome, bien moins pour se dérober à tes coups que pour réunir contre toi les forces de la république, te souviens-tu que ce jour-là je sus prendre de telles précautions, qu'il ne te fut pas possible de rien tenter contre nous, quoique tu eusses dit publiquement que, malgré le départ de quelques-uns de tes ennemis, il te restait encore assez de victimes? Et le jour même des calendes de novembre, où tu te flattais de te rendre maître de Préneste, ne t'es-tu pas aperçu que j'avais pris mes mesures pour que cette colonie fût en état de défense? Tu ne peux faire un pas, tu n'as pas une pensée dont je n'aie sur-le-champ la connaissance. Enfin rappelle-toi cette dernière nuit, et tu vas voir que j'ai encore plus de vigilance pour le salut de la république que tu n'en as pour sa perte. J'affirme que cette nuit tu t'es rendu, avec un cortége d'armuriers, dans la maison de Lecca; est-ce parler clairement? qu'un grand nombre de ces malheureux que tu associes à tes crimes s'y sont rendus en même temps. Ose le nier: tu te tais! Parle; je puis te convaincre. Je vois ici, dans cette assemblée, plusieurs de ceux qui étaient avec toi. Dieux immortels! où sommes-nous? dans quelle ville, ô ciel! vivons-nous? Dans quel état est la république! Ici, ici même, parmi nous, pères conscrits, dans ce conseil, le plus auguste et le plus saint de l'univers, sont assis ceux qui méditent la ruine de Rome et de l'empire; et moi, consul, je les vois et je leur demande leur avis, et, ceux qu'il faudrait faire traîner au supplice, ma voix ne les a pas même encore attaqués! Oui, cette nuit, Catilina, c'est dans la maison de Lecca que tu as distribué les postes de l'Italie, que tu as nommé ceux des tiens que tu amènerais avec toi, ceux que tu laisserais dans ces murs, que tu as désigné les quartiers de la ville où il faudrait mettre le feu. Tu as fixé le moment de ton départ; tu as dit que la seule chose qui pût t'arrêter, c'est que je vivais encore. Deux chevaliers romains ont offert de te délivrer de moi, et ont promis de m'égorger dans mon lit avant le jour. Le conseil de tes brigands n'était pas séparé que j'étais informé de tout. Je me suis mis en défense; j'ai fait refuser l'entrée de ma maison à ceux qui se sont présentés chez moi, comme pour me rendre visite; et c'étaient ceux que j'avais nommés d'avance à plusieurs de nos plus respectables citoyens, et l'heure était celle que j'avais marquée.

«Ainsi donc, Catilina, poursuis ta résolution: sors enfin de Rome; les portes sont ouvertes, pars. Il y a trop longtemps que l'armée de Mallius t'attend pour général. Emmène avec toi tous les scélérats qui te ressemblent; purge cette ville de la contagion que tu y répands; délivre-la des craintes que ta présence y fait naître; qu'il y ait des murs entre nous et toi. Tu ne peux rester plus longtemps; je ne le souffrirai pas, je ne le supporterai pas, je ne le permettrai pas. Hésites-tu à faire par mon ordre ce que tu faisais de toi-même? Consul, j'ordonne à notre ennemi de sortir de Rome. Et qui pourrait encore t'y arrêter? Comment peux-tu supporter le séjour d'une ville où il n'y a pas un seul habitant, excepté tes complices, pour qui tu ne sois un objet d'horreur et d'effroi? Quelle est l'infamie domestique dont ta vie n'ait pas été chargée? quel est l'attentat dont tes mains n'aient pas été souillées? enfin quelle est la vie que tu mènes? car je veux bien te parler un moment, non pas avec l'indignation que tu mérites, mais avec la pitié que tu mérites si peu. Tu viens de paraître dans cette assemblée: eh bien! dans ce grand nombre de sénateurs, parmi lesquels tu as des parents, des amis, des proches, quel est celui de qui tu aies obtenu un salut, un regard? Si tu es le premier qui aies essuyé un semblable affront, attends-tu que des voix s'élèvent contre toi, quand le silence seul, quand cet arrêt, le plus accablant de tous, t'a déjà condamné, lorsqu'à ton arrivée les siéges sont restés vides autour de toi, lorsque les consulaires, au moment où tu t'es assis, ont aussitôt quitté la place qui pouvait les rapprocher de toi? Avec quel front, avec quelle contenance penses-tu supporter tant d'humiliations? Si mes esclaves me redoutaient comme tes concitoyens te redoutent, s'ils me voyaient du même œil dont tout le monde te voit ici, j'abandonnerais ma propre maison; et tu balances à abandonner ta patrie, à fuir dans quelque désert, à cacher dans quelque solitude éloignée cette vie coupable réservée aux supplices! Je t'entends me répondre que tu es prêt à partir, si le sénat prononce l'arrêt de ton exil. Non, je ne le proposerai pas au sénat; mais je vais te mettre à portée de connaître ses dispositions à ton égard de manière que tu n'en puisses douter. Catilina, sors de Rome, et, puisque tu attends le mot d'exil, exile-toi de ta patrie. Eh quoi! Catilina, remarques-tu ce silence? et t'en faut-il davantage? Si j'en disais autant à Sextius, à Marcellus, tout consul que je suis, je ne serais pas en sûreté au sénat. Mais c'est à toi que je m'adresse, c'est à toi que j'ordonne l'exil; et, quand le sénat me laisse parler ainsi, il m'approuve; quand il se tait, il prononce: son silence est un décret.

«J'en dis autant des chevaliers romains, de ce corps honorable qui entoure le sénat en si grand nombre, dont tu as pu, en entrant, reconnaître les sentiments et entendre la voix, et dont j'ai peine à retenir la main prête à se porter sur toi. Je te suis garant qu'ils te suivront jusqu'aux portes de cette ville, que depuis si longtemps tu brûles de détruire... Pars donc: tu as tant dit que tu attendais un ordre d'exil qui pût me rendre odieux. Sois content; je l'ai donné; achève, en t'y rendant, d'exciter contre moi cette inimitié dont tu te promets tant d'avantages. Mais, si tu veux me fournir un nouveau sujet de gloire, sors avec le cortége de brigands qui t'est dévoué; sors avec la lie des citoyens; va dans le camp de Mallius; déclare à l'État une guerre impie; va te jeter dans ce repaire où t'appelle depuis longtemps ta fureur insensée. Là, combien tu seras satisfait! quels plaisirs dignes de toi tu vas goûter! à quelle horrible joie tu vas te livrer lorsque, en regardant autour de toi, tu ne pourras plus ni voir ni entendre un seul homme de bien!.... Et vous, pères conscrits, écoutez avec attention, et gravez dans votre mémoire la réponse que je crois devoir faire à des plaintes qui semblent, je l'avoue, avoir quelque justice. Je crois entendre la Patrie, cette Patrie qui m'est plus chère que ma vie, je crois l'entendre me dire: Cicéron, que fais-tu? Quoi! celui que tu reconnais pour mon ennemi, celui qui va porter la guerre dans mon sein, qu'on attend dans un camp de rebelles, l'auteur du crime, le chef de la conjuration, le corrupteur des citoyens, tu le laisses sortir de Rome! tu l'envoies prendre les armes contre la république! tu ne le fais pas charger de fers, traîner à la mort! tu ne le livres pas au plus affreux supplice! Qui t'arrête? Est-ce la discipline de nos ancêtres? Mais souvent des particuliers même ont puni de mort des citoyens séditieux. Sont-ce les lois qui ont borné le châtiment des citoyens coupables? Mais ceux qui se sont déclarés contre la république n'ont jamais joui des droits de citoyen. Crains-tu les reproches de la génération suivante? Mais le peuple romain qui t'a conduit de si bonne heure par tous les degrés d'élévation jusqu'à la première de ses dignités, sans nulle recommandation de tes ancêtres, sans te connaître autrement que par toi-même, le peuple romain obtient donc de toi bien peu de reconnaissance, s'il est quelque considération, quelque crainte qui te fasse oublier le salut de tes concitoyens!

«À cette voix sainte de la République, à ces plaintes qu'elle peut m'adresser, pères conscrits, voici quelle est ma réponse. Si j'avais cru que le meilleur parti à prendre fût de faire périr Catilina, je ne l'aurais pas laissé vivre un moment. En effet, si les plus grands hommes de la république se sont honorés par la mort de Flaccus, de Saturnius, des deux Gracques, je ne devrais pas craindre que la postérité me condamnât pour avoir fait mourir ce brigand, cent fois plus coupable, et meurtrier de ses concitoyens; ou, s'il était possible qu'une action si juste excitât contre moi la haine, il est dans mes principes de regarder comme des titres de gloire les ennemis qu'on se fait par la vertu.

«Mais il est dans cet ordre même, il est des hommes qui ne voient pas tous nos dangers et tous nos maux, ou qui ne veulent pas les voir. Ce sont eux qui ont fortifié la conjuration en refusant d'y croire.

«Entraînés par leur autorité, beaucoup de citoyens aveuglés ou méchants, si j'avais sévi contre Catilina, m'auraient accusé de cruauté et de tyrannie. Aujourd'hui, s'il se rend, comme il l'a résolu, dans le camp de Mallius, il n'y aura personne d'assez insensé pour nier qu'il ait conspiré contre la patrie. Sa mort aurait réprimé les complots qui nous menacent, et ne les aurait pas entièrement étouffés. Mais, s'il emmène avec lui tout cet exécrable ramas d'assassins et d'incendiaires, alors, non-seulement nous aurons détruit cette peste qui s'est accrue et nourrie au milieu de nous, mais même nous aurons anéanti jusqu'aux semences de la corruption.

«Ce n'est pas d'aujourd'hui, pères conscrits, que nous sommes environnés de piéges et d'embûches; mais il semble que tout cet orage de fureur et de crimes ne se soit grossi depuis longtemps que pour éclater sous mon consulat.

«Si parmi tant d'ennemis nous ne frappions que Catilina seul, sa mort nous laisserait respirer, il est vrai; mais le péril subsisterait, et le venin serait renfermé dans le sein de la république. Ainsi donc, je le répète, que les méchants se séparent des bons; que nos ennemis se rassemblent en une seule retraite, qu'ils cessent d'assiéger le consul dans sa maison, les magistrats sur leur tribunal, les pères de Rome dans le sénat, d'amasser des flambeaux pour embraser nos demeures; enfin qu'on puisse voir écrits sur le front de chaque citoyen ses sentiments pour la république.

«Je vous réponds, pères conscrits, qu'il y aura dans vos consuls assez de vigilance, dans cet ordre assez d'autorité, dans celui des chevaliers assez de courage, parmi tous les bons citoyens assez d'accord et d'union, pour qu'au départ de Catilina tout ce que vous pouvez craindre de lui et de ses complices soit à la fois découvert, étouffé et puni.

«Va donc, avec ce présage de notre salut et de ta perte, avec tous les satellites que tes abominables complots ont réunis avec toi, va, dis-je, Catilina, donner le signal d'une guerre sacrilége. Et toi, Jupiter Stator, dont le temple a été élevé par Romulus, sous les mêmes auspices que Rome même! toi, nommé dans tous les temps le soutien de l'empire romain! tu préserveras de la rage de ce brigand tes autels, ces murs et la vie de tous nos citoyens; et tous ces ennemis de Rome, ces déprédateurs de l'Italie, ces scélérats liés entre eux par les mêmes forfaits, seront aussi, vivants et morts, réunis à jamais par les supplices.»

## VIII

Nous ne donnerons aujourd'hui que cet éclair de l'éloquence parlée de Cicéron. Les innombrables citations que nous pourrions en faire vous montreraient dans tous les genres de discours ce feu, ce débordement, cet ordre, cette majesté, cette véhémence, cette haute convenance dominant la passion elle-même, cette habileté instinctive qui dit tout ce qu'il faut dire et qui fait penser ce qui ne peut être dit, enfin cette vigueur de l'honnête homme qui prête le nerf de la conscience aux formes les plus académiques de l'art. Mais ce n'est pas le moment. Ce que nous voulons surtout vous faire admirer aujourd'hui, c'est l'homme, c'est l'esprit transcendant, c'est le lettré, c'est l'écrivain, c'est le philosophe. Il est assez connu comme orateur accompli; il ne l'est pas assez comme intelligence suprême et universelle.

## IX

Les premiers et les derniers loisirs que laissèrent à Cicéron les proscriptions ou les éclipses de la liberté dans sa patrie, il les consacra, comme nous l'avons dit en commençant, à donner aux jeunes Romains les préceptes de l'art oratoire, dont il leur avait donné déjà tant d'exemples. Voyez comment, dans ses dialogues sur l'*Orateur*, il apprécie dignement le grand art qu'il se propose d'enseigner:

«J'avance, dit-il, que je ne connais rien de plus beau que de pouvoir, par le talent de la parole, fixer l'attention des hommes rassemblés, charmer les esprits, gouverner les volontés, les pousser ou les retenir à son gré. Ce talent a toujours fleuri, a toujours dominé chez les peuples libres, et surtout dans les États paisibles. Qu'y a-t-il de plus admirable que de voir un seul homme, ou du moins quelques hommes, se faire une puissance particulière d'une faculté naturelle à tous! Quoi de plus agréable à l'esprit et à l'oreille qu'un discours poli, orné, rempli de pensées sages et nobles! Quel magnifique pouvoir que celui qui soumet à la voix d'un seul homme les mouvements de tout un peuple, la religion des juges et la dignité du sénat! Qu'y a-t-il de plus généreux, de plus loyal, que de secourir les suppliants, de relever ceux qui sont abattus, d'écarter les périls, d'assurer aux hommes leur vie, leur liberté, leur patrie! Enfin quel précieux avantage que d'avoir toujours à la main des armes qui peuvent servir à votre défense ou à celle des autres, à défier les méchants ou à repousser leurs attaques!»

De temps en temps Cicéron interrompt ses dialogues et ses citations sur l'éloquence par des retours sur le sort des grands orateurs de son temps, sur lui-même et sur le sort de sa patrie, retours qui sont eux-mêmes des chefs-d'œuvre de sentiment, de raison, de patriotisme. Tel est ce morceau sur l'orateur Crassus, son modèle et son maître, dont il raconte la mort en descendant de la tribune, mort sur le champ de triomphe, semblable à celle du plus grand des orateurs modernes, lord Chatam, le père de Pitt:

«C'est alors que Crassus, poussé à bout, dit-on, par le consul qui l'accusait, parla ainsi, comme un dieu: «Penses-tu que je te traiterai en consul, quand tu ne me traites pas en consulaire? Penses-tu, quand tu as déjà regardé l'autorité du sénat comme une dépouille, quand tu l'as foulée aux pieds en présence du peuple romain, m'effrayer par de semblables menaces? Si tu veux m'imposer silence, ce n'est pas mes biens qu'il faut m'ôter: il faut m'arracher cette langue que tu crains, étouffer cette voix qui n'a jamais parlé que pour la liberté; et, quand il ne me restera plus que le souffle, je m'en servirai encore, autant que je le pourrai, pour combattre et repousser la tyrannie.»

«Crassus parla longtemps, avec chaleur, avec force, avec violence. On rédigea sur son avis le décret du sénat, conçu dans les termes les plus forts et les plus expressifs, dont le résultat était que, toutes les fois qu'il s'était agi de l'intérêt du peuple romain, jamais la sagesse ni la fidélité du sénat n'avaient manqué à la république. Crassus assista même à la rédaction du décret.

«Mais ce fut pour cet homme divin le chant du cygne, ce furent les derniers accents de sa voix; et nous, comme si nous eussions dû l'entendre toujours, nous venions au sénat, après sa mort, pour regarder encore la place où il avait parlé pour la dernière fois. Il fut saisi, dans l'assemblée même, d'une douleur de côté, suivie d'une sueur abondante et d'un frisson violent; il rentra chez lui avec la fièvre, et au bout de sept jours il n'était plus. Ô trompeuses espérances des hommes! ô fragilité de la condition humaine! ô vanité de nos projets et de nos pensées, si souvent confondus au milieu de notre carrière!

«Tant que la vie de Crassus avait été occupée dans les travaux du forum, il était distingué par les services qu'il rendait aux particuliers et par la supériorité de son génie, et non pas encore par les avantages et les honneurs attachés aux grandes places; et l'année qui suivit son consulat, lorsque, d'un consentement universel, il allait jouir du premier crédit dans le gouvernement de l'État, la mort lui ravit tout à coup le fruit du passé et l'espérance de l'avenir!

«Ce fut sans doute une perte amère pour sa famille, pour la patrie, pour tous les gens de bien; mais tel a été après lui le sort de la république, qu'on peut dire que les dieux ne lui ont pas ôté la vie, mais lui ont accordé la mort.

«Crassus n'a point vu l'Italie en proie aux feux de la guerre civile; il n'a point vu le deuil de sa fille, l'exil de son gendre, la fuite désastreuse de Marius, le carnage qui suivit son retour; enfin il n'a point vu flétrir et dégrader de toutes les manières cette république qui l'avait fait le premier de ses citoyens, lorsque elle-même était la première des républiques.

«Mais, puisque j'ai parlé du pouvoir et de l'inconstance de la fortune, je n'ai besoin, pour en donner des preuves éclatantes, que de citer ces mêmes hommes que j'ai choisis pour mes interlocuteurs dans ces trois dialogues que je mets aujourd'hui sous vos yeux. En effet, quoique la mort de Crassus ait excité de justes regrets, qui ne la trouve pas heureuse, en se rappelant le sort de tous ceux qui, dans ce séjour de Tusculum, eurent avec lui leur dernier entretien? Ne savons-nous pas que Catulus, ce citoyen si éminent dans tous les genres de mérite, qui ne demandait à son ancien collègue Marius que l'exil pour toute grâce, fut réduit à la nécessité de s'ôter la vie? Et Marc-Antoine, quelle a été sa fin? La tête sanglante de cet homme à qui tant de citoyens devaient leur salut, fut attachée à cette même tribune où, pendant son consulat, il avait défendu la république avec tant de fermeté, et que, pendant sa censure, il avait ornée des dépouilles de nos ennemis. Avec cette tête tomba celle de Caïus César, trahi par son hôte, et celle de son frère Lucius; en sorte que celui qui n'a pas été témoin de ces horreurs semble avoir vécu et être mort avec la république.

«Heureux encore une fois Crassus, qui n'a point vu son proche parent Publius, citoyen du plus grand courage, mourir de sa propre main; la statue de Vesta teinte du sang de son collègue, le grand pontife Scévola, ni l'affreuse destinée de ces deux jeunes gens qui s'étaient attachés à lui: Cotta, qu'il avait laissé florissant, peu de jours après, déchu de ses prétentions au tribunat par la cabale de ses ennemis, et bientôt obligé de se bannir de Rome; Sulpicius, en butte au même parti, Sulpicius, qui croissait pour la gloire de l'éloquence romaine, attaquant témérairement ceux avec qui on l'avait vu le plus lié, périr d'une mort sanglante, victime de son imprudence et perdu pour la république! Ainsi donc, quand je considère, ô Crassus, l'éclat de ta vie et l'époque de ta mort, il me semble que la providence des dieux a veillé sur l'une et sur l'autre. Ta fermeté et ta vertu t'auraient fait tomber sous le glaive de la guerre civile, ou, si la fortune t'avait sauvé d'une mort violente, c'eût été pour te rendre témoin des funérailles de ta patrie; et tu aurais eu non-seulement à gémir sur la tyrannie des méchants, mais encore à pleurer sur la victoire du meilleur parti, souillée par le carnage des citoyens.»

## X

Voilà la rhétorique de ce grand cœur. Cela ne ressemble guère à celle de la Harpe. Le génie et le civisme éclatent sous l'enseignement du maître de paroles.

Il passe de là aux règles les plus techniques de l'art; il les énumère avec une admirable sagacité. Il exige tant, qu'il ne se sent satisfait ni de lui-même, ni de son seul rival dans l'antiquité, Démosthène:

«Je suis, dit-il, si difficile à contenter, que Démosthène lui-même ne me satisfait pas entièrement. Non, ce Démosthène, qui a effacé tous les autres orateurs, n'a pas toujours de quoi répondre à toute mon attente et à tous mes désirs, tant je suis, en fait d'éloquence, avide et comme insatiable de perfection!»

Voyez combien l'idéal est, dans les plus grands hommes, au-dessus de ce qu'ils ont tenté en tout genre. On vise toujours plus haut que nature; c'est la preuve de notre future destinée: VOUS SEREZ DES DIEUX! Nous ne sommes que des hommes!

## XI

C'est dans ces traités ou dialogues sur la rhétorique, sur l'orateur, que l'esprit aussi critique que créateur de Cicéron donne sur les différents styles oratoires les préceptes qui gouverneront éternellement l'expression de la pensée humaine. C'est un cours complet de littérature parlée ou écrite.

On s'étonne qu'un esprit aussi improvisateur ait été en même temps un esprit aussi analytique et aussi réfléchi: Semblable à un Archimède intellectuel, inventeur des plus miraculeux mécanismes, Cicéron démonte devant vous sa machine oratoire et vous en fait toucher au doigt les ressorts, pour vous démontrer comment on persuade, on touche, on passionne, on apaise les hommes rassemblés. Mais, pour animer ces ressorts, il faut une âme.

En lisant attentivement ces préceptes d'éloquence ou de style, on voit que le style et l'éloquence n'ont pas fait une seule découverte nouvelle depuis les préceptes ou les exemples de Cicéron. L'esprit humain était aussi complet alors que de nos jours, il se connaissait lui-même aussi bien que nous nous connaissons. Nous ne professons rien dans nos écoles qui n'ait été professé par ce grand maître.

On croit voir César ou Napoléon dictant leurs commentaires sur l'art de la guerre, devant les champs de bataille où ils ont remporté leurs victoires ou subi leurs défaites. Ces écrits sur l'art de penser et d'écrire sont les commentaires du parfait orateur et du parfait écrivain.

Si vous voulez un modèle de ce style aussi amolli dans la félicité que vigoureux dans l'indignation, lisez ces passages de son allocution au peuple romain à son retour dans sa patrie, après ses biens restitués et sa maison rebâtie aux frais de l'État. Voyez combien il sait relever sa reconnaissance par toutes les images qui peuvent la rendre éloquente aux oreilles charmées de ses concitoyens. Ce n'est là en effet que du style, mais quel style!

## DISCOURS
## DE CICÉRON AU PEUPLE.

«Romains, dans le temps où j'ai fait le sacrifice de ma vie et de mes biens pour votre sûreté, pour votre repos et le maintien de la concorde, je me suis adressé au souverain des dieux et à toutes les autres divinités; je leur ai demandé que, si jamais j'avais préféré mon intérêt à votre salut, ils me fissent éternellement subir la peine due à des calculs coupables; que si, au contraire, dans tout ce que j'avais fait jusqu'alors, je m'étais uniquement proposé la conservation de la république, et si je me résignais à ce funeste départ dans la seule vue de vous sauver, en épuisant sur moi seul tous les traits de cette haine que depuis longtemps des hommes audacieux et pervers nourrissaient dans leur cœur contre la patrie et tous les bons citoyens, le peuple, le sénat et toute l'Italie daignassent un jour se rappeler mon souvenir et donner quelques regrets à mon absence. Je reçois le prix de mon dévouement, et le jugement des dieux immortels, le témoignage du sénat, l'accord unanime de toute l'Italie, la déclaration même de mes ennemis et votre inappréciable bienfait, qui sont ma récompense, ont rempli mon âme de la joie la plus vive.

«Quoique rien ne soit plus à désirer pour l'homme qu'une félicité toujours égale et constante, qu'une vie dont le cours ne soit troublé par aucun orage, toutefois, si tous mes jours avaient été purs et sereins, je n'aurais pas connu ce bonheur délicieux, ce plaisir presque divin, que vos bienfaits me font goûter dans cette heureuse journée. Quel plus doux présent de la nature que nos enfants! Les miens, et par mon affection pour eux et par l'excellence de leur caractère, me sont plus chers que la vie: eh bien! le moment où je les ai vus naître m'a causé moins de joie qu'aujourd'hui qu'ils me sont rendus.

«Nulle société n'eut jamais plus de charmes pour moi que celle de mon frère: je l'ai moins senti lorsque j'en avais la jouissance que dans le temps où j'ai été privé de lui et  depuis le moment où vous nous avez réunis l'un à l'autre. Tout homme s'attache à ce qu'il possède: cependant cette portion de mes biens que j'ai recouvrée m'est plus chère que ne l'était ma fortune quand je la possédais tout entière. Les privations, mieux que les jouissances, m'ont fait comprendre ce que donnent de plaisir les amitiés, les habitudes de société, les rapports de voisinage et de clientèle, les pompes de nos jeux et la magnificence de nos fêtes.

«Mais surtout ces distinctions, ces honneurs, cette considération publique, en un mot tous vos bienfaits, quelque brillants qu'ils m'aient toujours paru, renouvelés aujourd'hui, se montrent à mes yeux avec plus d'éclat que s'ils n'avaient souffert aucune éclipse.

«Et la patrie elle-même, ô dieux immortels! comment exprimer les sentiments d'amour et le ravissement que sa vue m'inspire! Admirable Italie! cités populeuses! paysages enchanteurs! fertiles campagnes! récoltes abondantes! que de merveilles dans Rome! que d'urbanité dans les citoyens! quelle dignité dans la république! quelle majesté dans vos assemblées! Personne ne jouissait plus que  moi de tous ces avantages. Mais, de même que la santé a plus de charmes après une maladie longue et cruelle, de même aussi tous ces biens, quand la jouissance en a été interrompue, ont plus d'agrément et de douceur que si l'on n'avait jamais cessé de les posséder.

## XII

«Pourquoi donc toutes ces paroles? pourquoi, Romains? C'est pour vous faire sentir que tous les moyens de l'éloquence, que toutes les richesses du style s'épuiseraient en vain, sans pouvoir, je ne dis pas embellir et relever par un magnifique langage, mais seulement énoncer et retracer par un récit fidèle la grandeur et la multitude des bienfaits que vous avez répandus sur moi, sur mon frère et sur nos enfants. Je vous dois plus qu'aux auteurs de mes jours: ils m'ont fait naître enfant, et par vous je renais consulaire.

«J'ai reçu d'eux un frère, avant que je pusse savoir ce que j'en devais attendre. Vous me l'avez rendu, après qu'il m'a donné des preuves admirables de sa tendresse pour moi. La république m'a été confiée quand elle allait périr: je l'ai recouvrée par vous, après que tous les citoyens ont enfin reconnu qu'un seul homme l'avait sauvée. Les dieux immortels m'ont accordé des enfants: vous me les avez rendus. Nos vœux avaient obtenu de leurs bontés beaucoup d'autres avantages: sans votre volonté, tous ces présents du ciel seraient perdus pour nous.

«Vos honneurs enfin, à chacun desquels nous étions parvenus par une élévation progressive, vous nous les restituez tous en un seul et même jour; en sorte que les biens que nous tenions soit de nos parents, soit des dieux, soit de vous-mêmes, nous les recevons tous à la fois de la faveur du peuple romain tout entier. En même temps que la grandeur de votre bienfait surpasse tout ce que je puis dire, votre affection et votre bienveillance se sont déclarées d'une manière si touchante, que vous me semblez avoir non-seulement réparé mon infortune, mais ajouté un nouvel éclat à ma gloire.

## XIII

«Si l'on pense que ma volonté soit changée, ma vertu affaiblie, mon courage épuisé, on se trompe. Tout ce que la violence, tout ce que l'injustice et la fureur des scélérats ont pu m'arracher, m'a été enlevé, a été pillé, a été dissipé: ce qu'on ne peut ravir à une âme forte m'est resté et me restera toujours. J'ai vu le grand Marius, mon compatriote, et, par je ne sais quelle fatalité, réduit comme moi à lutter non-seulement contre les factieux qui voulaient tout détruire, mais aussi contre la fortune, je l'ai vu, dans un âge très-avancé, loin de succomber sous le poids du malheur, se roidir et s'armer d'un nouveau courage.

«Je l'ai moi-même entendu quand il disait à la tribune qu'il avait été malheureux, lorsqu'il était privé d'une patrie que son bras avait sauvée de la fureur des barbares; lorsqu'il apprenait que ses biens étaient possédés et pillés par ses ennemis; lorsqu'il voyait la jeunesse de son fils associée à ses infortunes; lorsque, plongé dans un marais, il avait dû la conservation de sa vie à la pitié des Minturniens; lorsque, fuyant en Afrique sur une frêle nacelle, il était allé, pauvre et suppliant, implorer ceux à qui lui-même avait donné des royaumes: mais il ajoutait qu'ayant recouvré ses anciens honneurs et les biens dont on l'avait dépouillé, il aurait soin qu'on reconnût toujours en lui cette force et ce courage qu'il n'avait jamais perdus.

«Toutefois, entre ce grand homme et moi, il y a cette différence qu'il s'est vengé de ses ennemis par les moyens qui l'ont rendu si puissant, c'est-à-dire par les armes; moi, j'userai des moyens qui me sont ordinaires: les siens s'emploient dans la guerre et les séditions; les miens, dans la paix et le repos. Au surplus, son cœur irrité ne méditait que la vengeance; et moi, je ne m'occuperai de mes ennemis qu'autant que la république me le permettra.

## XIV

«En un mot, Romains, quatre espèces d'hommes ont cherché à me perdre. Les uns m'ont poursuivi avec acharnement, par haine de ce que j'ai sauvé la patrie malgré eux; d'autres, sous le masque de l'amitié, m'ont indignement trahi; d'autres, n'ayant pu obtenir les honneurs, parce qu'ils n'ont rien fait pour les mériter, me les ont enviés et sont devenus jaloux de ma gloire; les autres enfin, préposés à la garde de la république, ont vendu ma vie, l'intérêt de l'État, la dignité du pouvoir dont ils étaient revêtus. Ma vengeance se proportionnera aux divers genres d'attaques dirigées contre moi: je me vengerai des mauvais citoyens, en veillant avec soin sur la république; des amis perfides, en ne leur accordant aucune confiance et en redoublant de précaution; des envieux, en ne travaillant que pour la vertu; des acquéreurs de provinces, en les rappelant à Rome et les forçant à rendre compte de leur administration.

«Toutefois j'ai plus à cœur de trouver les moyens de m'acquitter envers vous que de chercher de quelle manière je punirai l'injustice et la cruauté de mes ennemis. Se venger est plus facile; il en coûte moins pour surpasser la méchanceté que pour égaler la bienfaisance et la vertu. D'ailleurs la vengeance n'est jamais une nécessité; la reconnaissance est toujours un devoir.

«La haine peut être fléchie par les prières; des raisons politiques, l'utilité commune, peuvent la désarmer; les obstacles qu'elle éprouve peuvent la rebuter, et le temps peut l'éteindre. Ni les prières, ni les circonstances politiques, ni les difficultés, ni le temps, ne peuvent nous dispenser de la reconnaissance; ses droits sont imprescriptibles. Enfin l'homme qui met des bornes à sa vengeance trouve bientôt des approbateurs; mais celui qui, s'étant vu, comme moi, comblé de tous vos bienfaits, négligerait un moment de s'acquitter envers vous, s'attirerait les reproches les plus honteux. Il y aurait chez lui plus que de l'ingratitude: ce serait une impiété. Il n'en est point de la reconnaissance comme de l'acquittement d'une dette: l'homme qui retient l'argent qu'il doit ne s'est pas acquitté; s'il le rend, il ne le possède plus; mais celui qui a témoigné sa reconnaissance conserve encore le souvenir du bienfait, et ce souvenir lui-même est un nouveau payement.

## XV

«Romains, je garderai religieusement la mémoire de ce que je vous dois, tant que je jouirai de la vie; et, lors même que j'aurai cessé de vivre, des monuments certains attesteront les bienfaits que j'ai reçus de vous. Je renouvelle donc la promesse que je vous ai faite, et je prends l'engagement solennel de ne jamais manquer ni d'activité pour saisir les moyens de servir la patrie, ni de courage pour repousser les dangers qui la menaceront, ni de sincérité pour exposer mes avis, ni d'indépendance en résistant pour elle aux volontés de quelques hommes, ni de persévérance en supportant les travaux, ni enfin du zèle le plus constant pour étendre et assurer tous vos avantages et tous vos intérêts.

«Oui, Romains, vous que j'honore et que je révère à l'égal des dieux immortels, oui, mon vœu le plus ardent, le premier besoin de mon cœur sera toujours de paraître à vos yeux, aux yeux de votre postérité et de toutes les nations, digne d'une cité qui, par ses unanimes suffrages, a déclaré qu'elle ne se croirait rétablie dans sa majesté que lorsqu'elle m'aurait rétabli moi-même dans tous mes droits.»

## XVI

Dix volumes contiendraient à peine ces plaidoyers et ces harangues politiques, autant de chefs-d'œuvre de pensée, de sentiment et d'élocution, que nous parcourrons bientôt ensemble quand nous traiterons spécialement de l'éloquence. Mais laissons un moment Cicéron orateur et critique, et voyons Cicéron écrivain et philosophe. Il ne perd pas une ligne de sa taille en descendant de la tribune, ni un rayon de sa majesté en sortant du sénat; nous nous aiderons pour vous faire mesurer cette grandeur, qui est dans l'homme et non dans la dignité, du beau travail de translation de M. Nisard. Ce travail, comme celui de d'Olivet dans le dix-huitième siècle, et de M. Leclerc de nos jours, atteste l'éternelle jeunesse des œuvres de Cicéron.

Le temps, cependant, ne nous a pas tout conservé de ces monuments de l'esprit humain. Il faut mesurer ce grand homme comme le Colisée, par ses ruines. Au nombre de ces ruines est un ouvrage didactique, intitulé les *Académiques*; on n'en possède que des fragments.

Voyez avec quelle âme et avec quel style détendu et pour ainsi dire assis il commence le second livre de ces *Académiques*! Cela rappelle le début de la profession de foi du *Vicaire savoyard* de J.-J. Rousseau ou des *Soirées de Pétersbourg* du comte Joseph de Maistre. L'orateur ne harangue plus: il s'entretient comme nous faisons ici, et il affecte l'abandon et la nonchalance de la conversation entre hommes graves à la campagne.

«J'étais dans ma campagne de Cumes (près de Baïa et de Naples), en compagnie de mon cher Atticus, quand Varron me fit annoncer qu'il était arrivé de Rome la veille au soir, et que, sans la fatigue de la route, il serait venu immédiatement nous trouver. À cette nouvelle, nous décidâmes qu'il ne fallait mettre aucun retard à voir un homme avec qui nous étions liés par la communauté de nos études et par une vieille amitié. Nous nous mîmes en marche sur-le-champ pour le rejoindre. Nous étions encore à quelque distance de la villa, lorsque nous l'aperçûmes venant au-devant de nous; nous l'embrassâmes tendrement et nous le reconduisîmes chez lui. Il nous restait à faire un assez long chemin.

«Je demandai d'abord à Varron s'il y avait quelque chose de nouveau à Rome. Mais Atticus, m'interrompant aussitôt: Laissez là, nous dit-il, je vous en conjure, un sujet sur lequel on ne peut rien demander ni rien apprendre sans douleur (c'était le temps des compétitions déplorables entre Pompée et César), et que Varron nous dise plutôt ce qu'il y a de nouveau chez lui. Notre ami garde un silence plus long qu'à l'ordinaire avec le public, et pourtant je crois qu'il n'a pas cessé d'écrire, mais il nous cache ce qu'il compose.—Point du tout, dit Varron; ce serait, selon moi, une folie que de faire des livres pour les cacher, mais j'ai un grand ouvrage sur le métier; il y a déjà longtemps que j'ai mis le nom de cet ami (c'était de moi qu'il parlait) en tête d'un travail assez volumineux et que je tiens à exécuter avec le plus grand soin.

«—Il y a longtemps aussi, lui dis-je, que j'attends cet ouvrage, et cependant je n'ose pas vous presser, car j'ai appris de notre ami Libon, dont vous connaissez la passion pour les lettres, que vous n'interrompez pas un seul instant ce travail, que vous y employez tous vos soins et que jamais il ne sort de vos mains; mais il est une demande que je n'avais jamais songé à vous faire et que je vous ferai, maintenant que j'ai entrepris moi-même d'élever quelque monument à ces études qui me furent communes avec vous, et d'introduire dans notre littérature latine cette ancienne philosophie de Socrate. Pourquoi, vous qui écrivez sur tant de sujets, ne traitez-vous pas celui-là, puisque vous y excellez?»

## XVII

Varron s'excuse sur la difficulté de se faire comprendre des esprits vulgaires en traitant en termes de l'école des sujets grecs dont les termes mêmes sont étrangers à la plupart des Romains. «Les épicuriens, dit-il, pensent tout simplement que le sort de l'homme et de la brute, c'est tout un.

«Mais vous, qui êtes comme moi sectateur des principes plus spiritualistes et plus sublimes des disciples de Socrate et de Platon, avec quelle délicatesse ne faudra-t-il pas en développer la philosophie pour être compris? Il vaut mieux renvoyer les esprits, qui parmi nous s'occupent de ces matières, aux écrivains grecs eux-mêmes.»

«Vous avez raison, Varron,» répond Cicéron en rappelant avec la complaisance de l'amitié les beaux ouvrages poétiques et historiques composés par cet ami. «Pour moi, ajoute-t-il (je vais vous confesser les choses telles qu'elles sont), pendant le temps où l'ambition, les honneurs, le barreau, la politique et plus encore ma participation au gouvernement de la république m'entravaient dans un réseau d'affaires et de devoirs, je renfermais en moi mes connaissances philosophiques, et, pour que le temps ne les altérât pas, je les renouvelais dans mes heures de loisir par la lecture.

«Mais aujourd'hui que la fortune m'a frappé d'un coup terrible et que le fardeau du gouvernement ne pèse plus sur moi, je demande à la philosophie l'adoucissement de ma douleur, et je la regarde comme l'occupation de mes loisirs la plus douce et la plus noble à la fois. Cette occupation sied parfaitement à mon âge; elle est plus que toute autre chose en harmonie avec ce que je puis avoir fait de louable dans ma vie publique; rien de plus utile pour l'instruction de mon pays.»

Après cette introduction, les amis s'asseyent pour écouter Cicéron, qui commence ainsi:

## XVIII

«Socrate me paraît être le premier, et tout le monde en tombe d'accord, qui rappela la philosophie des nuages et des mystères pour l'appliquer à la conduite morale des hommes et lui donner pour objet les vertus ou les vices; il pensait qu'il n'appartient pas à l'homme d'expliquer les choses occultes et qu'alors même que nous pourrions nous élever jusqu'à cette connaissance, elle ne nous servirait de rien pour bien vivre.»

Il définit ensuite la philosophie pratique de Socrate et la philosophie spéculative de Platon, et il parsème son analyse de ses propres axiomes philosophiques à lui-même. Dieu, l'âme du monde, la providence ou la fortune (appelée ainsi parce qu'elle fait naître mille événements imprévus dont les causes existent, mais dont nous ne pouvons apercevoir de si bas ni prévoir ces causes) gouverne l'univers. L'esprit débute par la sensation, mais on ne reconnaît pas aux sens la faculté de juger. La vérité, la raison ou l'intelligence est l'unique juge des choses;... il adopte ces seules maximes éminemment spiritualistes. Qu'adoptons-nous de plus et de mieux aujourd'hui? La *raison*, la *providence* ou la *divinité active* dans les choses universelles sont-elles autrement définies par nos philosophes?

Après avoir raconté toute l'histoire des écoles, des sectes, des philosophies grecque et romaine, il combat énergiquement le scepticisme ou la philosophie du doute, et il le combat par le plus beau des arguments: la conscience et la vertu.

«L'idée seule de la vertu, dit-il, nous prouve que l'on peut comprendre et certifier certaines choses. Je demande pourquoi l'homme de bien, qui s'est résolu à souffrir tous les tourments plutôt que de trahir son devoir ou sa conscience, s'est imposé de si dures lois à lui-même lorsqu'il n'avait pour s'immoler ainsi ni motif ni raison. Une sagesse qui ne connaîtrait pas pourquoi elle est sage, est-ce une sagesse, oui ou non? Et d'abord, comment mériterait-elle de s'appeler sagesse? Comment ensuite oserait-elle prendre résolûment et poursuivre énergiquement un parti, s'il n'y a point de règles certaines qui la dirigent? Et si elle ne sait pas ce que c'est que le souverain bien (la vertu), comment serait-elle la vertu? Si l'homme donc ne peut connaître intuitivement ses devoirs, quel motif aura-t-il d'agir et quel attrait pourra-t-il sentir ou vers le mal ou vers le bien? Eh quoi! si je prouve ainsi aux sceptiques que leur doctrine anéantit la raison et la nature humaine, persisteront-ils dans leur doctrine?...»

## XIX

La suite de cette argumentation de la raison contre le scepticisme est d'une force et d'une évidence qu'aucune philosophie et qu'aucune logique moderne n'ont surpassées.

Les vérités nécessaires sont contemporaines de tous les temps, parce qu'elles sont nécessaires à tous les hommes.

La philosophie raisonnée de Cicéron est égale à celle de Platon, mais Platon rêvait après avoir raisonné. Cicéron ne rêve jamais: il pense. Il écrit le code de la raison humaine; Platon n'en écrit que le poëme.

«L'intelligence, poursuit-il, étant faite pour donner à l'homme la connaissance, elle aime la connaissance pour elle-même d'abord, car rien n'est plus délicieux pour l'esprit que la lumière, et elle l'aime ensuite pour ses conséquences pratiques; c'est pourquoi l'intelligence exerce ses sens, invente les arts comme des sens nouveaux qu'elle donne à l'homme et donne assez d'évidence et de force à la philosophie pour produire enfin la vertu, cette chose excellente qui met l'ordre dans la vie!»

Il y a deux mille ans bientôt que le plus grand des orateurs et le plus honnête des hommes politiques de Rome écrivait ces lignes. Quelles lignes philosophiques plus belles ont donc été écrites depuis ces deux mille ans par nos orateurs, nos hommes d'État, nos philosophes? Oh! que ce serait une belle et utile chose qu'un cours d'antiquité! et que de philosophies, qu'il croit d'hier, l'homme retrouverait à l'origine des hommes! Mais on aime mieux jeter le voile de l'ignorance sur les sagesses de Cicéron, de Confucius, et parler de progrès pour se nier son néant.

# XX

Le style est, dans toute cette longue argumentation, à la hauteur des idées ou des sentiments. On y sent le poëte comme l'orateur. Virgile n'a pas de plus fortes images que ce livre à propos des sceptiques, qui nient la lumière de l'esprit suffisante pour déterminer le bien ou le mal, le vice ou la vertu.

«Les Cimmériens (peuples voisins du pôle) à qui la vue du soleil est dérobée ou par un dieu, ou par quelque phénomène de la nature, ou plutôt par la position de la terre qu'ils habitent, ont cependant des feux à la lueur desquels ils peuvent se conduire; mais ces philosophes du doute, dont vous vous déclarez les sectateurs, après nous avoir enveloppés de si épaisses ténèbres, ne nous laissent pas même une dernière étincelle pour éclairer nos regards et nos pas!...» Quelle figure et quelle langue, éclatant vivement dans l'image comme la chaleur dans la clarté!

«Ah! comment, dit-il ensuite, ne pas aspirer à connaître le vrai, moi qui me réjouis de trouver seulement quelquefois le vraisemblable? Je suis un grand faiseur aussi de conjectures; je ne prétends pas ne jamais me tromper, ne jamais me laisser égarer par mes préjugés (car je ne me donne pas pour un sage), et je dirige, pour m'égarer le moins possible dans mes suppositions, mes pensées non du côté de la petite Ourse, ce guide nocturne des Phéniciens au milieu des flots, comme dit Aratus, constellation qui dirige d'autant mieux, selon lui, que dans sa course restreinte elle décrit un orbe plus borné, mais vers la grande Ourse et l'éclatante région du nord, c'est-à-dire vers l'espace plus étendu et où l'esprit est plus au large dans la région des choses probables, ce qui fait que j'erre souvent à l'aventure de mon esprit,» etc.

Ne croirait-on pas lire Montaigne? Mais combien Cicéron croyant ne se relève-t-il pas aussitôt au-dessus du sceptique!

Vient ensuite une longue et magnifique discussion où toutes les philosophies disputent entre elles en termes admirables prêtés par Cicéron à la controverse.

Après cette confusion d'idées, de dogmes, de conjectures, «il ne reste, dit Cicéron, que deux combattants debout: le plaisir, ou l'égoïsme, et la vertu. Si vous suivez la doctrine du plaisir ou de l'égoïsme, bien des choses périssent, et d'abord ces beaux rapports qui nous unissent à nos semblables, l'amour des hommes, l'amitié, la justice et les autres vertus; car, sans le désintéressement, ce ne sont plus que des chimères; lorsque nous sommes portés à remplir nos devoirs par l'attrait du plaisir et par l'appât des récompenses, ce n'est pas la vertu, c'est le faux semblant et comme un plagiat de la vertu.»

Cependant Cicéron, esprit tolérant parce qu'il est vaste, laisse une grande latitude à la controverse; il expose plus qu'il n'impose. Le livre, que nous ne possédons que par débris, comme les marbres de Phidias au Parthénon, finit familièrement, ainsi qu'il a commencé, par une gracieuse détente des esprits et par un retour sur les douceurs de pareils entretiens:

«Mais le matelot nous appelle (le batelier qui avait attaché son bateau au môle de Baïa, près du cap Misène, et qui voyait l'ombre descendre sur la mer), le matelot nous appelle, Lucullus! Le zéphyr lui-même semble nous murmurer qu'il est temps de rentrer dans nos barques. Je crois d'ailleurs en avoir dit assez; je termine donc ici mon discours. Mais si, dans la suite, nous renouons ces entretiens, nous nous occuperons de ces divergences entre les philosophes qui soutiennent des doctrines si opposées sur les biens ou sur les maux réels: voilà les sujets qui méritent de nous occuper plutôt que les vanités et les erreurs de la vie, etc.

«Je suis loin de regretter, dit alors Lucullus, les heures employées à ces entretiens; quand nous nous trouverons réunis, surtout dans nos jardins de *Tusculum*, nous pourrons souvent débattre ensemble ces belles questions, etc.»

Et ils s'embarquent à la fin du jour dans un silence plein de pensées.

## XXI

Voilà ce qui nous reste de ce livre des *Académiques*. Ce mélange de la vie publique et de la vie méditative, cette alternative de l'éloquence et de la philosophie dans la vie du même homme d'État, qui allait mourir sous le glaive des sicaires d'Antoine après avoir combattu les sicaires de Clodius, ne se retrouve dans aucun de nos grands hommes de tribune moderne au même degré. Chatam et William Pitt n'élevaient pas leur âme à ces hauteurs sereines de la pensée; Mirabeau et Vergniaud perdaient la moitié de leur force en descendant des tribunes; ils n'écrivaient pas du même style sur les lois et sur la Divinité. Bossuet lui-même n'était pas homme public à la mesure de Cicéron; plus libre que l'orateur romain comme orateur, il n'avait à lutter ni contre les tumultes du sénat, ni contre les démagogues, ni contre la tyrannie de César, ni contre les assassins d'Antoine; il n'avait qu'à servir un roi, à ménager en pontife habile le prince et sa conscience, à mourir sur les escaliers de Versailles en sollicitant pour un indigne neveu la continuation des faveurs d'Église conquises par son propre génie de théologien et d'écrivain. Si l'orateur est égal ou supérieur dans Bossuet, l'homme est plus universel et plus intrépide dans Cicéron. Ajoutons que, pour son temps, Cicéron est personnellement plus philosophe: car Bossuet répète la philosophie sacrée du christianisme, et sa force n'est que sa foi.

# XXII

Mais voici un autre fruit des loisirs de Cicéron, supérieur aux *Académiques*: ce sont les quatre livres sur les *vrais biens* et les *vrais maux*, adressés à Brutus, son ami, aussi lettré que lui-même.

Il commence par s'excuser, dans un préambule, d'importer dans la langue de Rome les philosophies originaires de la Grèce. Il se justifie victorieusement de cette tentative par des exemples d'autres écrivains romains: «Quant à moi, dit-il, qui, au milieu des soucis, des travaux, des orages, des discussions publiques, crois n'avoir jamais déserté le poste que le peuple romain m'avait confié, je crois devoir aussi, dans la mesure de mes forces, éclairer l'âme de mes concitoyens par mes travaux, mes études, mes veilles d'écrivain.

«Ceux qui me blâment d'écrire sur la philosophie devraient être plus justes, ils devraient se rappeler que j'ai déjà beaucoup écrit sur d'autres sujets, et autant qu'aucun autre Romain ait jamais fait; et qu'y a-t-il donc au-dessus de l'intérêt de ces grandes questions, et dont l'homme ait à retirer plus de véritable utilité? Si ma vie se prolonge, je ne renonce pas à traiter d'autres matières encore; mais quiconque voudra s'appliquer à étudier mes ouvrages de philosophie reconnaîtra qu'il n'y a point de lecture dont on puisse recueillir plus de fruit.»

Il part de là pour faire contre Épicure la plus magnifique théorie de la vertu et des différentes théories du bien qui ait été écrite en aucune langue humaine. Ce n'est pas, comme dans Platon, l'imagination, c'est la raison divinement parlée, qui divinise par sa plume la morale. Cependant il rend bientôt à Épicure son véritable caractère, en prouvant que la vertu (et par exemple l'amitié) est la véritable volupté. Dans cette page sur l'amitié, on sent l'homme qui a fait ses délices d'aimer et d'être aimé. C'est la vertu instinctive du caractère. Celui de Cicéron ne comportait pas la haine; il s'indignait, il ne haïssait pas.

# XXIII

Au début de son second livre sur le bien et le mal, Cicéron dit à ses amis: «Ne me regardez pas ainsi en silence, comme on regarde un homme qui va professer. Le vrai mode de traiter les sujets philosophiques, c'est l'échange mutuel des pensées, des objections et des réponses, c'est la conversation: causons.»

# XXIV

Après avoir élagué toutes les subtilités scolastiques d'Épicure ou des autres prétendus sages, il préconise avec une admirable force de   langage et de conscience les deux pivots de la vertu, l'HONNÊTE et la RAISON. Écoutez en passant ces définitions du bon sens:

«L'*honnête* est ce que l'on est forcé d'estimer par soi-même, abstraction faite de toute espèce d'intérêt personnel, etc.» (Quelle preuve de Dieu par la conscience!)

«La *raison* est cette intelligence si prompte et si vaste à la fois, cette sagacité de l'esprit qui pénètre les causes, discerne l'enchaînement de ces causes avec leurs conséquences, rapproche les ressemblances, découvre les semblables au milieu des diversités, conjoint l'avenir avec le présent, et embrasse ainsi d'un coup d'œil le cours entier d'une existence bien enchaînée.

«Par la raison, l'homme recherche la société des hommes; par elle il s'élève, de l'affection pour ses parents et pour ceux que la nature a rapprochés de son cœur, jusqu'à l'affection pour ses concitoyens, compris dans son amour, et enfin jusqu'à répandre sa tendresse sur l'humanité tout entière.» (*Caritas generi humani*, Évangile inné des sages de tous les siècles.)

«Car l'homme, ajoute-t-il, doit se souvenir qu'il n'est pas seulement pour lui seul, mais pour les siens, pour sa patrie, et que c'est de la moindre partie de lui-même qu'il lui est permis de s'occuper; et, comme la nature nous a doués d'un invincible attrait pour la vérité, inspirés que nous sommes par ce noble instinct, nous aimons forcément tout ce qui est vrai et réel, comme la bonne foi, la fidélité, la candeur, la constance, et nous haïssons tout ce qui est faux et trompeur, comme la fraude, le parjure, la méchanceté, l'injustice.

«Enfin la raison a je ne sais quelle supériorité majestueuse qui lui donne le droit de commander et qui lui fait mépriser de haut les événements humains, toujours élevée qu'elle est au-dessus de nos faiblesses et de nos erreurs. À ces trois vertus s'en joint une quatrième, qui a la même beauté et qui conspire avec elles pour la grandeur de l'homme: c'est l'amour de l'ordre.

«La beauté essentielle de l'ordre avait d'abord frappé l'esprit dans l'univers visible, et c'est de là que nous l'avons transporté dans nos actions et dans nos paroles, *monde moral dont l'ordre est l'ornement*; puis vient la *modération*, ou la mesure qui nous fait éviter en tout l'excès ou la témérité, qui nous détourne d'offenser nos semblables par nos actions ou par nos discours, et de rien faire, en un mot, a qui soit indigne de la nature humaine.

## XXV

«Voilà, mon cher Torquatus, la définition exacte de ce qu'on entend par l'HONNÊTE; c'est ce qui a fait dire proverbialement de l'homme de bien: *On peut frayer avec lui dans les ténèbres.*»

Que pensez-vous, lecteurs, de ces définitions de l'honnête, de la raison, de la vertu, datées de vingt siècles et écrites de la main d'un des plus sublimes écrivains de tous les siècles? Avez-vous une plus haute philosophie morale, une plus saine raison, une plus solide vertu, un plus beau style? Votre crépuscule n'est-il pas là?

Saluez l'antiquité: elle sait tout, même ce que vous croyez avoir appris hier. Si ces lignes étaient trouvées par vous anonymes dans un volume de vos bibliothèques de Paris ou de Londres, ne les attribueriez-vous pas en conscience à Bacon, à Fénelon, à vos plus pures philosophies, à vos plus éloquentes plumes? Elles sont du consul, de l'orateur, du lutteur romain contre Catilina, du sauveur de la patrie, du maître de Brutus, de l'ami de Pompée, de l'amnistié de César, de la victime d'Antoine, se reposant au soir d'un jour agité, à quelques jours de sa mort, résigné à l'ombre de son jardin de Tusculum, au murmure de l'Anio, qui murmure encore tout près des ruines de sa maison de campagne.

## XXVI

Et ce passage, sur l'immatérialité et sur l'immortalité de l'âme, qu'en direz-vous après l'avoir lu:

«L'origine de notre âme ne saurait se trouver dans rien de ce qui est matériel, car la matière ne saurait produire la pensée, la connaissance, la mémoire, qui n'ont rien de commun avec elle. Il n'y a rien dans l'eau, dans l'air, dans le feu, dans ce que les éléments offrent de plus subtil et de plus délié, qui présente l'idée du moindre rapport quelconque avec la faculté que nous avons de percevoir les idées du passé, du présent et de l'avenir. Cette faculté ne peut donc venir que de Dieu seul; elle est essentiellement céleste et divine. Ce qui pense en nous, ce qui sent, ce qui veut, ce qui nous meut, est donc nécessairement incorruptible et éternel; nous ne pouvons pas même concevoir l'essence divine autrement que nous ne concevons celle de notre âme, c'est-à-dire comme quelque chose d'absolument séparé et indépendant des sens, comme une substance spirituelle qui connaît et qui meut tout.

«Vous me direz: Et où est cette substance qui connaît et qui meut tout? et comment est-elle faite? Je vous réponds: Et où est votre âme? et comment se la représenter? Vous ne sauriez me le dire, ni moi non plus. Mais, si je n'ai pas pour la comprendre tous les moyens que je voudrais bien avoir, est-ce une raison pour me priver de ce que j'ai? L'œil voit et ne voit pas: ainsi notre âme, qui voit tant de choses, ne voit pas ce qu'elle est elle-même; mais pourtant elle a la conscience de sa pensée et de son action. Mais où habite-t-elle et qu'est-elle? C'est ce qu'il ne faut pas même chercher... Quand vous voyez l'ordre du monde et le mouvement réglé des corps célestes, n'en concluez-vous pas qu'il y a une intelligence suprême qui doit y présider, soit que cet univers ait commencé et qu'il soit l'ouvrage de cette intelligence, comme le croit Platon, soit qu'il existe de toute éternité et que cette intelligence en soit seulement la modératrice, comme le croit Aristote? Vous reconnaissez un Dieu à ses œuvres et à la beauté du monde, quoique vous ne sachiez pas où est Dieu ni ce qu'il est: reconnaissez de même votre âme à son action continuelle et à la beauté de son œuvre, qui est la vertu.»

## XXVII

Et celui-ci, sur la divisibilité des sens et de l'âme, autrement appelée la mort:

«Que faisons-nous quand nous séparons notre âme des objets terrestres, des soins du corps et des plaisirs sensibles, pour la livrer à la méditation? Que faisons-nous autre chose qu'apprendre à mourir, puisque la mort n'est que la séparation de l'âme et du corps? Appliquons-nous donc à cette étude, si vous m'en croyez; mettons-nous à part de notre corps et accoutumons-nous à mourir. Alors notre vie sur la terre sera semblable à la vie du ciel; et, quand nous serons au moment de rompre nos chaînes corporelles, rien ne retardera l'essor de notre âme vers les cieux.»

Tout l'ascétisme chrétien qui allait éclore en Orient n'était-il pas là par pressentiment?

Et celui-là, sur le noble désintéressement de la vertu, que les disciples d'Épicure appellent si faussement un habile égoïsme, et que Cicéron appelait, lui, de son vrai nom, un sacrifice de soi-même? Lisez:

«Appliquez, dit-il, ces mêmes principes à la modération, à la tempérance, qui est la sage mesure des passions et qui les soumet à la raison. Sera-ce garder suffisamment la pudeur que de prendre sans témoins des plaisirs honteux? N'y a-t-il pas des actions d'elles-même infâmes, lors même que leur auteur échapperait à la flétrissure publique? Que font les hommes de cœur? N'est-ce qu'après avoir calculé leur intérêt qu'ils entrent dans le combat et qu'ils versent à flots leur sang pour la patrie? N'y sont-ils pas excités plutôt par une vertueuse impulsion de dévouement et par leur généreux courage? Et si ce grand Torquatus avait pu nous entendre, lequel de nous deux, je vous le demande, eût-il écouté plus volontiers, ou de moi, qui affirme qu'il n'a rien fait en songeant à lui, mais par amour de la république, ou de vous, qui soutenez qu'il n'a rien fait que pour lui seul? Le bien pour le bien, voilà la vraie maxime!»

## XXVIII

Le début de son second livre, où il combat les stoïciens contre Caton, après avoir, dans le premier, combattu Épicure, est une mise en scène d'une digne, grave et douce familiarité.

Lisez ceci; c'est une scène biblique de philosophie parlée entre ces deux patriarches de la pensée humaine, Cicéron et Caton:

«J'étais à Tusculum, et, désirant me servir de quelques livres du jeune Lucullus, je vins chez lui pour les prendre dans sa bibliothèque, comme j'en avais l'usage.

«J'y trouvai Caton, que je ne m'attendais pas à rencontrer; il était assis et tout entouré de livres stoïciens.

«Vous savez qu'il avait une avidité insatiable de lecture, jusque-là que, dans le sénat même, et pendant que les sénateurs s'assemblaient, il se mettait à lire, sans se soucier des vaines rumeurs qu'il exciterait dans le public, et sans dérober pourtant un seul des instants qu'il devait aux intérêts de l'État. Aussi, jouissant d'un loisir aussi complet, et se trouvant dans une aussi riche bibliothèque, il semblait, si l'on peut se servir d'une comparaison aussi peu noble, vouloir dévorer les livres. Nous étant donc ainsi rencontrés tous deux sans y songer, il se leva aussitôt. Nous échangeâmes ensuite les premières questions que l'on se fait d'ordinaire lorsqu'on se revoit.—Qui vous amène ici? me dit-il. Vous venez, sans doute, de votre campagne? Si j'avais pensé que vous y fussiez, j'aurais été certainement vous y rendre visite.—Hier, lui dis-je, dès que les jeux furent commencés, je quittai la ville et j'arrivai le soir chez moi. Ce qui m'a amené ici, c'est que j'y suis venu chercher quelques livres. Voilà bien des trésors assemblés, Caton, et il faudra que notre jeune Lucullus les connaisse parfaitement un jour; car j'aimerais mieux qu'il prît plaisir à ces livres qu'à toutes les autres beautés de ce séjour, et j'ai son éducation fort à cœur, quoiqu'elle vous appartienne plus qu'à personne, et que ce soit à vous de le rendre digne de son père, de notre Cépion et de vous-même, qui le touchez de si près. Mais ce n'est pas sans sujet que je m'intéresse à ce qui le regarde: j'y suis obligé par le souvenir de son aïeul Cépion, que j'ai toujours tenu en grande estime, comme vous le savez, et qui, selon moi, serait maintenant un des premiers hommes de la république s'il vivait, et j'ai continuellement devant les yeux Lucullus, ce modèle accompli, à qui les liens de l'amitié et une communauté parfaite de sentiments et de vues m'unissent si tendrement.—Vous faites bien, me dit Caton, de conserver chèrement la mémoire de deux hommes qui vous ont recommandé leurs enfants par leurs testaments, et je suis charmé de voir que vous aimez le jeune Lucullus. Quant au soin de son éducation, qui me regarde tout particulièrement, dites-vous, je m'en charge avec plaisir, mais il faut que vous le partagiez avec moi. Ce que je puis ajouter, c'est qu'il me paraît déjà donner beaucoup de marques d'une belle âme et d'un noble esprit; mais vous voyez combien son âge est tendre.— Je le vois bien, lui dis-je, et c'est aussi dans cet âge qu'il faut l'initier à ces études et ouvrir son âme à ces sentiments qui le prépareront aux grandes choses qui l'attendent.—C'est à quoi il faut que nous travaillions ensemble, et de quoi nous nous entretiendrons plus d'une fois. Cependant asseyons-nous, s'il vous plaît. C'est ce que nous fîmes aussitôt.

«Mais vous, continua-t-il, qui avez tant de livres chez vous, quels sont donc ceux que vous venez chercher ici?—J'y venais prendre, lui dis-je, quelques commentateurs d'Aristote pour les lire pendant que j'en ai le loisir, ce que vous savez qui ne nous arrive guère ni à l'un ni à l'autre.—Que j'aurais bien mieux aimé, dit-il, que votre goût eût incliné pour les stoïciens! Certes, s'il appartenait à quelqu'un au monde d'estimer qu'il n'y a de bien que dans la vertu, c'était à vous.»

## XXIX

Cicéron démontre ensuite, avec une évidence véritablement révélatrice, que l'honnête, ou le souverain bien, est un instinct de notre nature intellectuelle aussi irréfutable que le bien-être physique est un instinct de nos sens matériels; de là, dit-il, ces législations, aussi divines qu'humaines, qui établissent les rapports des hommes entre eux sur les bases d'une équité sociale, qui est la conscience publique du genre humain. Cependant il blâme dans le livre suivant l'excès des stoïciens, qui les porte à sacrifier entièrement le corps à l'âme. Cet excès, dit-il, n'est pas conforme à la nature complexe d'un être formé d'âme et de corps, et qui a été doué d'un instinct de conservation. La sagesse est dans l'harmonie qu'il faut maintenir entre nos deux natures: régler la nature, ce n'est pas la contredire.

## XXX

Nous ne pouvons renoncer à vous reproduire ici le commencement du cinquième livre, réminiscence délicieuse du temps et des lieux où Cicéron, voyageur à Athènes, repassait avec ses amis sur les traces de l'antiquité:

«Comme j'étais à Athènes, et qu'un jour, suivant ma coutume, j'avais entendu Antiochus dans le gymnase de Ptolémée, en compagnie de Pison, de mon frère Quintus, de Pomponius et de L. Cicéron, mon cousin germain, que j'aime comme s'il eût été mon frère, nous fîmes dessein de nous aller promener ensemble l'après-midi à l'Académie, parce que, dans ce temps-là, il ne s'y trouvait d'ordinaire presque personne. Nous nous rendîmes donc tous chez Pison au temps marqué; et de là, en nous entretenant de choses diverses, nous fîmes les six stades de la porte Dipyle à l'Académie. Quand nous fûmes arrivés dans un si beau lieu, et qui n'est pas célèbre sans cause, nous y trouvâmes toute la solitude que nous voulions. Alors Pison:—Est-ce par un dessein de la nature, nous dit-il, ou par une erreur de notre imagination, que, lorsque nous voyons les lieux où l'histoire nous apprend que de grands hommes ont passé une partie de leur vie, nous nous sentons plus émus que quand nous écoutons le récit de leurs actions ou que nous lisons leurs écrits?

«C'est là ce que j'éprouve moi-même en ce moment: le souvenir de Platon me vient assaillir l'esprit; c'est ici qu'il s'entretenait avec ses disciples, et ses petits jardins, que vous voyez si près de nous, me rendent sa mémoire tellement présente qu'ils me le remettent presque devant les yeux. Ces lieux ont vu Speusippe, ils ont vu Xénocrate et Polémon, son disciple, dont voici la place favorite. Je n'aperçois même jamais le palais du sénat (j'entends la cour Hastilie, non pas ce palais, nouveau monument bien plus vaste et qui paraît plus petit à mes yeux), que je ne songe à Scipion, à Caton, à Lélius, et surtout à mon aïeul. Enfin les lieux ont si bien la vertu de nous faire ressouvenir de tout, que ce n'est pas sans raison qu'on a fondé sur eux l'art de la mémoire.—Rien n'est plus vrai, Pison, lui dit mon frère Quintus. Moi-même, en venant ici, les yeux fixés sur Colone, le séjour de Sophocle, je croyais voir devant moi ce grand poëte, à qui j'ai voué une si profonde admiration, vous le savez, et qui fait mes délices; l'image même d'Œdipe, qu'il représente venant ici et demandant dans ces vers qui arrachent des larmes en quels lieux il se trouve, m'a tout ému; ce n'est qu'une image vaine, et cependant elle m'a remué.—Et moi, dit Pomponius, à qui vous faites la guerre de m'être rendu à Épicure, dont nous venons de passer les jardins, je vois s'écouler dans ces jardins bien des heures en compagnie de Phèdre, que j'aime plus qu'homme au monde. Il est vrai que, averti par l'ancien proverbe, je pense toujours aux vivants; mais, quand je voudrais oublier Épicure, comment le pourrais-je, lui dont nos amis ont le portrait, non-seulement reproduit à grands traits par la peinture, mais encore gravé sur leurs coupes et sur leurs bagues?

«Notre ami Pomponius, lui dis-je alors, veut s'égayer, et il est peut-être dans son droit, car il s'est établi de telle sorte à Athènes que déjà on peut le prendre pour un Athénien, et que je ne serais pas surpris qu'un jour il ne portât le surnom d'Atticus. Mais je suis de votre avis, Pison; rien ne fait penser plus vivement et plus attentivement aux grands personnages que les lieux fréquentés par eux.

«Vous savez que j'allai une fois à Métaponte avec vous, et que je ne mis le pied chez mon hôte qu'après avoir vu le lieu où Pythagore rendit le dernier soupir, et le siége où il s'asseyait d'ordinaire. Tout présentement encore, quoique l'on trouve partout à Athènes les traces des grands hommes qu'elle a portés, je me suis senti ému en voyant cet hémicycle où Charmadas enseignait naguère. Il me semble que je le vois (car ses traits me sont bien connus); il me semble même que sa chaire, demeurée pour ainsi dire veuve d'un si grand génie, regrette à toute heure de ne plus l'entendre. Alors Pison:—Puisque tout le monde, dit-il, a été frappé de quelque souvenir, je voudrais bien savoir ce qui a fait impression sur notre jeune Lucius? Serait-ce le lieu où Démosthène et Eschine se livraient leurs grands combats? Chacun, en effet, est guidé par ses études de prédilection. Lui, en rougissant:—Ne m'interrogez pas là-dessus, dit-il, moi qui suis même descendu sur la plage de Phalère, où l'on dit que Démosthène déclamait au bruit des flots, pour s'habituer à vaincre par sa voix le frémissement de la place publique. Je viens même de me détourner un peu sur la droite pour voir le tombeau de Périclès: mais, dans cette ville-ci, les souvenirs sont inépuisables; il semble, à chaque pas que l'on y fait, que du sol jaillisse l'histoire.—Les recherches, lui dit Pison, quand on les fait dans la vue d'imiter un jour les grands personnages, sont d'un excellent esprit; mais, quand elles n'ont pour but que de nous mettre sur les traces du passé, elles témoignent seulement d'un esprit curieux. Aussi nous vous exhortons tous, et je vois que déjà vous vous y portez de vous-même, à marcher sur les pas des grands hommes dont vous prenez plaisir à reconnaître les vestiges.—Vous savez, dis-je alors à Pison, qu'il a déjà prévenu vos conseils; mais je vous suis obligé des encouragements que vous lui donnez.—Il faut donc, reprit-il avec son extrême bienveillance, que nous tâchions tous de contribuer aux progrès de notre jeune ami; il faut avant tout qu'il tourne ses études vers la philosophie, tant pour vous imiter, vous qu'il aime, que pour être en état de mieux réussir dans l'éloquence. Mais vous, Lucius, continua-t-il, est-il besoin de vous y exhorter, et ne vous y sentez-vous pas tout naturellement enclin? Au moins, il me semble que vous écoutez avec beaucoup d'intérêt les leçons d'Antiochus.—J'ai grand plaisir à les suivre, répondit Lucius avec une honnête timidité; mais vous avez parlé de Charmadas: je me sens entraîné de ce côté-là. Antiochus me le rappelle, et c'est la seule école que je fréquente.»

Viennent ensuite des définitions admirables de l'âme, de ses facultés, de ses vertus, *filles*, dit-il, de notre *liberté morale* telles que la prudence, la tempérance, la force, la justice, la modération, l'abnégation, le sacrifice de soi-même aux autres, tout ce dont se compose aujourd'hui encore le code de l'homme parfait.

Et l'on voit, dit Érasme dans sa préface des *Tusculanes*, que la vie de Cicéron était conforme à ce code sublime de la vertu antique. Érasme s'indigne comme nous que des ignorants appellent un vain étalage de style la sagesse substantielle de ces leçons. Le plus éloquent des hommes en est en même temps le plus sage.

Mais passons aux *Tusculanes* elles-mêmes. Quelle lucidité! quelle souplesse! quelle facilité! quelle profondeur! quelle logique! quelle force! quelle grâce et en même temps quel enjouement dans ces leçons, s'écrie le philosophe du moyen âge, en étudiant le philosophe romain. Goûter Cicéron, s'écrie à son tour l'esprit le plus antique de l'antiquité, Quintilien, c'est prouver qu'on avance dans la philosophie comme dans l'éloquence.

## XXXI

Les *Tusculanes* prennent leur nom de la maison de campagne de Cicéron où ces *Méditations* en prose furent composées par lui. Ces *Méditations* étaient à la fois des loisirs, des perfectionnements de son âme, des consolations. La politique l'avait odieusement rejeté dans la vie inactive. Rome, en proie aux démagogues, à la soldatesque, à la tyrannie, à la gloire de mauvais aloi, n'était plus digne de lui; la pensée de Cicéron quittait ce monde vulgaire et pervers pour les régions sublimes et éternelles de la pensée.

«Quand j'ai vu enfin, dit-il en commençant les *Tusculanes*, qu'il n'y avait presque plus rien à faire pour moi, ni au forum, ni au sénat, je me suis remis à une sorte d'étude dont le goût m'était toujours resté, mais que d'autres soucis avaient toujours interrompu ou ajourné: j'entends par cette étude la philosophie, qui renferme toutes les connaissances utiles à l'homme pour bien vivre.....

«Les Grecs, dit-il, ont excellé plus que nous dans la poésie et dans les arts; nous les égalons seulement dans l'art oratoire né de la constitution même de Rome; hors de là nous leur sommes jusqu'ici inférieurs. Après avoir tenté moi-même de porter l'art oratoire à un point encore plus élevé que nos prédécesseurs romains, je m'efforce avec plus de zèle encore de mettre dans son jour cette philosophie, d'où j'ai tiré tout ce que je puis avoir développé d'éloquence.

«Aristote, ce rare génie qui savait tout, jaloux de la gloire de l'orateur Isocrate, entreprit, à son exemple, d'enseigner l'art de la parole, et voulut allier la philosophie à l'éloquence. Je veux de même, sans oublier mon ancien caractère d'orateur, m'attacher aux matières de philosophie: je les trouve infiniment plus grandes, plus abondantes, plus fécondes que celles de la tribune; mon opinion a toujours été que ces questions élevées, pour ne rien dire de leur intérêt et de leur beauté, doivent être traitées avec étendue et avec toutes les perfections de style qui dépendent du langage. J'ai essayé si je pourrais y réussir, et j'ai même poussé si loin la chose que j'ai tenu des entretiens philosophiques à la manière des Grecs. Tout récemment, mon cher Brutus, après que vous fûtes parti de Tusculum, j'éprouvai mes forces devant un grand nombre d'amis. C'est ainsi que ces exercices oratoires d'autrefois, où j'avais pour but de me préparer au forum, et dont j'ai continué l'usage plus que personne, sont aujourd'hui remplacés par un exercice de vieillard. Je faisais donc proposer par ces amis le sujet sur lequel on voulait m'entendre, je discourais sur cette matière, assis ou debout, et, comme nous avons eu ces sortes d'entretiens pendant cinq jours, je les ai rédigés à loisir en autant de livres.»

## XXXII

Voilà l'origine des cinq *Méditations* ou *Tusculanes* que nous allons, à notre tour, parcourir avec vous. Elles sont en grande partie écrites sous la forme du dialogue, qui présente les deux faces ou les mille faces du sujet au même instant et au même regard. La première roule sur la mort, ce grand mystère de l'esprit, ce grand achoppement à toute félicité humaine.

Rien n'est plus hardi et plus net que la pensée de Cicéron, hautement exprimée, sur les mystères de la religion de son temps. Les Romains étaient très-tolérants sur ces matières, pourvu qu'on respectât les cérémonies du culte légal en tant que loi de l'État. On pouvait penser et professer tout ce qu'on voulait comme foi individuelle ou comme philosophie théologique générale. Le pontife, dans Cicéron ou dans César, ne nuisait point au philosophe; l'un suivait des rites traditionnels et populaires, l'autre professait des doctrines   souverainement libres et dédaigneuses des crédulités du vulgaire. Chacun avait ainsi sa part d'erreur ou de vérité qu'il se faisait à soi-même: au peuple la fable, aux sages la vérité.

Écoutez Cicéron, à la première page de la première *Tusculane*, sur le ciel et sur l'enfer des théologies populaires de son temps:

«Si vous craignez la mort, demande-t-il à son interlocuteur, n'est-ce pas parce que l'idée de l'enfer vous épouvante? Un Cerbère à trois têtes, les flots bruyants du Cocyte, le passage de l'Achéron, un Tantale mourant de soif et qui a de l'eau jusqu'au menton sans qu'il y puisse tremper ses lèvres; ce rocher contre lequel Sisyphe, épuisé, hors d'haleine, perd, à rouler toujours, ses efforts et sa peine; des juges inexorables, Minos et Rhadamanthe, devant lesquels, au milieu d'un nombre infini d'auditeurs, vous serez obligé de plaider vous-même votre cause, sans qu'il vous soit permis d'en charger ou Crassus ou Antoine, ou, puisque ces juges sont grecs, Démosthène: voilà l'objet de votre peur, et sur ce fondement vous croyez la mort un mal éternel.

### L'AUDITEUR.

«Pensez-vous que j'extravague jusqu'à donner là dedans?

### CICÉRON.

«Vous n'y ajoutez pas foi?

### L'AUDITEUR.

«Pas le moins du monde.

### CICÉRON.

«Vous avez, à la vérité, grand tort de l'avouer.

### L'AUDITEUR.

«Pourquoi, je vous prie?

### CICÉRON.

«Parce que, si j'avais eu à vous réfuter sur ce point, j'allais m'ouvrir une belle carrière.

### L'AUDITEUR.

«Qui ne serait éloquent sur un tel sujet?

CICÉRON.

«Tout est plein, cependant, de traités philosophiques où l'on se propose de le prouver.

L'AUDITEUR.

«Peine perdue; car se trouve-t-il des hommes assez sots pour en avoir peur?

CICÉRON.

«Mais, s'il n'y a point de misérables dans les enfers, personne n'y est donc?

L'AUDITEUR.

«Je n'y crois personne.»

On voit qu'il y avait deux hommes dans les hommes supérieurs de Rome, le citoyen et le philosophe. Le philosophe se moquait de la religion officielle du citoyen. Cicéron était convaincu, comme César et comme Sénèque, que la superstition était incorrigible dans le peuple, et qu'il fallait se contenter de penser à part du vulgaire, sans lui contester ses dieux, ses élysées et ses enfers, peuplés de ses fables, de ses traditions et de ses rêves.

## XXXIII

Mais l'existence d'une divinité une et suprême, l'immatérialité de l'âme et son immortalité sont confessées plus loin comme des vérités rationnelles avec une force de logique et avec une multiplicité d'arguments qui n'ont jamais été surpassées. Lisez ces lignes du premier livre des *Tusculanes*:

«Thémistocle pouvait couler ses jours dans le repos, Epaminondas le pouvait, et, sans chercher des exemples dans l'antiquité ou parmi les étrangers, moi-même, je le pouvais. Mais nous avons au dedans de nous je ne sais quel pressentiment des siècles futurs, et c'est dans les esprits les plus sublimes, c'est dans les âmes les plus élevées, que ce sentiment est le plus vif et qu'il éclate davantage. Ôtez ce pressentiment, serait-on assez fou pour vouloir passer sa vie dans les travaux et dans les dangers? Je parle des grands cœurs. Et que cherchent aussi les poëtes, qu'à éterniser leur mémoire? Témoin celui qui dit:

«Ici sur Ennius, Romains, jetez les yeux;
Par lui furent chantés vos célèbres aïeux.

«Tout ce qu'Ennius demande pour avoir chanté la gloire des pères, c'est que les enfants fassent vivre la sienne.

«Qu'on ne me rende point de funèbres hommages, dit-il encore. Mais à quoi bon parler des poëtes? Il n'est pas jusqu'aux artisans qui n'aspirent à l'immortalité. Phidias, n'ayant pas la liberté d'écrire son nom sur le bouclier de Minerve, y grava son portrait. Et nos philosophes, dans les livres mêmes qu'ils composent sur le mépris de la gloire, n'y mettent-ils pas leur nom? Puisque donc le consentement de tous les hommes est la voix de la nature, et que tous les hommes, en quelque lieu que ce soit, conviennent qu'après notre mort il y a quelque chose qui nous intéresse, nous devons nous rendre à cette opinion, et d'autant plus qu'entre les hommes ceux qui ont le plus d'esprit, le plus de vertu, et qui, par conséquent, savent le mieux où tend la nature, sont précisément ceux qui se donnent le plus de mouvement pour mériter l'estime de la postérité. . . . . . . . . . . . . . . . . . . . . . . . .

«C'est ce dernier sentiment que j'ai suivi dans ma *Consolation*, où je m'explique en ces termes: On ne peut absolument trouver sur la terre l'origine des âmes, car il n'y a rien dans les âmes qui soit mixte et composé, rien qui paraisse venir de la terre, de l'eau, de l'air ou du feu.

«Tous ces éléments n'ont rien qui fasse la mémoire, l'intelligence, la réflexion, qui puisse rappeler le passé, prévoir l'avenir, embrasser le présent. Jamais on ne trouvera d'où l'homme reçoit ces divines qualités, à moins que de remonter à Dieu. Et, par conséquent, l'âme est d'une nature singulière qui n'a rien de commun avec les éléments que nous connaissons. Quelle que soit donc la nature d'un être qui a sentiment, intelligence, volonté, principe de vie, cet être-là est céleste, il est divin, et dès lors immortel. Dieu lui-même ne se présente à nous que sous cette idée d'un esprit pur, sans mélange, dégagé de toute matière corruptible, qui connaît tout, qui meut tout, et qui a de lui-même un mouvement éternel. . . . . . . . . . . . . . . . . . . . . . .

«Car, enfin, que faisons-nous en nous éloignant des voluptés sensuelles, de tout emploi public, de toute sorte d'embarras, et même du soin de nos affaires domestiques, qui ont pour objet l'entretien de notre corps? Que faisons-nous, dis-je, autre chose que rappeler notre esprit à lui-même et que l'éloigner de son corps tout autant que cela se peut? Or détacher l'esprit du corps, n'est-ce pas apprendre à mourir? Pensons-y donc sérieusement, croyez-moi, séparons-nous ainsi de nos corps, accoutumons-nous à mourir. Par ce moyen la vie d'ici-bas tiendra déjà d'une vie céleste, et nous en serons mieux disposés à prendre notre essor quand nos chaînes se briseront. Mais les âmes qui auront toujours été sous le joug des sens auront peine à s'élever de dessus la terre, lors même qu'elles seront hors de leurs entraves. Il en sera d'elles comme de ces prisonniers qui ont été plusieurs années dans les fers:

ce n'est pas sans peine qu'ils marchent. Pour nous, arrivés un jour à notre terme, nous vivrons enfin, car notre vie d'à présent, c'est une mort, et, si j'en voulais déplorer la misère, il ne me serait que trop aisé.

L'AUDITEUR.

«Vous l'avez déploré assez dans votre *Consolation*. Je ne lis point cet ouvrage que je n'aie envie de me voir à la fin de mes jours, et cette envie, par tout ce que je viens d'entendre, augmente fort.

CICÉRON.

«Vos jours finiront, et, de force ou de gré, finiront bien vite, car le temps vole. Or, non-seulement la mort n'est point un mal, comme d'abord vous le pensiez; mais peut-être n'y a-t-il que des maux pour l'homme, à la mort près, qui est son unique bien, puisqu'elle doit ou nous rendre dieux nous-mêmes, ou nous faire vivre avec les dieux.  .   .   .   .   .   .   .   .   .   .   .   .   .   .   .   .   .
.   .   .

«Pour nous, au cas que nous recevions du ciel quelque avertissement d'une mort prochaine, obéissons avec joie, avec reconnaissance, bien convaincus que l'on nous tire de prison, et que l'on nous ôte nos chaînes, afin qu'il nous arrive ou de retourner dans le séjour éternel, notre véritable patrie, ou d'être à jamais quittes de tout sentiment et de tout mal. Que si le ciel nous laisse notre dernière heure inconnue, tenons-nous dans une telle disposition d'esprit que ce jour, si terrible pour les autres, nous paraisse heureux. Rien de ce qui a été déterminé ou par les dieux immortels, ou par notre commune mère, la nature, ne doit être compté pour un mal. Car enfin ce n'est pas le hasard, ce n'est pas une cause aveugle qui nous a créés: mais nous devons l'être certainement à quelque puissance, qui veille sur le genre humain. Elle ne s'est pas donné le soin de nous produire et de nous conserver la vie, pour nous précipiter, après nous avoir fait éprouver toutes les misères de ce monde, dans une mort suivie d'un mal éternel. Regardons plutôt la mort comme un asile, comme un port qui nous attend. Plût à Dieu que nous y fussions menés à pleines voiles! Mais les vents auront beau nous retarder, il faudra nécessairement que nous arrivions, quoique un peu tard. Or ce qui est pour tous une nécessité, serait-il pour moi seul un mal? Vous me demandiez une péroraison, en voilà une.»

## XXXIV

On voit qu'il avait raison d'écrire ces belles lignes par lesquelles il se consolait de ne plus être que philosophe:

«Dans la nécessité où je suis de renoncer aux affaires publiques, je n'ai pas d'autre moyen de me rendre utile que d'écrire pour éclairer et consoler les

Romains; je me flatte qu'on me saura gré de ce qu'après avoir vu tomber le gouvernement de ma patrie au  pouvoir d'un seul, je ne me suis ni dérobé lâchement au public, ni livré sans réserve à ceux qui possèdent l'autorité. Mes écrits ont remplacé mes harangues au sénat et au peuple, et j'ai substitué les méditations de la philosophie aux délibérations de la politique sur les destinées de la patrie.»

On voit par les lignes suivantes combien la philosophie, la religion raisonnée et le patriotisme en vue des devoirs imposés à l'homme par la Divinité, étaient pour Cicéron une même et sainte chose.

«Quelques-uns affectent de croire, écrit-il, que la Divinité ne s'intéresse pas à l'homme, et ne se mêle pas de nos actes et de nos destins. Sur ce principe, que deviendraient la piété, la *sainteté*, la religion? Ce sont là de véritables devoirs obligatoires qu'il faut savoir exactement accomplir... Il en est de la piété comme de toutes les autres vertus; elles ne consistent pas dans de vains dehors: sans elles point de *sainteté* (mot qui signifie moralité de nos actes); sans elles point de culte, et dès lors que devient l'univers? Quel désordre et quelle anarchie dans l'espèce humaine! Quant à moi, ajoute-t-il, je doute si  éteindre la piété envers la divinité, ce ne serait pas anéantir du même coup la bonne foi, la conscience, la société humaine tout entière, et la vertu qui supporte à elle seule le monde, je veux dire l'instinct de la justice!...»

## XXXV

Mais l'espace me manque ici pour vous entr'ouvrir seulement le trésor de ces loisirs philosophiques de Cicéron. Nous allons, dans un dernier entretien sur ce grand homme, vous initier plus avant dans cette sagesse antique, résumée par la plus brillante parole de l'antiquité.

C'est ainsi qu'il se reposait de la vie et qu'il se préparait à la mort dans ce dialogue sur la mort. Quelques amis, fidèles à sa mauvaise fortune, lui prêtaient encore l'oreille et le cœur; ses livres, recueillis avec amour en Grèce pendant ses voyages ou ses exils, lui ouvraient leurs pages consolatrices; les arbres qu'il avait plantés dans sa jeunesse à Tusculum ou à Astur, ses maisons des champs, ne lui avaient pas été ravis, du moins avant sa mort, par l'ingratitude de sa patrie et par la nécessité de ses créanciers. Les rigoles qu'il avait dérobées à l'*Anio præceps* pour en irriguer ses jardins, qui murmuraient encore sous ses platanes et remplissaient ses portiques champêtres de leur rumeur et de leur fraîcheur; le temple sépulcral qu'il avait élevé à sa fille chérie pour diviniser ses regrets brillait encore à l'horizon de la Sabine comme un appel aux pensées graves et comme une promesse des éternelles réunions; il remplissait sa vie et il célébrait la mort sans savoir encore de quelle mort il devait périr, mais sûr du moins que ce ne serait pas d'une mort honteuse.

Tel était Cicéron au moment où il écrivait cette première *Tusculane*. Nous allons suivre sa plume jusqu'à la dernière ligne de cette grande vie; elle ne fut qu'un grand travail pour l'immortalité.—Il ne se trompa pas.

Lamartine.

# LXIV<sup>e</sup> ENTRETIEN.

## CICÉRON

### TROISIÈME PARTIE.

### I

Les savants disent que l'atmosphère dont la terre est entourée a deux régions distinctes selon la distance à laquelle cette atmosphère se déroule autour de notre globe, et qu'ainsi, pendant que la partie de cet air ambiant qui touche à la terre est agitée, troublée, souvent bouleversée par les vents, les nuées, les orages, l'autre partie, la partie la plus haute de l'éther, ne sent pas ces convulsions aériennes, mais demeure calme et impassible dans une éternelle sérénité.

C'est ainsi que l'esprit des philosophes ou des politiques, tels que Cicéron, échappe, en s'élevant dans les régions sereines et immuables de la pensée, aux préoccupations personnelles qui les agitent au milieu du sénat, du peuple, de la guerre civile, sur le sort de leur patrie ou sur leur propre sort, et que ces esprits sublimes se réfugient dans la philosophie et dans la religion pour ne plus entendre ou pour mépriser de si haut les bruits et les oscillations du monde.

C'est ainsi que ce grand homme, séparé des rumeurs de Rome par les montagnes de la Sabine et par le rideau de ses arbres, écrivait ses *Tusculanes*, que nous vous analysions dans notre dernier entretien.

C'est ainsi que les grands esprits, en ce moment, se séparent volontairement des préoccupations publiques et privées qui les assiègent, pour monter avec Cicéron dans les régions des pensées permanentes.

### II

Une guerre inattendue a éveillé en sursaut l'Europe; une petite cour, qui a le courage de son ambition, a demandé le sang de la France au nom d'une cause plus sympathique que la convoitise d'une maison de Savoie.

Le principe de la liberté va servir à doubler un trône au pied des Alpes; l'avenir dira si le sang français aura été versé pour des alliés reconnaissants ou pour des voisins suspects. L'Italie tout entière indépendante est une belle aspiration de l'Europe; l'Italie annexée par force à des Sardes, à des Niçards, à des Piémontais, à des Allobroges, ne serait qu'un changement de servitude; un roi proclamé sous le canon d'un conquérant n'est pas un roi, mais un maître; les véritables souverainetés nationales sortent du sol et non du canon; un cri de victoire n'est pas une élection de la liberté, c'est l'élection de la force.

Écartez vos soldats, et demandez à l'illustre république de Gênes si elle reconnaît la légitimité des traités de 1815 qui ont enclavé ses montagnes, ses palais, ses ports, ses vaisseaux dans la monarchie alpestre de la Savoie. Écartez vos soldats, et demandez à la république aristocratique et orientale de Venise si elle reconnaît la légitimité des vallées de Maurienne sur les flots libres de l'Adriatique. Écartez vos soldats, et demandez à Milan s'il reconnaîtra l'aristocratie de Turin: voilà la liberté qui tue trois États libres! C'est la péninsule tout entière qui s'appelle Italie, ce n'est pas la maison de Savoie, éternelle alliée de la maison d'Autriche. Dieu veuille que nous ne préparions pas ainsi à la maison d'Autriche une alliée plus dangereuse un jour contre nous! La clef de nos Alpes ne doit pas être dans les mains d'une monarchie militaire capable de les ouvrir ou de les fermer à son gré sur la France. Restreindre le Piémont, protéger *toutes les nationalités* italiennes, fédéraliser l'Italie par un lien qui ne serait dans la main de personne; voilà quel aurait dû être le résultat de cette guerre, puisqu'on voulait cette guerre, dont l'heure légitime, c'est-à-dire l'heure inévitable, n'avait pas sonné d'elle-même à l'heure des événements.

Cependant le canon gronde, les hommes jonchent les champs de bataille, le sang demandé par le Piémont lui est prodigué avec largesse, l'Allemagne s'aigrit, la confédération germanique se concerte et se compte, la Prusse hésite entre sa nature prussienne et sa nature allemande, l'Angleterre se concerte entre deux pensées contraires, la Russie regarde et se réjouit en secret de l'affaiblissement des puissances qui la limitent à l'Occident et à l'Orient. La France, comme à l'ordinaire, n'entend plus rien que le bronze, quand ce bronze sonne de la gloire. Que sortira-t-il de cette mêlée où la maison de Savoie a jeté le monde? Dieu seul le sait, Dieu seul est prescient, Dieu seul tire le bien du mal et la justice de l'injustice; puisse-t-il en sortir un jour, non l'ambition du Piémont, mais l'indépendance et l'équilibre de l'Italie par une confédération, et non par un monopole!

### III

Revenons aux *Tusculanes*. Cicéron les écrivait au cœur de cette Italie en armes pour des ambitions qui se disputaient la liberté mourante de Rome; il faisait abstraction des temps pour s'absorber dans les idées éternelles. Faisons comme lui, et suivons-le jusqu'à son dernier trait de plume et à son dernier soupir, dans ses méditations. Un homme quelquefois a plus d'instinct qu'un monde. Lequel est le plus grand après la mort, de César ou de Cicéron qui pense seul à Tusculum, ou de la république qui tombe dépiécée entre les mains de trois ambitieux? Pour moi, c'est Cicéron.

### IV

Dans ses secondes *Tusculanes*, il traite de la douleur; il se demande si c'est un mal de souffrir. Avant de répondre, il ne se dissimule pas combien il lui sera plus difficile de convaincre aussi victorieusement ses lecteurs que ses auditeurs quand il parlait au public.

«L'éloquence, dit-il, est un art populaire. J'écrasais mes contradicteurs par une profusion d'idées et d'images. Que n'ai-je donc pas à craindre aujourd'hui que je m'engage dans un autre genre d'écrire, où le peuple, sur lequel je comptais pour le succès de mes discours, ne peut m'être bon à rien? car il ne faut à la philosophie qu'un petit nombre de juges, et c'est à dessein qu'elle fuit la multitude.»

Son argumentation sur les moyens de vaincre la douleur et de la mépriser, si on la compare au devoir, est un modèle accompli de raisonnements philosophiques; le style semble s'éclaircir dans Cicéron à mesure que la pensée devient plus profonde et plus métaphysique. Il n'y a point de ténèbres dans cette atmosphère de raison et de lucidité. Comme un flambeau dans la nuit, dès qu'il entre dans une obscurité, elle devient lumineuse; Platon est bien loin d'avoir cette netteté de jour dans le style.

Nos philosophes modernes, soit religieux, soit rationnels, n'ont pas au même degré cette clarté; ceux qui s'appuient sur des dogmes ne raisonnent pas, ils imposent leur philosophie; ceux qui s'appuient sur le raisonnement sont froids, secs et argumentateurs. Il manque aux uns la dialectique, aux autres le style du philosophe de Tusculum.

## V

Sa troisième *Tusculane* disserte sur les maladies de l'âme, plus nombreuses, dit Cicéron, et plus irrémédiables que celles du corps, parce que le corps vicié peut être guéri par les soins de l'homme, mais que l'âme malade ne peut pas juger elle-même de son infirmité. Il attribue ces maladies de l'âme à la mauvaise éducation qui nous nourrit de préjugés et de superstitions avec le lait de nos nourrices; il les attribue aux fausses idées du grand nombre (le vulgaire), imbu lui-même d'idées fausses sur la gloire et sur le bonheur, et qui nous fait vivre ainsi dans une atmosphère de mensonge, d'erreur et de corruption. Jamais les défauts de l'éducation première n'ont été plus vigoureusement signalés que dans ces pages. Celles de J.-J. Rousseau dans l'*Émile*, sont à une distance énorme du bon sens et de la logique de Cicéron. On sent que Rousseau déclame en rhéteur et que le Romain écrit en législateur philosophe. La pratique des hommes et des affaires donnait au consul un sens des réalités qui manquait totalement au Platon de Genève.

## VI

Vient ensuite une *Tusculane* sur les combats que le sage doit livrer à ses passions. Il définit la passion un *mouvement violent du cœur en disproportion avec la raison*. Définirions-nous mieux aujourd'hui cette sensibilité qui n'est *passion* que par son excès?

Cicéron définit ensuite avec la même justesse toutes les passions qui affligent l'homme, et il distingue la passion, qui n'est qu'un mouvement instantané, du vice, qui est une habitude d'infirmité ou de dépravation de l'âme.

«Mais ce qui fait, dit-il, la différence entre les infirmités de l'âme et celles du corps, c'est qu'il peut nous survenir des maladies corporelles sans qu'il y ait de notre faute, et que nous sommes toujours coupables de nos maladies de l'âme. Le corps, composé de matières, n'est pas libre; l'âme est coupable parce qu'elle est libre.»

Quel traité de Fénelon ou de Nicole traite de morale en termes plus chrétiens?

«Il y a d'ailleurs une grande différence entre les âmes grossières et celles qui ne le sont pas. Celles-ci, semblables à l'airain de Corinthe qui a de la peine à se rouiller, ne deviennent que difficilement malades et se rétablissent fort vite. Il n'en est pas de même des âmes grossières, et, de plus, celles qui sont d'un caractère excellent ne tombent pas en toute sorte de maladie; rien de ce qui est férocité, cruauté, ne les attaquera; il faut, pour trouver prise sur elles, que ce soit de ces passions qui paraissent tenir à l'humanité, telles que la tristesse, la crainte, la pitié. Une autre réflexion encore, c'est qu'il est moins aisé de guérir radicalement une passion que d'extirper ces vices de premier ordre qui combattent de front la vertu. Il faut plus de temps pour l'un que pour l'autre. On peut s'être défait de ses vices et conserver ses passions.»

## VII

La belle définition de la vertu, santé de l'âme, n'est pas moins éternelle!... Une qualité permanente de l'âme, qui est la raison elle-même en action!... Son portrait du sage ou du vertueux n'est pas moins admirable de définition et de style.

«Ainsi supérieure et à la tristesse et à toute autre passion, ainsi heureuse de les avoir toutes domptées, un reste de passion suffirait toujours, non-seulement pour priver l'âme de son repos, mais pour la rendre vraiment malade. Je ne vois donc rien que de mou et d'énervé dans le sentiment des péripatéticiens, qui regardent les passions comme nécessaires, pourvu, disent-ils, qu'on leur prescrive des bornes au delà desquelles ils ne les approuvent point. Mais prescrit-on des bornes au vice? ou direz-vous que de ne pas obéir à la raison, ce ne soit pas quelque chose de vicieux?

«Or la raison ne vous dit-elle pas assez que tous ces objets qui existent dans votre âme, ou de fougueux désirs, ou de vains transports de joie, ne sont pas de vrais biens, et que ceux qui vous consternent ou qui vous épouvantent ne sont pas de vrais maux; mais que les divers excès ou de tristesse ou de joie sont également l'effet des préjugés qui vous aveuglent, préjugés dont le temps a bien la force à lui seul d'arrêter l'impression: car, quoi qu'il arrive, nul changement réel dans l'objet; cependant, à mesure que le temps l'éloigne, l'impression s'affaiblit dans les personnes les moins sensées, et par conséquent, à l'égard du sage, cette impression ne doit pas même commencer.»

## VIII

Sa théorie des passions n'est pas moins sévère; son rigorisme n'admet pas même la sainte colère qui possède en apparence l'orateur indigné dans ses accès d'éloquence. Il veut que le sang-froid soit conservé jusque dans l'imprécation contre le crime ou le vice.

«Quant à l'orateur, il ne lui sied nullement de se mettre en colère; il lui sied quelquefois de le feindre. Pensez-vous que je sois en courroux toutes les fois qu'il m'arrive de hausser le ton et de m'échauffer? Pensez-vous que, l'affaire étant jugée et absolument finie, quand il m'arrive de mettre mon discours par écrit, je sois en courroux, la plume à la main? Accius, qu'était-il en composant ses tragédies? Que croyez-vous qu'était Ésope, dans les endroits où il déclame avec le plus de feu?

«Un orateur, qui sera vraiment orateur, aura encore plus de véhémence qu'un comédien, mais sans passion et toujours de sang-froid. Les passions même les plus estimables, telles que celles des grands hommes vertueux, ne doivent rien prendre sur la tranquillité de l'esprit. À l'égard de la tristesse, qui est la chose du monde la plus détestable, comment les philosophes en font-ils l'éloge!»

## IX

Un ardent enthousiasme pour la philosophie (ou la sagesse humaine), mère de toute vertu, ouvre la cinquième *Tusculane*. Cette apostrophe rappelle les pages les plus lyriques des philosophes modernes; Rousseau y a puisé certainement ses mouvements d'âme qui chantent au lieu de parler.

«Pour nous guérir de cette erreur et de tant d'autres, recourons à la philosophie. Entraîné autrefois dans son sein par mon inclination, mais ayant depuis abandonné son port tranquille, je m'y suis enfin venu réfugier après avoir essuyé la plus horrible tempête. Philosophie, seule capable de nous guider! ô toi qui enseignes la vertu et qui domptes le vice, que ferions-nous et que deviendrait le genre humain sans ton secours? C'est toi qui as enfanté les villes pour faire vivre en société les hommes auparavant dispersés! c'est toi qui les as unis, premièrement par la proximité du domicile, ensuite par les liens du mariage, et enfin par la conformité du langage et de l'écriture! Tu as inventé les lois, formé les mœurs, établi une police. Tu seras notre asile; c'est à ton aide que nous recourons; et, si dans d'autres temps nous nous sommes contentés de suivre en partie tes leçons, nous nous y livrons aujourd'hui tout entiers et sans réserve. Un seul jour passé suivant tes préceptes est préférable à l'immortalité de quiconque s'en écarte. Quelle autre puissance implorerions-nous plutôt que la tienne, qui nous a procuré la tranquillité de la vie et qui nous a rassurés sur la crainte de la mort?

«On est bien éloigné, cependant, de rendre à la philosophie l'hommage qui lui est dû; presque tous les hommes la négligent; plusieurs l'attaquent même. Attaquer celle à qui l'on doit la vie, quelqu'un ose-t-il donc se souiller de ce parricide! Porte-t-on l'ingratitude au point d'outrager un maître qu'on devrait au moins respecter, quand même on n'aurait pas trop été capable de comprendre ses leçons!

«J'attribue cette erreur à ce que les ignorants ne peuvent, au travers des ténèbres qui les aveuglent, pénétrer dans l'antiquité la plus reculée, pour y voir que les premiers fondateurs des sociétés humaines ont été des *philosophes*. Quant au nom, il est moderne; mais, pour la chose elle-même, nous voyons qu'elle est très ancienne.

«Car qui peut nier que la sagesse n'ait été connue anciennement, et déjà nommée de ce beau nom par où l'on entend la connaissance des choses, soit divines, soit humaines, de leur origine, de leur nature?»

Le principe que l'exercice de la vertu est la seule chose qui puisse s'appeler bonheur sur la terre est développé avec le même élan de conviction dans toute cette œuvre.

«La vertu, dit-il, c'est la perfection ou le degré de perfection assigné à chaque créature par la nature. Quoi qu'il en soit, l'homme toujours modéré, toujours égal, toujours en paix avec lui-même, jusqu'au point de ne se laisser jamais ni accabler par le chagrin, ni abattre par la crainte, ni enflammer par de vains désirs, ni amollir par une folle joie, c'est là cet homme sage, cet homme heureux que je cherche. Rien sur la terre, ni d'assez formidable pour l'intimider, ni d'assez estimable pour lui enfler le cœur.

«Que verrait-il dans tout ce qui fait le partage des humains, qu'y verrait-il de grand, lorsqu'il se met l'éternité devant les yeux, et qu'il conçoit l'immensité de l'univers? À quoi se bornent les objets qui sont à notre portée! À quoi se bornent nos jours! Et d'ailleurs un homme sage fait continuellement autour de lui une garde si exacte qu'il ne lui peut rien arriver d'imprévu, rien d'inopiné, rien qui lui paraisse nouveau. Partout il jette des regards si perçants qu'il découvre toujours une retraite assurée où il puisse, quelque injure que lui fasse la fortune, se tranquilliser.»

«Toutes ses productions sont parfaites en leur genre, non-seulement celles qui sont animées, mais même celles qui sont faites pour tenir à la terre par leurs racines. Ainsi les arbres, les vignes et jusqu'aux plus petites plantes, ou conservent une perpétuelle verdure, ou, après s'être dépouillées de leurs feuilles pendant l'hiver, s'en revêtent tout de nouveau au printemps; il n'y en a aucune qui, par un mouvement intérieur et par la force des semences qu'elle renferme, ne produise des fleurs ou des fruits; de sorte qu'à moins de quelque obstacle, elles parviennent toutes au degré de perfection qui leur est propre.

«Les animaux, étant doués de sentiment, manifestent encore mieux la puissance de la nature. Car elle a placé dans les eaux ceux qui sont propres à nager; dans les airs, ceux qui sont disposés à voler; et, parmi les terrestres, elle a fait ramper les uns, marcher les autres; elle a voulu que ceux-ci vécussent seuls, et ceux-là en troupeaux; elle a rendu les uns féroces, les autres doux; il y en a qui vivent cachés sous terre. Chaque animal, fidèle à son instinct, sans pouvoir changer sa façon de vivre, suit inviolablement la loi de la nature.

«Et, comme toute espèce a quelque propriété qui la distingue essentiellement, aussi l'homme en a-t-il une, mais bien plus excellente; si c'est parler convenablement, que de parler ainsi de notre âme, qui est d'un ordre tout à fait supérieur, et qui, étant un écoulement de la divinité, ne peut être comparée, l'oserons-nous dire, qu'avec Dieu même. Cette âme donc, lorsqu'on la cultive et qu'on la guérit des illusions capables de l'aveugler, parvient à ce haut degré d'intelligence qui est la raison parfaite, à laquelle nous donnons le nom de vertu. Or, si le bonheur de chaque espèce consiste dans la sorte de perfection qui lui est propre, le bonheur de l'homme consiste dans la vertu, puisque la vertu est sa perfection.»

## X

Les *Entretiens sur la nature des dieux* suivirent les *Tusculanes*. L'orateur philosophe sentait grandir sa pensée, son talent et son courage, en abordant le plus grand objet de la pensée, la DIVINITE.

Il commence par s'excuser d'oser écrire sur une matière aussi auguste:

«Pour moi, dit-il, qui viens de publier en peu de temps plusieurs de mes livres, je n'ignore pas qu'on en a parlé beaucoup, mais différemment.

«Quelques-uns ont admiré d'où me venait cette ardeur toute nouvelle pour la philosophie. D'autres eussent voulu savoir ce que je crois précisément sur chaque matière.

«D'autres enfin ont été surpris que tout à coup, me déclarant pour les intérêts d'une école abandonnée depuis longtemps, j'aie fait choix d'une secte qui, au lieu de nous éclairer, semble nous plonger dans les ténèbres. Mais ce goût pour la philosophie ne m'est pas si nouveau qu'on se l'imagine. Tout jeune que j'étais, je la cultivais beaucoup, et même, quand il y paraissait le moins, je m'en occupais plus que jamais.

«On peut s'en convaincre par cette quantité de maximes philosophiques dont mes harangues sont remplies; par mes intimes liaisons avec les plus savants hommes, qui m'ont toujours fait l'honneur de se rassembler chez moi; par les grands maîtres qui m'ont formé, les illustres Diodotus, Philon, Antiochus, Posidonius. Et, puisque ces sortes d'études ont pour but de nous rendre sages, il me paraît que je ne les ai point démenties par ma conduite, soit dans mes fonctions publiques, soit dans mes propres affaires.

«Si l'on demande pourquoi donc j'ai pensé si tard à écrire dans ce genre-ci, ma réponse est simple. Réduit à l'inaction depuis que l'état de la république exige qu'elle soit gouvernée par une seule tête, j'ai cru qu'il serait utile de mettre nos citoyens au fait de la philosophie, et que d'ailleurs il y allait de notre gloire, que de si belles et de si grandes matières fussent aussi traitées en notre langue. Je me sais d'autant meilleur gré d'y avoir travaillé que déjà mon exemple a eu la force d'inspirer à beaucoup d'autres l'envie d'apprendre et même d'écrire.»

Trois philosophes de sectes différentes prennent part à l'entretien, développant chacun son système théologique. C'est le traité de métaphysique le plus ardu et en même temps le plus lucide de l'antiquité. Les opinions absurdes des écoles païennes sur la multiplicité des dieux y sont dissipées par les éclats de rire philosophique. L'*unité*, l'*infinité* et l'incorporéité de Dieu y sont démontrées comme la Providence elle-même; cette divinité en action y devient évidente.

Il rejette avec mépris les fables olympiennes et toutes les formes des dieux du vulgaire; il rejette avec plus de mépris encore l'athéisme, cécité morale.

Les pages qu'il consacre à énumérer les preuves d'ordre, de plan, d'intelligence, de surveillance dans la nature sont les plus éloquentes de toute son éloquence. Fénelon n'en approche pas, quoiqu'il en enrichisse son style; c'est le poëme entier de la création, une symphonie d'Haydn en prose latine, un hymne d'Orphée dans la bouche d'un orateur. On voudrait citer, mais il faudrait tout citer; on s'arrête ébloui de tant de magnificence, et l'on craint de choisir là où rien n'est à préférer.

Mais après les miracles du monde matériel, écoutez-le décrire ceux de l'intelligence humaine:

«Quand je viens ensuite à considérer l'âme même, l'esprit de l'homme, sa raison, sa prudence, son discernement, je trouve qu'il faut n'avoir point ces facultés, pour ne pas comprendre que ce sont les ouvrages d'une Providence divine.

«Eh! que n'ai-je votre éloquence, Cotta! De quelle manière vous traiteriez un si beau sujet! Vous feriez voir l'étendue de notre intelligence; comment nous savons réunir nos idées et lier celles qui suivent avec celles qui précèdent, établir des principes, tirer des conséquences, définir tout, le réduire à une exacte précision, et nous assurer par là si nous sommes parvenus à une science véritable, qui est le comble de la perfection, même dans un Dieu.

«Quelle prérogative, quoique vos académiciens la dépriment, et même la refusent à l'homme, de connaître parfaitement les objets extérieurs par la perception des sens, jointe à l'application de l'esprit! On voit, par ce moyen, quels sont les rapports d'une chose avec l'autre, et là-dessus on invente les arts nécessaires, soit pour la vie, soit pour l'agrément. Que l'éloquence est belle! qu'elle est divine, cette maîtresse de l'univers, ainsi que vous l'appelez parmi vous! Elle nous fait apprendre ce que nous ignorons, et nous rend capables d'enseigner ce que nous savons. Par elle nous consolons les affligés; par elle nous relevons le courage abattu; par elle nous humilions l'audace; par elle nous réprimons les passions, les emportements. C'est elle qui nous a imposé des lois, qui a formé les liens de la société civile, qui a fait quitter aux hommes leur vie sauvage et farouche.

«Aussi ne croirait-on pas, à moins que d'y prendre bien garde, tout ce qu'il en a coûté à la nature pour nous donner la parole. Car il y a premièrement, depuis les poumons jusqu'au fond de la bouche, une artère par où se transmet la voix dont le principe est dans notre esprit. Après, dans la bouche se trouve la langue, limitée par les dents. Elle fléchit, elle règle la voix, qui ne lui vient que confusément proférée. En la poussant, cette voix, contre les dents et contre d'autres parties de la bouche, elle articule, elle rend les sons distincts. Ce qui fait que les stoïciens comparent la langue à l'archet, les dents aux cordes et les narines au corps de l'instrument.

«Mais nos mains, de quelle commodité ne sont-elles pas, et de quelle utilité dans les arts! Les doigts s'allongent ou se plient sans la moindre difficulté, tant leurs jointures sont flexibles. Avec leur secours les mains usent du pinceau et du ciseau; elles jouent de la lyre, de la flûte; voilà pour l'agréable. Pour le nécessaire, elles cultivent les champs, bâtissent des maisons, font des étoffes, des habits, travaillent en cuivre, en fer.

«L'esprit invente, les sens examinent, la main exécute. Tellement que, si nous sommes logés, si nous sommes vêtus et à couvert, si nous avons des villes, des murs, des habitations, des temples, c'est aux mains que nous le devons. Par notre travail, c'est-à-dire par nos mains, nous savons multiplier et varier nos aliments. Car beaucoup de fruits, ou qui se consomment d'abord, ou qui se doivent garder, ne viendraient point sans culture. D'ailleurs, pour manger des animaux terrestres, des aquatiques et des volatiles, nous en avons partie à prendre, partie à nourrir.

«Pour nos voitures nous domptons les quadrupèdes, dont la force et la vitesse suppléent à notre faiblesse et à notre lenteur; nous faisons porter des charges aux uns, le joug à d'autres. Nous faisons servir à nos usages la sagacité de l'éléphant et l'odorat du chien.

«Le fer, sans quoi l'on ne peut cultiver les champs, nous allons le prendre dans les entrailles de la terre. Les veines de cuivre, d'argent et d'or, quoique très-cachées, nous les trouvons et nous les employons à nos besoins ou à des ornements. Nous avons des arbres, ou qui ont été plantés à dessein, ou qui sont venus d'eux-mêmes; et nous les coupons, tant pour faire du feu, nous chauffer et cuire nos viandes, que pour bâtir et nous mettre à l'abri du chaud et du froid. C'est aussi de quoi construire des vaisseaux, qui de toutes parts nous apportent toutes les commodités de la vie.

«Nous sommes les seuls animaux qui entendons la navigation, et qui, par là, nous soumettons ce que la nature a fait de plus violent, la mer et les vents. Ainsi nous tirons de la mer une infinité de choses utiles. Pour celles que la terre produit, nous en sommes absolument les maîtres.

«Nous jouissons des plaines, des montagnes; les rivières, les lacs, sont à nous; c'est nous qui semons les blés, qui plantons les arbres; nous fertilisons les terres en les arrosant par des canaux; nous arrêtons les fleuves, nous les redressons, nous les détournons. En un mot, nos mains tâchent de faire dans la nature, pour ainsi dire, une autre nature.

«Mais quoi! l'esprit humain n'a-t-il pas pénétré même dans le ciel?

«De tous les animaux il n'y a que l'homme qui ait observé le cours des astres, leur lever, leur coucher; qui ait déterminé l'espace du jour, du mois, de l'année; qui ait prévu les éclipses du soleil et celles de la lune; qui les ait prédites à jamais, marquant leur grandeur, leur durée, leur temps précis. Et c'est dans ces réflexions que l'esprit humain a puisé la connaissance des dieux, connaissance qui produit la piété, la justice, toutes les vertus, d'où résulte une heureuse vie, semblable à celle des dieux, puisque dès lors nous les égalons, à l'immortalité près, dont nous n'avons nul besoin pour bien vivre.

«Par tout ce que je viens d'exposer, je crois avoir suffisamment prouvé la supériorité de l'homme sur le reste des animaux. Concluons que, ni la conformation de son corps, ni les qualités de son esprit, ne peuvent être l'effet du hasard. Pour finir, car il est temps, je n'ai plus qu'à montrer que tout ce qui nous est utile dans ce monde-ci a été fait exprès pour nous.»

## XI

Dans son livre sur la *Nature des dieux*, il gardait encore quelques ménagements avec la théologie populaire et avec la religion de l'État; mais son livre sur la *Divination*, c'est-à-dire sur les mystères du culte romain, fut son véritable testament philosophique. Il n'y garde aucune mesure avec les erreurs officielles; il est déjà hors de la vie publique, il est âgé, il voit s'approcher pour lui la liberté de la mort à côté de la servitude de son pays; il veut laisser sa profession de foi à la terre avant de la quitter; il se retire seul dans sa petite maison de *Pouzzoles*, entre les bois et les flots de Naples, et il écrit ce livre de la *Divination*.

Montesquieu l'admire, comme une histoire complète des superstitions païennes et des rites religieux du temps.

Voltaire en profite pour montrer la supériorité théologique de l'Inde et de la Chine, à la même époque, sur les superstitions de Rome et de la Grèce.

«Il y a des cas, dit-il, où il ne faut pas juger d'une nation par les usages et par les superstitions populaires. Je suppose que César, après avoir conquis l'Égypte, voulant faire fleurir le commerce dans l'empire romain, eût envoyé une ambassade à la Chine par le port d'Arsinoé, par la mer Rouge, et par l'océan Indien. L'empereur Yventi, premier du nom, régnait alors; les annales de Chine nous le représentent comme un prince très-sage et très-savant. Après avoir reçu les ambassadeurs de César avec toute la politesse chinoise, il s'informe secrètement par ses interprètes des usages, des sciences et de la religion de ce peuple romain, aussi célèbre dans l'Occident que le peuple chinois l'est dans l'Orient. Il apprend d'abord que les pontifes de ce peuple ont réglé leurs années d'une manière si absurde que le soleil est déjà entré dans les signes célestes du printemps lorsque les Romains célèbrent les premières fêtes de l'hiver.

Il apprend que cette nation entretient à grands frais un collége de prêtres, qui savent au juste le temps où il faut s'embarquer, et où l'on doit donner bataille, par l'inspection d'un foie de bœuf, ou par la manière dont les poulets mangent l'orge.

Cette science sacrée fut apportée autrefois aux Romains par un petit dieu nommé Tagès, qui sortit de la terre en Toscane.

Ces peuples adorent un Dieu suprême et unique, qu'ils appellent toujours Dieu très-bon et très grand. Cependant ils ont bâti un temple à une courtisane nommée Flora, et les bonnes femmes de Rome ont presque toutes chez elles de petits dieux pénates, hauts de quatre ou cinq pouces... L'empereur Yventi se met à rire: les tribunaux de Nankin pensent d'abord avec lui que les ambassadeurs romains sont des fous ou des imposteurs qui ont pris le titre d'envoyés de la république romaine; mais, comme l'empereur est aussi juste que poli, il a des conversations particulières avec les ambassadeurs.

Il apprend que les pontifes romains ont été très-ignorants, mais que César réforme actuellement le calendrier.

On lui avoue que le collége des augures a été établi dans les premiers temps de la barbarie; qu'on a laissé subsister cette institution ridicule, devenue chère à un peuple longtemps grossier; que tous les honnêtes gens se moquent des augures; que César ne les a jamais consultés; qu'au rapport d'un très-grand homme nommé Caton, jamais augure n'a pu parler à son camarade sans rire; et qu'enfin Cicéron, le plus grand orateur et le meilleur philosophe de Rome, vient de faire contre les augures un petit ouvrage, intitulé *de la Divination*, dans lequel il livre à un ridicule éternel tous les aruspices, toutes les prédictions et tous les sortiléges dont la terre est infatuée. L'empereur de la Chine a la curiosité de lire ce livre de Cicéron; les interprètes le traduisent; il admire le livre et la république romaine.»

**XII**

Le début du second livre de cet ouvrage a la candeur d'une confidence et la majesté de la conscience. Lisez-le; on aime toujours l'homme privé dans l'homme public:

«Toutes les fois que j'ai songé aux meilleurs moyens d'être utile à ma patrie et de servir ainsi sans interruption les intérêts de la république, pensées qui me préoccupent souvent et longuement, rien ne m'a paru plus propre à ce dessein que d'ouvrir à mes concitoyens, comme je crois l'avoir déjà fait par plusieurs traités, la route aux nobles études.

«Ainsi, dans celui que j'ai intitulé *Hortensius*, je les ai exhortés de tout mon pouvoir à se livrer à l'étude de la philosophie.

«Dans mes quatre livres *Académiques*, je leur ai montré quelle sorte de philosophie me semblait la moins arrogante, la plus positive et la plus propre à former le goût.

«Enfin, la connaissance des vrais biens et des vrais maux étant le fondement de toute la philosophie, j'ai épuisé ce sujet important dans cinq livres consacrés à faciliter l'intelligence de tout ce qu'on a dit pour et contre chaque système.

«Dans cinq autres livres de dissertations, les *Tusculanes*, j'ai recherché quelles étaient, pour l'homme, les principales conditions du bonheur: le premier traite du mépris de la mort; le second, du courage à supporter la douleur; le troisième, des moyens d'adoucir les peines; le quatrième, des autres passions de l'âme; et le cinquième enfin développe cette maxime, qui jette un si vif éclat sur l'ensemble de la philosophie, que la vertu seule suffit au bonheur. Ces travaux terminés, j'ai écrit sur la *Nature des dieux* trois livres, comprenant tout ce qui se rattache à cette question; et, pour remplir ma tâche dans toute son étendue, j'ai commencé à traiter de la divination. Quand j'aurai joint à ces deux livres, selon mon dessein, un traité du Destin, n'aurai-je pas épuisé la matière?

«À ces ouvrages ajoutons six livres de la *République*, écrits à l'époque à laquelle je tenais les rênes du gouvernement de l'État; question immense, intimement liée à la philosophie et largement traitée par Platon, Aristote,

Théophraste et toute la famille des péripatéticiens. Que dirai-je de ma *Consolation*, qui, après avoir remédié à mes propres maux, soulagera davantage encore, j'espère, ceux des autres? Parmi ces divers écrits, j'ai publié dernièrement le traité de la *Vieillesse*, dédié à Atticus, mon ami; et, comme c'est principalement à la philosophie que l'homme doit sa vertu et son courage, mon éloge de Caton doit aussi prendre place dans cette collection.

«Enfin, Aristote et Théophraste, hommes supérieurs par leur pénétration et leur fécondité, ayant joint les préceptes de l'éloquence à ceux de la philosophie, je dois rappeler ici, à leur exemple, mes écrits sur l'art oratoire, c'est-à-dire les trois *Dialogues*, le *Brutus* et l'*Orateur*.

«Tels ont été jusqu'ici mes travaux. Plein d'une noble ardeur, j'ai voulu les compléter, et, à moins que quelque grand obstacle ne s'y oppose, éclaircir en latin et rendre ainsi accessibles toutes les questions de la philosophie.

«Eh! quelle autre fonction pourrions-nous exercer, et plus élevée, et plus utile à la république, que celle qui consiste à instruire et à former la jeunesse, à une époque surtout où les mœurs de cette jeunesse se sont tellement relâchées qu'il est de notre devoir à tous de la contenir et de la guider?

«Ce n'est pas que j'espère, ce qui n'est même pas à demander, que tous les jeunes gens se livrent à cette étude. Puissent quelques-uns s'y appliquer, et cet exemple sera toujours un grand bien pour la république! Pour moi, je recueille déjà le fruit de mes travaux, puisque je vois des hommes d'un âge avancé, et en bien plus grand nombre que je ne l'espérais, prendre plaisir à lire mes ouvrages; et c'est ainsi que leur empressement à les étudier redouble de jour en jour mon zèle à les composer.

«Pouvoir se passer des Grecs dans l'étude de la philosophie sera sans doute glorieux pour les Romains: eh bien! le but sera atteint si mes projets s'exécutent. Au reste, le désir d'expliquer la philosophie, je l'ai conçu au milieu des malheurs et des guerres civiles de ma patrie, alors que je ne pouvais ni la défendre, selon ma coutume, ni demeurer oisif, ni trouver une occupation plus convenable et plus digne de moi.

«Mes concitoyens m'excuseront donc, ou plutôt me sauront quelque gré si, lorsque la république a été à la merci d'un seul, je ne me suis ni caché, ni enfui, ni découragé, ni conduit en homme vainement irrité contre le pouvoir ou les circonstances; si enfin je ne me suis montré ni flatteur ni adulateur de la fortune d'un autre, jusqu'au point d'avoir honte de la mienne. Platon et la philosophie m'avaient depuis longtemps enseigné que les États sont sujets à certaines révolutions naturelles qui donnent le pouvoir tantôt aux grands, tantôt au peuple, et parfois à un seul.

«Quand ma patrie fut tombée dans ce dernier état, dépouillé de mes anciennes fonctions, je repris ces études, qui, tout en calmant mes douleurs, m'offraient de plus le seul moyen qui me restât d'être encore utile à mes concitoyens.

«Car enfin j'opinais, je haranguais encore dans mes livres, et l'étude de la philosophie me semblait une nouvelle charge qui remplaçait pour moi le gouvernement de la république. Maintenant qu'on a recommencé à me consulter sur les affaires de l'État, tout mon temps, toutes mes pensées, tous mes soins, appartiennent à la république, et la philosophie n'a droit qu'aux instants que n'exigera pas l'accomplissement de mes devoirs envers mon pays. Mais abandonnons ce sujet, que nous traiterons ailleurs, et reprenons notre discussion.

«Lorsque mon frère Quintus eut disserté sur la divination, comme on l'a vu dans le livre précédent, estimant que nous nous étions assez promenés, nous allâmes nous asseoir dans la bibliothèque de mon lycée.

«Quintus, lui dis-je alors, vous avez très-bien et en bon stoïcien défendu l'opinion des stoïciens; et ce qui me plaît surtout, c'est que vous vous êtes appuyé sur des faits éclatants et mémorables, tirés de notre propre histoire.

«Je dois maintenant répondre à ce que vous avez dit. Je le ferai, mais sans rien affirmer, cherchant la vérité, doutant souvent et me méfiant de moi-même; car, si je présentais quelque chose comme certain, je ferais le devin, moi qui nie la divination.

«Au reste, je m'adresse tout d'abord la question que se faisait à lui-même Carnéade: Sur quoi s'exerce la divination? Est-ce sur les choses sensibles? Mais, celles-là, nous les voyons, entendons, goûtons, sentons, touchons. Y a-t-il donc dans ces sensations quelque chose de surnaturel, quelque effet de la prévision ou de l'inspiration de l'âme? Quel devin, s'il était privé de la vue comme Tirésias, pourrait discerner le blanc du noir, ou, s'il était sourd, distinguer les différences des voix et des sons?

«La divination ne s'applique donc à aucun des objets de nos sens; je dis de plus qu'elle est tout aussi inutile dans ce qui est du ressort de l'art. Nous n'avons pas coutume d'appeler près des malades des devins, mais des médecins; et ceux qui veulent apprendre à jouer de la lyre ou de la flûte ne s'adressent pas aux aruspices, mais aux musiciens.

«Il en est de même des lettres et des sciences.»

Nous n'analyserons pas pour vous ce grand ouvrage d'incrédulité philosophique; les superstitions tombées, qu'importent les réfutations? Mais Cicéron, à la dernière page, distingue, en législateur et en sage, ce qui touche à la piété de ce qui touche à la superstition; cette page mérite d'être conservée.

C'est à la même époque qu'il écrivit le livre intitulé *du Destin*. Ce livre n'est qu'un débris, il n'en reste que quelques belles pages; on voit seulement que c'était un développement de son livre sur la divinité, et qu'il y portait, comme le poëte *Lucrèce*, mais d'une main plus religieuse que Lucrèce, des coups terribles aux superstitions païennes de son pays.

Il voulait évidemment, avant de mourir, rendre témoignage à la vraie philosophie, l'unité et l'immatérialité de Dieu. On voit que ce problème éternel de la toute-puissance de la providence divine et de la liberté morale de l'homme agitait, dès cette époque, l'esprit humain, comme il l'agite encore de nos jours. Rien de nouveau, même dans les disputes des philosophes.

Sa maison de campagne de *Pouzzoles* est encore le lieu de la scène:

«J'étais à Pouzzoles en même temps que Hirtius, consul désigné, l'un de mes meilleurs amis, et qui cultivait alors, avec beaucoup d'ardeur, l'art qui remplit ma vie. Nous étions le plus souvent ensemble, occupés surtout à rechercher par quels moyens on pourrait ramener dans l'État la paix et la concorde. César était mort, et de tous côtés il nous semblait voir les semences de dissensions nouvelles; nous pensions qu'on devait se hâter de les étouffer, et ces graves soucis occupaient à eux seuls presque tous nos entretiens. Nous n'eûmes point d'autre pensée en plus de vingt rencontres; mais un jour nous trouvâmes plus de liberté, et nous fûmes moins empêchés par les visiteurs que d'ordinaire. Les premiers moments de notre entrevue furent donnés à nos préoccupations habituelles, et à cet échange en quelque façon obligé de nos pensées sur la paix et le repos public.»

. . . . . . . . . . . . . . . . . . . . . .
. .

## XIII

C'est là enfin qu'il écrivit son chef-d'œuvre, le livre de la *République*. Par république il entendait, non-seulement la chose publique, mais la politique tout entière, c'est-à-dire l'étude de cet admirable et divin mécanisme moral par lequel les hommes s'organisent en société, se maintiennent en ordre, grandissent en prospérité, se perpétuent en durée, en influence et en gloire.

On conçoit que, de tous les hommes qui écrivirent jamais sur de pareilles matières, Cicéron fut à la fois le plus compétent, le plus éloquent et le plus moral.

Compétent, parce qu'il avait manié la plus grande politique de l'univers pendant les temps les plus orageux de Rome, et qu'il avait vu tomber la république malgré ses efforts sous les factions populaires, puis la liberté sous la soldatesque, puis César sous le poignard d'une impuissante réaction d'honnêtes gens;

Éloquent, parce qu'il était Cicéron;

Moral, parce qu'il était le plus honnête des Romains.

Aussi ce livre de la *République* passait-il à Rome et en Grèce pour l'apogée du génie, de la philosophie et de la politique de Rome.

C'est ainsi qu'en parlent tous les écrivains du temps. Platon n'avait été qu'un rêveur radical fondant les lois politiques sur des chimères au lieu de les fonder sur des instincts; il prêchait un *communisme* destructeur de tout individualisme, de toute propriété, de tout travail rémunéré par lui-même, de toute hérédité, de toute famille, et par conséquent de toute société permanente. Il instituait jusqu'à la communauté des femmes, et jusqu'au meurtre légal et obligatoire des enfants; sacriléges contre le cœur humain, dérisions contre la nature, débauches de sophismes, que nous avons vus se renouveler de nos jours par des platoniciens de socialisme à rebours de la nature.

Cicéron ne fut pas dans ce beau livre le Platon, mais le Montesquieu romain; autant au-dessus de Montesquieu que le génie est au-dessus du talent, et que l'éloquence est au-dessus de la sagacité.

Malheureusement ce livre incomparable fut perdu dans le déménagement du monde et dans les cendres de Rome.

À l'époque de l'invasion de l'Italie par les barbares, les manuscrits qui contenaient la richesse intellectuelle de tant de siècles tombèrent dans le mépris de conquérants qui ne savaient ni parler ni lire; et, quand le christianisme vint prendre la place des superstitions et des philosophies antiques, les moines qui recueillirent ces manuscrits se servirent de ces pages pour écrire des ouvrages chrétiens. C'est ce qu'on appelle des *palimpsestes*, ou manuscrits sur lesquels une seconde écriture recouvre et efface à demi le premier texte.

Tout récemment un érudit italien, le cardinal Maï, fureteur obstiné et pieux du Vatican, a retrouvé une faible partie du chef-d'œuvre cicéronien de la *République*. M. Villemain, digne d'une telle œuvre, a traduit et publié en France ces fragments.

La philosophie, l'éloquence, la politique du grand Romain, méritaient un tel interprète. Espérons que d'autres hasards feront exhumer de ces cendres d'autres débris de Cicéron et de Tacite.

## XIV

Autant qu'on en peut juger par les lambeaux de cet ouvrage sur la *République*, il était à la fois historique, didactique, philosophique, c'est-à-dire que Cicéron appuyait ses théories sur la nature, sur l'expérience, sur l'histoire de Rome. C'était le commentaire sur la république, l'esprit des lois et l'esprit des faits romains.

Nous ne sommes pas plus avancés aujourd'hui en politique que ne l'était Cicéron. Il énumère les trois formes principales de gouvernement des peuples: la monarchie pure, l'aristocratie souveraine, la démocratie ou la souveraineté du peuple; il admet les mérites spéciaux de chacune de ces formes de gouvernement; il trouve la monarchie plus stable, l'aristocratie plus intelligente, la démocratie plus juste; mais il trouve la monarchie plus tyrannique, l'aristocratie plus égoïste, la démocratie plus versatile, plus passionnée et plus ingrate. La meilleure forme de gouvernement lui semble en définitive celle qui, en combinant ces trois modes, a les avantages de tous sans avoir les inconvénients de chacun.

Romain, Cicéron voit dans la constitution romaine la réunion de ces trois forces sociales; les consuls y représentent la monarchie, le sénat y représente l'aristocratie, et les pouvoirs éligibles y représentent le peuple. N'est-ce pas précisément ce que la république représentative offre aux publicistes modernes de plus rationnel et de plus parfait? Seulement les modernes instituent des rois héréditaires au lieu de consuls temporaires, pour éviter le danger des transitions dans le pouvoir monarchique. Mais l'aristocratie patricienne de Rome était si enracinée et si puissante qu'elle ne redoutait pas ces éclipses du pouvoir monarchique dans le changement de ses consuls; et les tribuns du peuple; à leur tour, garantissaient suffisamment les plébéiens des empiétements de l'aristocratie.

Voilà, en ce qui concerne Rome, la politique de Cicéron.

Mais, en ce qui concerne la politique générale, sa théorie est une philosophie pratique tout entière, bien supérieure à celle de Machiavel, de Montesquieu, de Mirabeau, de l'Assemblée constituante elle-même. C'est la théorie de la justice et de la morale absolue appliquée au gouvernement des sociétés politiques. On croit lire Fénelon, moins les utopies chimériques du Télémaque. Fénelon dérivait de Platon, rêveur comme lui; Cicéron dérive d'Aristote, expérimental comme le maître d'Alexandre.

Cette odieuse maxime de nos jours: *La petite vertu tue la grande*, maxime qui permet de violer la morale, comme on viole la liberté dans les temps de tyrannie, n'était point à l'usage de Cicéron. Sa maxime est la maxime contraire: «La morale est la même pour la vie publique que pour la vie privée, seulement la morale politique est plus grande; mais il n'y a pas deux morales, une pour l'homme, une pour le citoyen, parce qu'il n'y a pas deux consciences.» De là découle pour le citoyen, selon Cicéron, le devoir d'un patriotisme à tout prix, dont il fut lui-même le plus bel exemple.

«Lorsqu'au sortir de mon consulat, je pus déclarer avec serment, devant Rome assemblée, que j'avais sauvé la république, alors que le peuple entier répéta mon serment, j'éprouvais assez de bonheur pour être dédommagé à la fois de toutes les injustices et de toutes les infortunes. Cependant j'ai trouvé dans mes malheurs mêmes plus d'honneur que de peine, moins d'amertume que de gloire; et les regrets des gens de bien ont plus réjoui mon cœur que la joie des méchants ne l'avait attristé. Mais, je le répète, si ma disgrâce avait eu un dénouement moins heureux, de quoi pourrais-je me plaindre?

«J'avais tout prévu, et je n'attendais pas moins pour prix de mes services. Quelle avait été ma conduite? La vie privée m'offrait plus de charmes qu'à tout autre: car je cultivais depuis mon enfance les études libérales, si variées, si délicieuses pour l'esprit. Qu'une grande calamité vînt à nous frapper tous, du moins ne m'eût-elle pas plus particulièrement atteint; le sort commun eût été mon partage: eh bien! je n'avais pas hésité à affronter les plus terribles tempêtes, et, si je l'ose dire, la foudre elle-même, pour sauver mes concitoyens, et à dévouer ma tête pour le repos et la liberté de mon pays. Car notre patrie ne nous a point donné les trésors de la vie et de l'éducation pour ne point en attendre un jour les fruits, pour servir sans retour nos propres intérêts, protéger notre repos et abriter nos paisibles jouissances; mais pour avoir un titre sacré sur toutes les meilleures facultés de notre âme, de notre esprit, de notre raison, les employer à la servir elle-même, et ne nous en abandonner l'usage qu'après en avoir tiré tout le parti que ses besoins réclament.

«Ceux qui veulent jouir sans peine d'un repos inaltérable recourent à des excuses qui ne méritent pas d'être écoutées. Le plus souvent, disent-ils, les affaires publiques sont envahies par des hommes indignes, à la société desquels il serait honteux de se trouver mêlé, avec qui il serait triste et dangereux de lutter, surtout quand les passions populaires sont en jeu. C'est donc une folie que de vouloir gouverner les hommes, puisqu'on ne peut dompter les emportements aveugles et terribles de la multitude; c'est se dégrader que de descendre dans l'arène avec des adversaires sortis de la fange, qui n'ont pour toutes armes que les injures et tout cet arsenal d'outrages qu'un sage ne doit pas supporter: comme si les hommes de bien, ceux qui ont un beau caractère et un grand cœur, pouvaient jamais ambitionner le pouvoir dans un but plus légitime que de secouer le joug des méchants, et ne point souffrir qu'ils mettent en pièces la république, qu'un jour les honnêtes gens voudraient enfin, mais vainement, relever de ses ruines!»

Lisez ensuite cette belle définition du peuple: «Un peuple n'est pas toute agrégation d'hommes rassemblés par hasard, mais un peuple est une société formée sous la garantie des lois pour l'utilité réciproque de tous les citoyens.»

La doctrine du prétendu *Contrat social* de J.-J. Rousseau, qui attribue la formation de la société à une délibération, y est réfutée vingt siècles d'avance par Cicéron, qui attribue la société à l'instinct social, révélation de la nature humaine.

## XV

Dans l'esquisse de la fondation progressive des institutions romaines, qu'il met dans la bouche de Scipion, Cicéron combat en homme vraiment politique les chimères antisociales de Platon sur l'égalité absolue des biens.

Lisez encore:

«Platon veut que la plus parfaite égalité préside à la distribution des terres et à l'établissement des demeures; il circonscrit dans les plus étroites limites sa république, plus désirable que possible; il nous présente enfin un modèle qui jamais n'existera, mais où nous lisons avec clarté les principes du gouvernement des États. Pour moi, si mes forces ne me trahissent pas, je veux appliquer les mêmes principes, non plus aux vains fantômes d'une cité imaginaire, mais à la plus puissante république du monde, et faire toucher en quelque façon du doigt les causes du bien et du mal dans l'ordre politique.

«Après que les rois eurent gouverné Rome pendant deux cent quarante années, et un peu plus, en comptant les interrègnes, le peuple, qui bannit Tarquin, témoigna pour la royauté autant d'aversion qu'il avait montré d'attachement à ce gouvernement monarchique, à l'époque de la mort ou plutôt de la disparition de Romulus. Alors il n'avait pu se passer de roi; maintenant, après l'expulsion de Tarquin, le nom même de roi lui était odieux.»

Il combat ensuite, avec une vigueur qu'il puise dans la conscience autant que dans la raison, la doctrine de Machiavel, vieille comme le monde, qu'on doit gouverner les hommes par l'habileté et l'injustice, pourvu que l'habileté et l'injustice produisent la force. Cette argumentation de Cicéron, du juste contre l'utile, mériterait d'être gravée en lettres d'or sur les tables de marbre de tous les conseils des rois ou des peuples.

Son aversion, trop justifiée dans sa personne, contre le gouvernement populaire éclate à toutes les pages. «Il n'est pas d'État à qui je refuse plus péremptoirement le beau nom de république (chose publique) qu'à celui où la multitude est souverainement maîtresse.»

## XVI

Les deuxième, troisième, quatrième et cinquième livres, déchirés par les vers, ne nous présentent que des lambeaux; mais chacun de ces lambeaux éclate de quelque vérité lumineuse ou de quelque expression vive qui fait reconnaître le génie d'un sage et d'un politique. Seulement ces pensées n'ont pas le clinquant de Montesquieu ou l'étrangeté de J.-J. Rousseau; c'est du bon sens sur des choses sublimes.

Le livre sixième est heureusement mieux conservé; c'est là qu'on lit, après un entretien sur l'âme et sur ses destinées suprêmes, le songe de Scipion, excursion dans les régions éternelles. Lisez-le tout entier: c'est Cicéron dieu après Cicéron homme; la pensée humaine ne monte pas plus haut.

C'est Scipion qui parle, et qui, après avoir professé la politique de la vertu, chante les récompenses que le ciel réserve aux vrais politiques: lisez toujours. Saint Augustin, qui a commenté le livre de la *République* de Cicéron, n'est pas plus spiritualiste; le ciel théologique de Fénelon ne s'ouvre pas plus avant aux pas des bienfaiteurs des peuples; la foi des deux grands évêques n'est pas plus ferme ni plus tendre dans l'immortalité de l'âme.

## XVII

«Lorsque j'arrivai pour la première fois en Afrique, où j'étais, comme vous le savez, tribun des soldats dans la quatrième légion, sous le consul M. Manilius, je n'eus rien de plus empressé que de me rendre près du roi Masinissa, lié à notre famille par une étroite et bien légitime amitié.

«Dès qu'il me vit, le vieux roi vint m'embrasser en pleurant, puis il leva les yeux au ciel et s'écria: Je te rends grâce, soleil, roi de la nature, et vous tous, dieux immortels, de ce qu'il me soit donné, avant de quitter cette vie, de voir dans mon royaume et à mon foyer P. Cornélius Scipion, dont le nom seul ranime mes vieux ans! Jamais, je vous en atteste, le souvenir de l'excellent ami, de l'invincible héros qui a illustré le nom des Scipions, ne quitte un instant mon esprit...

«Je m'informai ensuite de son royaume, il me parla de notre république, et la journée entière s'écoula dans un entretien sans cesse renaissant...

«Après un repas d'une magnificence royale, nous conversâmes encore jusque fort avant dans la nuit; le vieux roi ne parlait que de Scipion l'Africain, dont il rappelait toutes les actions et même les paroles. Nous nous retirâmes enfin pour prendre du repos. Accablé par la fatigue de la route et par la longueur de cette veille, je tombai bientôt dans un sommeil plus profond que de coutume; tout à coup une apparition s'offrit à mon esprit, tout plein encore de l'objet de nos entretiens; c'est la vertu de nos pensées et de nos discours d'amener pendant le sommeil des illusions semblables à celles dont parle Ennius.

«Il vit Homère, en songe sans doute, parce qu'il était sans cesse occupé de ce grand poëte. Quoi qu'il en soit, l'Africain m'apparut sous les traits que je connaissais, moins pour l'avoir vu lui-même que pour avoir contemplé ses images.

«Je le reconnus aussitôt, et je fus saisi d'un frémissement subit; mais lui: Rassure-toi, Scipion, me dit-il; bannis la crainte, et grave ce que je vais te dire dans ta mémoire. Vois-tu cette ville qui, forcée par mes armes de se soumettre au peuple romain, renouvelle nos anciennes guerres et ne peut souffrir le repos? (Et il me montrait Carthage d'un lieu élevé, tout brillant d'étoiles et resplendissant de clarté.) Tu viens aujourd'hui l'assiéger, presque confondu dans les rangs des soldats; dans deux ans, élevé à la dignité de consul, tu la détruiras jusqu'aux derniers fondements, et tu mériteras pour ta valeur ce titre d'Africain que tu as reçu de nous par héritage. Après avoir renversé Carthage, tu seras appelé aux honneurs du triomphe. Créé censeur, tu visiteras, comme ambassadeur du peuple romain, l'Égypte, la Syrie, l'Asie et la Grèce; tu seras nommé, pendant ton absence, consul pour la seconde fois; tu mettras fin à une guerre des plus importantes, tu ruineras Numance. Mais, après avoir monté en triomphateur au Capitole, tu trouveras la république tout agitée par les menées de mon petit-fils.

«Alors, Scipion, ta prudence, ton génie, ta grande âme, devront éclairer et soutenir ta patrie. Mais je vois dans les temps une double route s'ouvrir, et le destin hésiter.

«Lorsque, depuis ta naissance, huit fois sept révolutions de soleil se seront accomplies, et que ces deux nombres, tous deux parfaits, mais chacun pour des raisons différentes, auront, par leur cours et leur rencontre naturelle, complété pour toi une somme fatale de jours, la république tout entière se tournera vers toi, et invoquera le nom de Scipion. C'est sur toi que se porteront les regards du sénat, des gens de bien, des alliés, des Latins. Sur toi seul reposera le salut de l'État; enfin, dictateur, tu régénéreras la république... si tu peux échapper aux mains impies de tes proches.

«À ces mots, Lélius s'écria; un douloureux gémissement s'éleva de tous côtés: mais Scipion, avec un doux sourire: Je vous en prie, dit-il, ne me réveillez pas, ne troublez pas ma vision, écoutez le reste.

«Mais, continua mon père, pour que tu sentes redoubler ton ardeur à défendre l'État, sache que ceux qui ont sauvé, secouru, agrandi leur patrie, ont dans le ciel un lieu préparé d'avance, où ils jouiront d'une félicité sans terme: car le Dieu suprême qui gouverne l'immense univers ne trouve rien sur la terre qui soit plus agréable à ses yeux que ces réunions d'hommes assemblés sous la garantie des lois, et que l'on nomme des cités. C'est du ciel que descendent ceux qui conduisent et qui conservent les nations, c'est au ciel qu'ils retournent.....

«Ce discours de l'Africain avait jeté la terreur en mon âme. J'eus cependant la force de lui demander s'il vivait encore, lui et Paul Émile, mon père, et tous ceux que nous regardons comme n'étant plus. La véritable vie, me dit-il, commence pour ceux qui s'échappent des liens du corps où ils étaient captifs; mais ce que vous appelez la vie est réellement la mort. Regarde! voici ton père qui vient vers toi!... Je vis mon père, et je fondis en larmes; mais lui, m'embrassant, me défendit de pleurer...

«Dès que je pus retenir mes sanglots, je dis: Ô mon père, modèle de vertus et de sainteté, puisque la vie est en vous, comme me l'apprend l'Africain, pourquoi resterais-je plus longtemps sur la terre? Pourquoi ne pas me hâter de venir dans votre société céleste?

«Non, pas ainsi, mon fils, me répondit-il: tant que Dieu, dont tout ce que tu vois est le temple, ne t'aura pas délivré de ta prison corporelle, tu ne peux avoir accès dans ces demeures. La destination des hommes est de garder ce globe, que tu vois situé au milieu du temple universel de Dieu, dont une parcelle s'appelle la Terre...

«Ils ont reçu une âme!... C'est pourquoi, mon fils, toi et tous les hommes religieux, vous devez retenir votre âme dans les liens du corps; aucun de vous, sans le commandement de celui qui vous l'a donnée, ne peut sortir de cette vie mortelle. En la fuyant, vous paraîtriez abandonner le poste où Dieu vous a placés.

«Mais plutôt, Scipion, comme ton aïeul qui nous écoute, comme moi qui t'ai donné le jour, pense à vivre avec justice et piété; pense au culte que tu dois à tes parents et à tes proches, que tu dois surtout à la patrie. Une telle vie est la route qui te conduira au ciel et dans l'assemblée de ceux qui ont vécu, et qui, maintenant délivrés du corps, habitent le lieu que tu vois. . . . . . . . . . . . . .
. . . .

«Mon père me montrait ce cercle qui brille par son éclatante blancheur au milieu de tous les feux célestes, et que vous appelez, d'une expression empruntée aux Grecs, la Voie lactée. Du haut de cet orbe lumineux je contemplais l'univers, et je le vis tout plein de magnificence et de merveilles. Des étoiles que l'on n'aperçoit point d'ici-bas parurent à mes regards, et la grandeur des corps célestes se dévoila à mes yeux. Elle dépasse tout ce que l'homme a pu jamais soupçonner. De tous les corps, le plus petit, qui est situé aux derniers confins du ciel, et le plus près de la terre, brillait d'une lumière empruntée. Les globes étoilés l'emportaient de beaucoup sur la terre en grandeur. La terre elle-même me parut si petite que notre empire, qui n'en touche qu'un point, me fit honte! Comme je la regardais attentivement: Eh bien! mon fils, me dit-il, ton esprit sera-t-il donc toujours attaché à la terre? Ne vois-tu pas dans quelle demeure supérieure et sainte tu es appelé?. . . . . . . . . . . . . .
. . . .

«Je contemplais toutes ces merveilles, perdu dans mon admiration. Lorsque je pus me recueillir: Quelle est donc, demandai-je à mon père, quelle est cette harmonie si puissante et si douce au milieu de laquelle il me semble que nous soyons plongés?

«Je vois, dit l'Africain: tu contemples encore la demeure et le séjour des hommes. Mais, si la terre te semble petite, comme elle l'est en effet, relève tes yeux vers ces régions célestes, méprise toutes les choses humaines. Quelle renommée, quelle gloire digne de tes vœux, prétends-tu acquérir parmi les hommes? Tu vois quels imperceptibles espaces ils occupent sur le globe terrestre, et quelles vastes solitudes séparent ces quelques taches que forment les points habités. Les hommes, dispersés sur la terre, sont tellement isolés les uns des autres qu'entre les divers peuples il n'est point de communication possible. Tu les vois semés sur toutes les parties de cette sphère, perdus aux distances les plus lointaines, sur les plans les plus opposés. Quelle gloire espérer de ceux pour qui l'on n'est pas?

«Quand même les races futures répéteraient à l'envi les louanges de chacun de nous; quand même notre nom se transmettrait dans tout son éclat de génération en génération, les déluges et les embrasements qui doivent changer la face de la terre, à des époques immuablement déterminées, enlèveraient toujours à notre gloire d'être, je ne dis pas éternelle, mais durable. Et que t'importe d'ailleurs d'être célébré dans les siècles à venir, lorsque tu ne l'as pas été dans les temps écoulés, et par des hommes tout aussi nombreux et                                             incomparablement meilleurs?.  .  .  .  .  .  .  .  .  .  .  .  .  .  .  .  .
.  .  .  .  .

«C'est pourquoi, si tu renonces à venir dans ce séjour où se trouvent tous les biens des grandes âmes, poursuis cette ombre qu'on appelle la gloire humaine et qui peut à peine durer quelques jours. Mais, si tu veux porter tes regards en haut, et les fixer sur ton séjour naturel et ton éternelle patrie, ne donne aucun empire sur toi aux discours du vulgaire.

«Élève tes vœux au-dessus des récompenses humaines; que la vertu seule te montre le chemin de la véritable gloire, et t'y attire pour elle-même. C'est aux autres à savoir ce qu'ils devront dire de toi. Ils en parleront sans doute: mais la plus belle renommée est tenue captive dans ces bornes étroites où votre monde est réduit; elle n'a pas le don de l'immortalité, elle périt avec les hommes et s'éteint dans l'oubli de la postérité!

«Lorsqu'il eut ainsi parlé: Ô Scipion, lui dis-je, s'il est vrai que les services rendus à la patrie nous ouvrent les portes du ciel, votre fils, qui, depuis son enfance, a marché sur vos traces et sur celles de Paul-Émile, et n'a peut-être pas manqué à ce difficile héritage de gloire, veut aujourd'hui redoubler d'efforts à la vue de ce prix inappréciable...

«Courage! me dit-il, et souviens-toi que, si ton corps doit périr, toi, tu n'es pas mortel. Cette forme sensible, ce n'est point toi; ce qui fait l'homme, c'est l'âme, et non cette figure que l'on peut montrer du doigt.

«Sache donc que tu es divin; car c'est être divin que de sentir en soi la vie, de penser, de se souvenir, de prévoir, de gouverner, de régir et de mouvoir le corps qui nous est attaché, comme le Dieu véritable gouverne ses mondes. Semblable à ce Dieu éternel qui meut l'univers en partie corruptible, l'âme immortelle meut le corps périssable. Exerce-la, cette âme, aux fonctions les plus excellentes. Il n'en est pas de plus élevées que de veiller au salut de la patrie. L'âme, accoutumée à ce noble exercice, s'envole plus facilement vers sa demeure céleste; elle y est portée d'autant plus rapidement qu'elle se sera habituée, dans la prison du corps, à prendre son élan, à contempler les objets sublimes, à s'affranchir de ses liens terrestres. Mais, lorsque la mort vient à frapper les hommes vendus aux plaisirs, qui se sont faits les esclaves infâmes de leurs passions, et, poussés aveuglément par elles, ont violé toutes les lois divines et humaines, leurs âmes, dégagées du corps, errent misérablement autour de la terre, et ne reviennent dans ce séjour qu'après une expiation de plusieurs siècles.

«À ces mots, il disparut, et je m'éveillai...»

## XVIII

Tel est ce livre de politique divine autant qu'humaine. Cela est écrit, comme cela est pensé, *divinement*. On dirait que la lumière d'une belle âme y découle sans ombre sur le plus *bel esprit* de tous les temps.

Cicéron, après ce traité de haute politique, voulut écrire sur la législation, qui dérive de la politique; il écrivit le *Livre des Lois*; il devait bientôt écrire le *Livre des Devoirs*, afin que la civilisation tout entière eût pour ainsi dire son catéchisme dans ses œuvres, comme elle l'avait dans son âme et dans sa vie. La législation, selon lui, n'était que la nature morale de l'homme bien interrogée, bien écoutée, bien rédigée selon les circonstances spéciales et les vrais intérêts du peuple romain.

Nous ne vous analyserons pas ce livre: ce commentaire des lois romaines appartient plus à la jurisprudence qu'à la littérature. Admirez seulement avec quel art d'écrivain Cicéron embellit l'aridité de son sujet par les charmants péristyles du premier et du second discours sur les *Lois*:

ATTICUS.

«Voici sans doute le bois, et voici le chêne d'Arpinum. Je les reconnais tels que je les ai lus souvent dans le *Marius*. Si le chêne vit encore, ce ne peut être que celui-ci, car il est bien vieux.

QUINTUS

.

«S'il vit encore, mon cher Atticus? il vivra toujours; car c'est le génie qui l'a planté, et jamais plant aussi durable n'a pu être semé par le travail du cultivateur que par les vers du poëte.

ATTICUS.

«Comment cela, Quintus? et qu'est-ce donc que plantent les poëtes? Vous m'avez l'air, en louant votre frère, de vous donner votre voix.

QUINTUS.

«Soit; mais, tant que les lettres parleront notre langue, on ne manquera pas de trouver ici un chêne qui s'appelle le *chêne de Marius*, et ce chêne, comme l'a dit Scévola du *Marius* même de mon frère,

Vieillira des siècles sans nombre.

«Est-ce que par hasard votre Athènes aurait pu conserver dans la citadelle un éternel olivier? Ou montrerait-on encore aujourd'hui à Délos ce même palmier que l'Ulysse d'Homère y vit si grand et si flexible, et bien d'autres choses qui, en bien des lieux, vivent plus longtemps dans la tradition qu'elles n'ont pu subsister dans la nature? Ainsi que ce chêne chargé de glands d'où s'envola jadis

L'orgueilleux messager du monarque des cieux,

soit celui-ci, j'y consens; mais, croyez-moi, quand les saisons et l'âge l'auront détruit, il y aura encore dans ce lieu le *chêne de Marius*.»

Puis son interlocuteur l'engage à écrire l'histoire, genre, dit-il, éminemment oratoire et qui manque encore à Rome.

## IX

Voyez maintenant le début du deuxième livre. Cela ressemble aux paysages du Poussin, où l'on voit des philosophes, en tuniques blanches, se promener autour des tombeaux dans les sites qui encadrent les temples de feuillages, d'ombres, de mer ou de ruisseaux.

Cicéron était paysagiste comme Claude Lorrain.

ATTICUS.

«Mais, comme nous nous sommes assez promenés, et que d'ailleurs vous allez commencer quelque chose de nouveau, voulez-vous que nous changions de place, et que dans l'île qui est sur le Tibrène, car c'est, je pense, le nom de cette autre rivière, nous allions nous asseoir pour nous occuper du reste de la discussion?

MARCUS.

«Volontiers: c'est un lieu où je me plais, quand je veux méditer, lire ou écrire quelque chose.

ATTICUS.

«Moi, qui viens ici pour la première fois, je ne puis m'en rassasier: j'y prends en mépris ces magnifiques maisons de campagne, et leurs pavés de marbre, et leurs riches lambris. Qui ne rirait pas de ces filets d'eau qu'ils appellent des Nils et des Euripes, en voyant ce que je vois? Tout à l'heure, dissertant sur le droit et la loi, vous rapportiez tout à la nature: eh bien! jusque dans les choses qui sont faites pour le repos et le divertissement de l'esprit, la nature domine encore. Je m'étonnais auparavant (car dans ces lieux je ne m'imaginais que rochers et montagnes, trompé par vos discours et par vos vers), je m'étonnais que ce séjour vous plût si fort. Mais à présent je m'étonne que, lorsque vous vous éloignez de Rome, vous puissiez être ailleurs de préférence.

MARCUS.

«C'est lorsque j'ai la liberté de m'absenter plusieurs jours, surtout dans cette saison de l'année, que je viens chercher l'air pur et les charmes de ce lieu: il est vrai que je le puis rarement. Mais j'ai encore une autre raison de m'y plaire, et qui ne vous touche point comme moi: c'est qu'à proprement parler, c'est ici ma vraie patrie, et celle de mon frère Quintus. C'est ici que nous sommes nés d'une très-ancienne famille; ici sont nos sacrifices, nos parents, de nombreux monuments de nos aïeux. Que vous dirai-je?

«Vous voyez cette maison, et ce qu'elle est aujourd'hui: elle a été agrandie ainsi par les soins de notre père. Il était d'une santé faible, et c'est là qu'il a passé dans l'étude des lettres presque toute sa vie. Enfin sachez que c'est en ce même lieu, mais du vivant de mon aïeul, du temps que, selon les anciennes mœurs, la maison était petite comme celle de Curius dans le pays des Sabins; oui, c'est en ce lieu que je suis né. Aussi je ne sais quel charme s'y trouve, qui touche mon cœur et mes sens, et me rend peut-être ce séjour encore plus agréable. Eh! ne nous dit-on pas que le plus sage des hommes, pour revoir son Ithaque, refusa l'immortalité?»

Qu'on s'étonne et qu'on se scandalise après cela de ce que les écrivains modernes mêlent le souvenir de leur pays aux plus graves matières de leurs écrits! Le sentiment gâte-t-il jamais rien en littérature? Qui n'a pas son Tusculum, son Arpinum, son château de La Brede, ses Charmettes, son Milly[1], son Saint-Point, nid de ses tendresses ou de ses pensées?

## XX

Le livre *des Devoirs*, œuvre de morale, par Cicéron, vint après les livres sur la république, la politique, la législation. C'était le citoyen, l'homme social après la société. On s'accorde donc dans tous les siècles à regarder ce livre *des Devoirs* comme le traité de morale le plus éloquent qui fut jamais écrit. L'espace nous manque pour le commenter en entier devant vous; il fut composé au bruit des tempêtes de Rome, pendant que César tombait et qu'Antoine agitait à Rome le manteau sanglant du dictateur, pour faire tomber la dictature et pour la saisir à l'aide de la popularité attendrie des soldats et du peuple; et cependant quel calme dans l'âme et dans le style de Cicéron! s'il avait les pressentiments de sa mort, il avait surtout ceux de son immortalité. Voyez avec quel juste et noble sentiment de lui-même il recommande à son fils de lire ses livres de philosophie, et spécialement celui-ci:

«Voici un an, mon cher fils, que vous suivez les leçons de Cratippe, et que vous êtes à Athènes; les enseignements de la sagesse, les ressources philosophiques, ne doivent pas vous manquer au milieu d'une telle ville et avec un si grand maître; et, quand je pense à la science de l'un et aux exemples de l'autre, je vous trouve à bonne école. Cependant, comme j'ai toujours, à mon grand profit, réuni les lettres grecques aux lettres latines, non-seulement en philosophie, mais dans l'exercice de l'art oratoire, je crois que vous ferez bien de suivre la même méthode, pour en venir à posséder les deux langues avec une égale perfection.

«J'ai rendu, dans cet esprit, d'assez grands services à mes compatriotes, comme ils veulent bien le reconnaître. Grâce à mes travaux, ceux qui sont étrangers aux lettres grecques, même ceux à qui elles étaient familières, pensent avoir fait beaucoup de profit et dans l'art de la parole et dans la sagesse.

«Restez donc le disciple du premier philosophe de ce siècle, restez-le aussi longtemps que vous le voudrez, et vous devez le vouloir tant que vous ne vous repentirez pas du temps que vous lui consacrerez. Mais cependant lisez mes écrits, que vous ne trouverez pas trop en désaccord avec la doctrine des péripatéticiens, puisque je suis le disciple fidèle de Socrate et de Platon en même temps; lisez-les, jugez du fond des choses avec la plus parfaite indépendance, je n'y mets point d'obstacle; mais soyez certain que le style vous fera mieux connaître toutes les richesses de notre langue latine.

«Ce n'est point par vanité que je parle; je cède bien facilement la palme de la philosophie à beaucoup d'autres plus habiles que moi: mais, en ce qui touche les qualités de l'orateur, la clarté, la propriété, l'élégance du discours, comme j'en ai fait l'étude de toute ma vie, si je n'en réclame pas le privilége, il me semble que j'use d'un droit bien légitimement acquis. Je vous exhorte donc, mon fils, à lire avec grand soin, non-seulement mes discours, mais encore mes livres de philosophie, dont le nombre égale presque aujourd'hui celui de mes harangues.»

Il sourit encore à cette immortalité à la fin de son livre, *Consolation sur la vieillesse*, adressé à Atticus, qui vieillissait comme lui dans toute sa vigueur d'esprit. Lisez les dernières lignes attendries de ce livre, adressé à l'ombre de son fils, mort avant lui.

Le père et le sage n'y sont-ils pas au niveau de l'écrivain? n'y respire-t-on pas la résignation chrétienne, bonheur des malheureux?

«Enfin la vieillesse ne doit pas s'effrayer de la mort, qu'elle contemple de plus près, et qui lui paraît, lorsqu'elle sait bien la juger, le terme d'un long et pénible voyage, le port longtemps souhaité. On n'est pas plus assuré de la vie à la fleur de l'âge qu'au déclin des ans: seulement la mort du vieillard a quelque chose de plus naturel et de plus doux; la vie avancée est comme le fruit mûr, qui se détache sans effort. Tout n'arrive-t-il pas au terme, et n'est-ce pas bien finir quand la satiété est venue?

«Mais ce qui donne surtout à l'homme la force de contempler la mort sans effroi, c'est l'espérance de l'immortalité. Caton montre à ses jeunes amis que toutes les grandes âmes ont pressenti l'immortalité, et n'ont vu la véritable vie qu'au delà du tombeau.»

Il rappelle les arguments des philosophes socratiques, et toutes les meilleures preuves qui, dans les temps anciens, s'étaient offertes à la raison pour établir la sublime vérité enseignée par Platon et par son divin maître.

«Il me tarde, dit le vieux Romain, de partir pour cette assemblée céleste, pour ce divin conseil des âmes, d'aller rejoindre tous les grands hommes dont je vous parlais, et au milieu d'eux mon enfant chéri.»

Qu'est-ce que la vieillesse, quand l'âme se voit à l'aurore d'un jour éternel?

Tel est en substance ce traité *de la Vieillesse*, l'un des ouvrages les plus parfaits de Cicéron, et dont la lecture justifie si bien ce que disait Érasme:

«Je ne sais point ce qu'éprouvent les autres en lisant Cicéron; mais je sais bien que, toutes les fois qu'il m'arrive de le lire (ce que je fais souvent), il me semble que l'esprit qui peut produire de si beaux ouvrages renferme quelque chose de divin.»

C'est aussi ma pensée, et le génie de Cicéron a toujours été pour moi une preuve vivante de la divinité de l'esprit humain.

## XXI

Voilà Cicéron écrivain, moraliste, philosophe, politique, approchant du terme de ses jours, mais non des bornes de son génie. Quel écrivain lui comparerez-vous dans les temps modernes? Aucun: c'est le plus vaste et en même temps le plus parfait des hommes de pensée; ce n'est pas un littérateur, c'est la littérature elle-même tout entière.

Les ouvrages de Cicéron retrouvés consoleraient le monde de la perte de tous les autres livres; c'est l'encyclopédie de l'âme, de la pensée et du talent.

Voltaire a son étendue; mais il n'a ni son élévation, ni sa majesté, ni son éloquence, ni son enthousiasme, ni sa piété divine envers la Providence.

Bossuet a sa virilité et son lyrisme de style; mais il n'a ni son coup d'œil par-dessus les opinions de son pays, ni son universalité, ni sa perfection d'élocution; il ébauche le marbre, il ne le polit pas; le coup de ciseau reste dans la statue.

Fénelon a sa morale, mais il n'a pas sa vigueur.

Montaigne a sa grâce gauloise, mais il n'a pas sa grâce attique et sa conviction dans le juste et le beau.

Bacon a sa netteté, mais il n'a pas son abondance.

Machiavel a sa perspicacité politique, mais il n'a pas sa vertu.

J.-J. Rousseau a son harmonie et sa sensibilité de style, mais il n'a pas son bon sens.

Mirabeau a ses éclairs; mais il n'a ni sa lumière permanente, ni sa sensibilité, ni sa philosophie dans le discours.

Nos tribunes modernes de Londres et de Paris ont son émotion, mais elles n'ont pas sa philosophie.

Quelque chose, quelque homme qu'on lui compare, cette chose et cet homme diminuent dans la comparaison; et cependant on ne lui rend pas encore pleine justice! Savez-vous pourquoi?

C'est que l'*envie*, qui l'a tué, et qui a cloué sa langue divine sur la tribune de Rome avec l'épingle d'or d'une furie, n'a pas dit encore son dernier mot contre ce plus grand des Romains.

L'envie est l'ombre que les sommités humaines font au reste des hommes; Cicéron est si grand que l'ombre de son nom nous offusque encore.

Les esprits despotiques et soldatesques lui reprochent son amour pour la liberté; les esprits fanatiques lui reprochent sa mesure avec les événements et sa résignation désintéressée, et douloureuse cependant, avec César; les esprits courts lui reprochent son étendue; les esprits spéciaux lui reprochent son universalité; les esprits stériles lui reprochent son abondance; les esprits incultes lui reprochent sa perfection continue; les impies lui reprochent sa piété; les sceptiques, sa foi; les excessifs, sa modération; les pervers, sa vertu.

Ils ne voient pas, les petits, les insensés, les envieux, que sa gloire se compose précisément de tous ces reproches. Érasme, seul, a dit le vrai mot: «Quand je lis cet homme, je sens en moi la divinité dans l'homme.»

Je dis comme Érasme, et je vous conseille de lire et de relire Cicéron quand vous serez tenté de mépriser l'homme: il le grandit jusqu'à le diviniser à nos yeux. C'est le plus beau nom de toutes les littératures dans tous les âges; il a écrit, parlé, achevé la plus belle des langues occidentales; et, quand l'Italie n'aurait produit que Cicéron, elle serait encore la reine des siècles.

Ah! s'il vivait aujourd'hui, quelles Catilinaires ne fulminerait-il pas du haut du Capitole ou du fond de ses jardins de Gaëte contre ces Catilinas étrangers qui imposent à sa république, sous le nom de liberté, le joug monarchique, et sous le nom d'unité l'annexion à la Gaule Cisalpine, au lieu de la belle confédération patriotique qui fut la nature, la gloire, et qui serait la résurrection durable et véritable de sa chère Italie!

Lamartine

# LXVᵉ ENTRETIEN

## J.-J. ROUSSEAU.
## SON FAUX CONTRAT SOCIAL ET LE VRAI CONTRAT
## SOCIAL.

### PREMIÈRE PARTIE

### I

La politique spéculative a été en tout temps l'exercice le plus important et le plus passionnant des hautes intelligences parmi les écrivains (j'en excepte toutefois les religions, exercice plus relevé encore des spéculations humaines). Les fondateurs de religions sont les oracles réputés divins; les écrivains politiques sont les législateurs des nations. Les premiers gravent en traits de foudre les dogmes éternels ou imaginaires dans la conscience; les seconds écrivent en caractères de pierre ou de bronze les tables des lois ou les constitutions des sociétés politiques.

Moïse, Zoroastre, Brama, Confucius, Solon, Lycurgue, Numa, furent de grands écrivains religieux et politiques; Aristote en Grèce, Cicéron dans l'Italie antique, Vico dans l'Italie moderne, Beccaria dans l'Italie d'hier, Montesquieu en France, furent des commentateurs et des dissertateurs érudits de ces législateurs primitifs, des critiques de génie des législations et des constitutions civiles des peuples. L'expérience et la raison tinrent la plume de ces sages; ils ne se livrèrent jamais aux séduisantes idéalités de leur imagination pour éblouir et fasciner les hommes par des perspectives d'institutions fantastiques qui donnent les rêves pour des réalités aux peuples; ils respectèrent trop la société pratique pour la démolir, afin de la remplacer de fond en comble par des chimères aboutissant à des ruines; ils étudièrent consciencieusement la nature de l'homme sociable dans tel temps, dans tels lieux, dans telles mœurs, à tel âge de sa vie publique, et ne lui présentèrent que des perfectionnements graduels ou des réformes modérées, au lieu de ces rajeunissements d'Éson qui tuent les empires sous prétexte de les rajeunir; en un mot, ces écrivains, les yeux toujours fixés sur l'expérience et sur l'histoire, ne furent ni des rêveurs, ni des utopistes, ni surtout des radicaux.

Le radicalisme, ai-je dit il y a longtemps à la tribune de mon pays, n'est que le désespoir de la logique. Quand on ne sait pas tirer parti des réalités, on s'impatiente contre les sociétés, et on se jette dans ces violences de l'esprit qu'on appelle le *radicalisme*.

Les radicaux sont des rêveurs dépaysés dans les réalités; l'impossible est leur punition: ils n'ont pas assez d'esprit pour comprendre les imperfections nécessaires des sociétés, composées d'êtres imparfaits.

La première de leurs erreurs est de croire à la perfectibilité indéfinie de l'homme fini. Ils ne font ni lois ni constitutions pour les peuples, ils font des poëmes; leurs plans de sociétés sont l'*opium* des imaginations malades des peuples; l'accès de délire qu'ils donnent aux hommes finit par des fureurs, et les fureurs finissent par l'anéantissement des sociétés. La barbarie recommence par l'excès de civilisation.

## II

Le premier de ces écrivains législateurs de songes et constructeurs d'utopies politiques fut Platon en Grèce.

J'ai voulu relire récemment sa constitution, modèle qu'il présente aux hommes comme un type des sociétés politiques accomplies; j'ose déclarer en toute conscience que le délire d'un insensé joint à la férocité d'un scélérat ne pouvait jamais arriver aux excès d'absurdité et aux excès d'immoralité de ce prétendu sage tombé en folie et en fureur pour avoir trop bu l'idéal dans la coupe de l'imagination.

Esprit et cœur, sa *République* est en tout le paradoxe de Dieu, le contre-pied de la nature, le roman de l'homme, depuis l'égalité des biens, aussi impossible à réaliser que le niveau constant des vagues sur la surface incessamment mobile de l'Océan; depuis la communauté des produits, produits aussi impossibles à répartir qu'à créer, puisque la répartition suppose l'infaillibilité divine dans le gouvernement, et que le produit lui-même suppose l'uniformité du travail dans l'oisif, qui consomme sans rien faire, et dans l'homme laborieux, qui travaille sans salaire; depuis la destruction de la famille, ce nid générateur et conservateur de l'espèce humaine, pour remplacer le père et la mère par une maternité métaphysique de l'État, qui n'a pas de lait, et par une paternité métaphysique de l'État, qui n'a pas d'entrailles; depuis la communauté des femmes, qui change l'amour en bestialité, jusqu'à la communauté des enfants, qui détruit la piété filiale en défendant aux enfants de connaître leur père; depuis le meurtre des nouveau-nés mal conformés, pour épurer la race, jusqu'au meurtre des vieillards, pour écarter des yeux le spectacle de la décadence et la céleste vertu de la compassion.

Il ne manque au code du divin Platon que l'anthropophagie pour être le cloaque contre-nature et contre-humanité des immondices de la turpitude, de la démence et de la brutalité humaine, la Divinité renversée, le paradoxe de Dieu, de l'homme, de la femme, du vice et de la vertu, folie de l'orgueil philosophique qui, pour ne pas penser et sentir comme tout le monde, pense comme un fou et sent comme un criminel de lèse-nature et de lèse-Divinité.

Encore une fois, voilà le divin Platon devenu utopiste en politique et voulant refaire l'œuvre de Dieu mieux que Dieu, et composant une société avec des rêves, au lieu de la composer avec les instincts de la nature; et voilà ce que l'on fait admirer, sur parole, à des enfants pour pervertir en eux l'entendement par l'admiration pour l'absurde! Arrachez à cet homme ce surnom de *divin Platon*, et transportez-le à Socrate, l'homme du bon sens et de la réalité, qui épluchait trop sans doute, mais qui ne découvrait ses principes que dans la nature des choses et dans les instincts révélateurs de toute sagesse et de toute institution pratique digne du nom de *société*.

## III

Ces philosophes de l'utopie, ces élucubrateurs de principes sociaux en contravention avec les traditions éternelles de la politique, de la nature; ces hommes qui se glorifient d'être *seuls* et de penser à l'écart des siècles et des traditions sociales; ces constructeurs de nuages, comme les appelle le poëte véritablement divin (Homère), ont été communs dans tous les temps et dans tous les peuples, surtout dans les temps de décadence et dans les peuples en révolutions. La Grèce bavarde, le Bas-Empire stupidifié par la servitude, le moyen âge romain, fermentant d'un christianisme mal compris, corrompu par Platon, rêvant le règne de Dieu sur la terre, déconseillant le mariage, ce joug divin du couple humain, poussant les hommes et les femmes dans le célibat ascétique pour amener la fin du monde, tuant le travail et la famille par la communauté des biens et par l'égalité démagogique du nivellement dans la misère, faisant le monde viager et indigent, au lieu de le faire, comme le Créateur l'a fait, perpétuel par la propriété, patrimoine de la famille; l'Italie oisive, l'Allemagne rêveuse, l'Espagne mystique, l'Allemagne somnambule, la Hollande brumeuse, l'Angleterre audacieuse d'originalités excentriques, pullulèrent plus tard de ces machinistes de sociétés idéales, jeux d'osselets quelquefois terribles, comme les anabaptistes d'Allemagne et les jacqueries en France.

La France, le sol du sens commun, fut le pays où germèrent le moins ces pavots enivrants des chimères sociales, et où ces poisons soporifiques moururent le plus tôt. Fénelon, presque seul, trop séductible par l'imagination et par le cœur, popularisa dans son *Télémaque* ces idées impraticables de Platon et de Morus; il fit innocemment beaucoup de mal en ôtant aux Français le sentiment du réel en politique, et en les jetant dans les vagues rêveries de l'impraticabilité. Son *Salente* est la capitale de l'absurde.

On comprend, en lisant cette législation des songes, que Louis XIV, cet esprit simple, et Bossuet, ce génie de l'autorité, éloignèrent Fénelon du gouvernement des peuples et de l'éducation des princes. Les peuples vivent de vérités applicables, et les princes qui rêvent sont réveillés en sursaut par les catastrophes. Fénelon n'était nullement politique: il était ce que nous appelons *socialiste*, c'est-à-dire poëte du paradoxe, fabuliste de la société.

Quand on étudie bien les origines de la révolution française, dans sa partie chimérique, radicale, niveleuse et révoltée contre la nature, la propriété, la famille, de Mably à Babeuf, on ne peut s'y tromper, le catéchisme de cette révolution sociale est dans *Télémaque*. Fénelon est un démagogue chrétien et doux, qui sème des vertus, et qui se trouve n'avoir semé que des passions affamées qu'il ne peut nourrir que d'ivraie.

Son économie politique, qui supprime le travail en supprimant ce qu'il appelle le luxe, le luxe, cette chose sans nom, mystère inexplicable entre le consommateur et le producteur, seul mobile et seul répartiteur du travail, seul créateur de la richesse, cette économie politique de Fénelon serait le suicide de l'humanité, si l'humanité se laissait gouverner par la rhétorique, au lieu de se gouverner par les instincts de Dieu et du bon sens.

## IV

Après Fénelon, J.-J. Rousseau fut le grand et fatal utopiste des sociétés. Il s'inspire évidemment de Fénelon, qui s'était inspiré de Platon. Ainsi les erreurs ont leur séduction comme les vérités: en remontant de siècle en siècle jusqu'à l'origine du monde, les sophistes s'engendrent et se perpétuent en génération de rhéteurs.

Quand il se rencontre parmi ces rhéteurs sociaux un écrivain plus inspiré, plus éloquent, plus contagieux que les autres, et quand la naissance de cet écrivain, souverain de l'erreur, coïncide avec un ébranlement moral ou avec un cataclysme politique des institutions de son pays, alors son utopie, au lieu de trouver simplement des lecteurs qui se complaisent au bercement de leur imagination par ses rêves, cet écrivain trouve des sectaires pour propager ses chimères, et des bras pour exécuter ses conceptions.

Tel fut, au crépuscule de la révolution française, J.-J. Rousseau.

Mille fois plus éloquent que Platon, mille fois plus passionné que Fénelon, aussi poétique que le sophiste grec, aussi religieux que l'archevêque français, né à une époque où le vieux monde féodal mourait, où la France sentait déjà remuer dans ses flancs l'embryon d'une révolution radicale, l'enfant de Genève, J.-J. Rousseau, presque Allemand par la Suisse, sa patrie, presque sectaire par le fanatisme de Genève, son berceau, presque factieux par l'esprit de démocratie humiliée respiré dans la boutique de l'artisan son père, presque Français par la vigueur de sa langue et par le classicisme de l'éloquence française, contigu à la Suisse, frontière d'idées comme de territoire; républicain dans une petite république toujours en fermentation; ennemi des grands et des riches, parce qu'il était petit et pauvre, J.-J. Rousseau semblait préparé par les circonstances, par le temps, par sa nature au rôle de tribun des sentiments justes et des idées fausses qui allaient se livrer dans le monde la lutte révolutionnaire à laquelle nous assistons encore depuis soixante ans.

## V

À lui seul il était une propagande; pourquoi? Parce qu'au lieu d'écrire comme Platon, avec l'imagination seule; comme Morus et Vico, avec l'érudition seule; comme Fénelon, avec la charité seule, J.-J. Rousseau fut un des premiers écrivains en France qui écrivirent avec l'âme.

L'âme est la littérature moderne; l'âme, c'est l'homme sous les mots; l'âme est la muse souveraine et convaincue des écrivains qui remuent les masses et le monde.

Ceux-là naissent avec leur rhétorique dans leur cœur; ils allument parce qu'ils sont allumés. Leurs idées peuvent être fausses, leur style peut être inculte, mais leur sentiment les sauve et les immortalise quand leur âme a touché l'âme de leur siècle. Ils se répandent, pour ainsi dire, par le contact dans la fibre, dans les veines, dans le *sensorium* de l'humanité. Ils font des masses et des siècles des échos du battement de leurs cœurs; ils vivent en tous, et tous vivent en eux.

Nous ne voulons pas dire par là que l'âme de J.-J. Rousseau fût ce qu'on appelle une belle âme, une âme plus riche que les autres; loin de nous cette pensée. Nous la croyons, au contraire, une des âmes les plus subalternes, les plus égoïstes, âme *comédienne* du beau, âme hypocrite du bien, âme repliée en dedans autour de sa personnalité maladive et mesquine, au lieu d'une âme expansive se répandant, par le sacrifice, sur le monde pour s'immoler à l'amour de tous; âme aride en vertu et fertile en phrases; âme jouant les fantasmagories de la vertu, mais rongée de vices sous le sépulcre blanchi de l'ostentation; âme qui, pour donner la contre-épreuve de sa nature, a les paroles belles et les actes pervers. Nous voulons dire seulement que J.-J. Rousseau fut le premier écrivain français de sentiment.

De là, son éloquence intime, la plus pénétrante et la plus palpitante des éloquences, au lieu de l'éloquence extérieure qui fait plus de bruit que d'émotion; un Démosthène de solitude, dont la parole a le charme de la confidence au lieu de l'apparat du discours; un séducteur à voix basse, qui corrompt son élève sous prétexte de lui confesser lui-même ses honteuses immoralités.

Mais, si c'est là son vice comme moraliste, c'est là sa force comme écrivain. Il est intime parce qu'il est confiant, il est nu parce que son style et lui ne font qu'un, il dit tout parce que son entretien est un tête-à-tête avec lui-même ou avec son lecteur. C'est l'homme qui vous enveloppe le plus de son individualité, en s'ouvrant à vous sans réserve. Semblable au serpent boa des forêts d'Amérique, il vous dévore en vous aspirant.

## VI

Aussi le plus immortel de ses livres, ce sont les *Confessions*; tous les autres de ses ouvrages sont déjà à moitié morts, à l'exception des *Confessions*, vivantes par le charme, et du *Contrat social*, vivant par ses conséquences, qui se déroulent encore dans les faits européens.

«Pour connaître l'eau,» disent les Persans, «il faut remonter à la source.»

Pour se rendre compte du génie littéraire et des sophismes sociaux de J.-J. Rousseau, il faut le suivre de son berceau, dans une boutique d'horloger, jusqu'à sa tombe, dans le jardin d'un grand seigneur de Paris.

Âme cynique dans son enfance, vicieuse dans sa jeunesse; soif de la gloire, par le paradoxe dans sa vie d'écrivain; recherche dédaigneuse de la société aristocratique dans son âge mûr; affectation de la popularité démocratique par le cynisme du désintéressement et par la pauvreté volontaire dans ses dernières années; démence évidente et suicide problématique à la fin.

Voilà l'homme: tout sceptique par sa nature, par sa vie et par sa place dans la société dont il est la victime par sa faute, et dont il devient l'ennemi par l'envie et par l'ingratitude.

Le récit de cette épopée d'un aventurier de génie, écrit par le héros et par l'auteur, est le poëme de la démocratie tout entière. C'est dans la vie du grand démocrate qu'il faut chercher, à travers quelques mensonges, la vérité sur l'écrivain et sur ses œuvres, avant de passer à l'appréciation de ses principes.

## VII

Le père de J.-J. Rousseau était horloger; un horloger à Genève est plus qu'un artisan, c'est un artiste et un commerçant. La grande manufacture d'horlogerie avait alors son centre dans cette Suisse, où la vie pastorale s'unit depuis le moyen âge à la vie industrielle, lui conservant les mœurs pures, tout en accroissant la modeste richesse des familles.

La mère de J.-J. Rousseau était fille d'un ministre calviniste. Cette jeune personne avait reçu de la nature un esprit délicat, et de son père un esprit cultivé. Elle descendait sans fausse honte aux plus humbles fonctions du ménage, elle se livrait sans prétentions aux lectures les plus solides et les plus élégantes de la vie lettrée. On peut croire que cette mère donna, avec le sein, à son enfant, cette prédestination aux choses de l'esprit et cette sensibilité souffrante de l'âme qui forment le fond du caractère de Rousseau. Elle mourut malheureusement avant de pouvoir lui donner ses vertus. Son père, qui avait laissé sa femme jeune, belle et seule à Genève pour devenir horloger du sérail à Constantinople, donna sans doute à ce fils son goût d'aventures et de désordre. Ces deux filiations firent plus tard de Rousseau un enfant impressionnable, un écrivain sublime, un rêveur chimérique et un philosophe vicieux.

«Je n'ai pas su, dit-il dans le premier chapitre de sa *Vie*, comment mon père supporta cette perte de ma mère; mais je sais qu'il ne s'en consola jamais:

il croyait la revoir en moi sans pouvoir oublier que ma naissance lui avait coûté la vie. Jamais il ne m'embrassa que je ne sentisse, à ses soupirs et à ses convulsives étreintes, qu'un regret amer se mêlait à ses caresses: elles n'en étaient que plus tendres. Quand il me disait:—Jean-Jacques, parlons de ta mère; je lui disais:—Eh bien, mon père, nous allons donc pleurer? et ce mot seul lui tirait des larmes.—Ah! disait-il en gémissant, rends-la-moi! console-moi d'elle! remplis le vide qu'elle a laissé dans mon âme! T'aimerais-je ainsi si tu n'étais que mon fils? Quarante ans après l'avoir perdue, il est mort dans les bras d'une seconde femme, mais le nom de la première dans la bouche et son image au fond du cœur.

«Ma mère avait laissé des romans; nous les lisions après souper, mon père et moi. Il n'était question d'abord que de m'exercer à la lecture par des livres amusants; mais bientôt l'intérêt devint si vif que nous lisions tour à tour, sans relâche, et passions les nuits à cette occupation. Nous ne pouvions jamais quitter qu'à la fin du volume; quelquefois mon père, entendant le matin les hirondelles, disait tout honteux:—Allons nous coucher: je suis plus enfant que toi.»

Quelles délicieuses pages! Combien un écrivain, qui sait puiser dans la vie familière le pathétique simple des scènes intimes, et fait d'une veillée entre un vieillard, un enfant et le souvenir d'une mère morte, un drame muet qui remue le cœur dans des millions de poitrines, combien, disons-nous, un tel écrivain doit-il être, à son gré, le maître des cœurs, ou l'apôtre des vérités ou le roi des sophismes!

## VIII

Une tante, qui chantait en cousant près de la fenêtre, donna à l'enfant les délices et le goût de la musique. Le *Devin du village* vint de là. Tous nos goûts sont des réminiscences.

Des détails puérils ou orduriers déparent et salissent ces belles sérénités de la première scène.

Le père était de nouveau sorti de Genève. L'enfant recevait une éducation mercenaire à la campagne; il y puisait, avec des vices prématurés, une passion vraiment helvétique de la campagne, ce sourire de Dieu dans la nature.

Cette passion de la campagne, cette frénésie de la solitude et de la contemplation, devinrent les deux notes de son talent. C'est la ville qui fait les vices; c'est la campagne qui fait les vertus.

C'est elle aussi qui fait les poëtes. Rousseau y devint éloquent et pieux, mais il y devint aussi rêveur. La nature donne l'imagination, mais les hommes seuls donnent le bon sens. Rousseau fut trop l'élève des arbres, des eaux, des vents, du ciel, du soleil, des étoiles; il lui aurait fallu en même temps l'éducation d'une mère tendre et d'un père laborieux: tout cela lui manqua. Plus de mère, et un père errant qui aimait, mais qui abandonnait les enfants d'un premier foyer pour en chercher un autre à travers le monde; de là l'isolement et bientôt l'égoïsme de l'orphelin, qui, se sentant délaissé, se replia tout entier sur lui-même. Ce profond et cruel égoïsme du jeune horloger en fit bientôt un vagabond sans patrie, parce qu'il était sans famille.

De sales amours, plus semblables à des turpitudes qu'à des affections, souillent à chaque instant ces pages de jeunesse, ignoble philosophie des sens dont les images font rougir la plus simple pudeur; sensualités grossières; fleurs de vices dans un printemps de sensations que Rousseau fait respirer à ses lecteurs et à ses lectrices, et dont il infecte l'odorat des siècles.

Ces tableaux orduriers jouent la naïveté pour la corrompre; ils rappellent ces théâtres licencieux de Paris, au dernier siècle, où l'on faisait jouer à l'innocence le rôle prématuré du vice et où l'on sacrifiait des enfants à la sacrilége licence des spectateurs.

Ces ordures des *Confessions* n'offensent pas moins le goût que les mœurs. La corruption n'a pas de goût; ce n'est que l'infection de l'esprit, comme le vice est l'infection du cœur. Rousseau scandalise et déprave ici, au lieu de charmer. Quelle excuse peut alléguer un peintre de mœurs qui croit tout faire adorer de lui, jusqu'à ses immondices? Rousseau se croit-il donc le grand lama de l'Occident pour faire embrasser comme des reliques les plus viles traces de son humanité?

Ces vices du goût, ces abjections d'images, sentent les inélégances natales d'un enfant sans mère qui prend ses polissonneries pour des phénomènes, et qui croit devoir les immortaliser comme des précocités de génie et d'originalité. Il y a de la crapule au fond de ce caractère comme il y en a au fond de cette vie.

## IX

Placé en apprentissage chez un graveur de Genève, il prend l'exemple et le goût du libertinage, de l'oisiveté, de l'astuce et du vol domestique.

Ces goûts lui font rechercher la compagnie des plus mauvais sujets de l'atelier. Il s'enivre, paresseusement et sans choix, de lectures qui donnent le vertige à ses yeux et à son imagination; il devient incapable d'aucun emploi honnête et sérieux de ses mains; il s'évade de Genève sans avoir d'autre but que de fuir tout ordre réglé et tout travail utile d'une société laborieuse; il veut de sa vie réelle faire un roman d'aventures semblables aux romans dont il est saturé. Il vagabonde au hasard; il bat la campagne de Genève et de Savoie sans savoir ce qu'il cherche et sans autre direction que le hasard. Un curé l'abrite; un gentilhomme savoyard, convertisseur de calvinistes, le sermonne et l'adresse à une charmante convertie, madame de Warens, qui gouverne une petite communauté de néophytes à Annecy, femme d'étrange nature, de figure séduisante, de mysticisme amoureux, de génie contradictoire, de bonté adorable, d'intrigue naïve, de faiblesse maternelle, de générosité angélique au milieu des plus pressantes angoisses de fortune. La présentation de la lettre de recommandation de Rousseau adolescent à cette jeune et belle protectrice, que Rousseau devait plus tard aimer, ruiner, déshonorer et immortaliser; cette présentation est une véritable scène du roman grec de *Daphnis et Chloé*. Rousseau la décrit comme le génie de la jeunesse sait seul décrire un pressentiment de l'amour dans un paysage de la moderne Arcadie.

«Le lieu de la scène était un petit passage derrière sa maison, entre un ruisseau à main droite qui la séparait du jardin, et le mur de la cour à gauche, conduisant par une fausse porte à l'église. Prête à entrer dans l'église par cette porte, madame de Warens se retourna à ma voix. Que devins-je à cette vue? Je m'étais figuré une vieille dévote bien rechignée; je vois un visage pétri de grâces, de beaux yeux bleus pleins de douceur, un teint éblouissant, des formes séduisantes; rien n'échappa au rapide coup d'œil du jeune prosélyte, car je devins à l'instant le sien, sûr qu'une religion prêchée par de tels missionnaires ne saurait manquer de mener en paradis.

«Elle prend en souriant la lettre que je lui présente d'une main tremblante, l'ouvre, jette un coup d'œil sur la lettre de M. de Ponsverre (le gentilhomme qui le recommandait), revient à la mienne, qu'elle lit tout entière et qu'elle aurait relue encore si son laquais ne l'avait avertie qu'il était temps d'entrer.— Eh! mon enfant, me dit-elle d'un ton qui me fit tressaillir, vous voilà courant le pays bien jeune; c'est dommage, en vérité. Puis, sans attendre ma réponse, elle ajouta: Allez chez moi m'attendre; dites qu'on vous donne à déjeuner; après la messe, j'irai causer avec vous..... Elle avait vingt-huit ans.

«Louise-Éléonore de Warens était une demoiselle de la Tour de Pil, noble et ancienne famille de Vevay, ville du pays de Vaud. Elle avait épousé fort jeune M. de Warens de la maison de Loys, fils aîné de M. Villardin de Lausanne. Ce mariage, qui ne produisit point d'enfants, n'ayant pas trop réussi, madame de Warens, poussée par quelque chagrin domestique, prit le temps que le roi Victor-Amédée était à Évian, pour passer le lac et venir se jeter aux pieds de ce prince, abandonnant ainsi son mari, sa famille et son pays par une étourderie assez semblable à la mienne, et qu'elle a eu tout le temps de pleurer aussi.

«Le roi, qui aimait à faire le zélé catholique, la prit sous sa protection, lui donna une pension de quinze cents livres de Piémont, ce qui était beaucoup pour un prince aussi peu prodigue; et, voyant que sur cet accueil on l'en croyait amoureux, il l'envoya à Annecy, escortée par un détachement de ses gardes, où, sous la direction de Michel-Gabriel de Bernex, évêque titulaire de Genève, elle fit abjuration au couvent de la Visitation.

«Il y avait six ans qu'elle y était quand j'y vins, et elle en avait alors vingt-huit, étant née avec le siècle. Elle avait de ces beautés qui se conservent, parce qu'elles sont plus dans la physionomie que dans les traits; aussi la sienne était-elle encore dans son premier éclat. Elle avait un air caressant et tendre, un regard très-doux, un sourire angélique, des cheveux cendrés d'une beauté peu commune, et auxquels elle donnait un tour négligé qui la rendait très-piquante. Elle était petite de stature, courte même et ramassée un peu dans sa taille, quoique sans difformité; mais il était impossible de voir une plus belle tête, un plus beau buste, de plus belles mains et de plus beaux bras.»

## X

Madame de Warens et le clergé de la ville envoient le jeune prosélyte à Turin pour le faire instruire et lui faire faire son abjuration dans un hospice de catéchumènes. Il emporte, dans son cœur ému, sa conversion déjà faite dans l'image et dans le tendre accueil de la charmante femme; son imagination est souillée par les sordides exemples de débauche dont il est témoin parmi les faux convertis de l'hospice des faux catéchumènes de Turin; il troque sa religion contre un vil salaire. Abandonné à lui-même, il est réduit à chercher du pain dans la domesticité d'une riche famille piémontaise; des folies et des larcins l'en chassent. Il accuse, pour se justifier d'un léger soupçon, une pauvre servante innocente et la déshonore, sinon sans remords du moins sans pitié. Il s'associe à un vagabond pour montrer, à prix de petite monnaie, un jouet de physique au peuple des campagnes; il revient au seul asile qui lui reste, la maison et le cœur de madame de Warens. Il s'attache à la fortune et à la personne de cette charmante protectrice; elle l'emmène avec elle à Chambéry dans la retraite délicieusement occupée des *Charmettes*; elle y achève l'éducation littéraire de son protégé.

À l'inverse de la première Héloïse, elle se laisse entraîner elle-même à une affection trop tendre pour son élève. En récompense de tant d'amitié, de maternité, d'amour et de sacrifices, Rousseau l'abandonne et la flétrit jusqu'à l'ignominie et jusqu'au ridicule, en divulguant à la postérité les faiblesses de sa bienfaitrice. Jamais l'amour et la bonté n'ont expié à un tel prix le malheur d'avoir rencontré un tel avilissement dans une telle ingratitude.

Les lignes de J.-J. Rousseau sur madame de Warens font le désespoir du cœur humain; on se défie même de ses vertus en voyant comment elles sont changées en vices et exposées au pilori des siècles par celui qui reçut de cette femme la double vie du corps et du cœur. Pauvre femme, qui aime en songe un idéal d'innocence sous les traits d'un enfant abandonné et recueilli par elle, et qui, à son réveil, reconnaît qu'elle a réchauffé et allaité un monstre qui la dévore et qui la souille! Ce crime, selon moi, dépasse l'homme et ne dépasse pas Rousseau. C'est le forfait de la plume, c'est l'instrument du supplice de celle dont le seul sort fut de trop aimer son bourreau!...

## XI

Madame de Warens cultiva ou fit cultiver à ses frais tous les dons enfouis de son protégé, même la musique. Il en avait l'instinct; il en épela assez les principes pour composer plus tard le *Devin du village*, idylle grecque écrite et chantée par un pasteur suisse qui se souvient, en notes, du ranz *des vaches* de son hameau.

Rousseau, comblé des dons de madame de Warens, qui s'appauvrit pour son élève, part pour Lyon avec son pauvre maître de chapelle; il l'abandonne à son premier malheur, comme les chiens ne font pas de l'aveugle indigent, qu'ils conduisent aux portes des hôpitaux. Le musicien, tombé dans la rue d'une atteinte de convulsions, est laissé là par le disciple, son compagnon de voyage, qui feint de ne pas le connaître. Vertu sublime d'avoir une telle âme, et de s'en glorifier à la face des hommes et de Dieu!

À son retour à Chambéry, il n'y trouve plus madame de Warens. «Quant à ma désertion, dit-il, du pauvre maître de musique, je ne la trouvais pas si coupable.»

Plus tard, cependant, il se la reproche; mais le maître, à qui on avait volé jusqu'à ses instruments, sa musique et son gagne-pain, était mort de cet abandon.

## XII

En attendant le retour de madame de Warens à Chambéry, Rousseau cohabite, avec un aventurier musicien, chez un cordonnier de la ville dont il dépeint le ménage en traits méchants et ignobles, qui défigurent le pauvre peuple artisan, et font la caricature de ses mœurs et de ses misères. Amant prétendu de la nature, il méprise la simple beauté des jeunes filles de basse condition, pleines de prévenances et d'agaceries pour lui; il avoue ses goûts tout aristocratiques pour le rang, l'orgueil, la parure des jeunes personnes de haut rang et de haute fortune. Ce démocrate ne sent la beauté que vêtue de luxe et de vanités: son orgueil prévaut même sur la nature.

## XIII

Il raconte plus loin, en style d'une inexprimable délicatesse de pinceau, une rencontre qu'il fait, dans une vallée des environs, de deux jeunes personnes de haute condition et de figures gracieuses, qui allaient seules, à cheval, passer une journée de printemps dans une ferme de leurs parents. Théocrite n'est pas plus poëte, l'Albane n'est pas plus nu et plus naïf, Tibulle n'est pas plus ému que J.-J. Rousseau dans la description de cette journée bocagère, où l'innocence, mille fois plus séduisante que le vice, joue avec l'amour sans faire rougir même la timidité des trois enfants. Ce sont des pages de cette candeur et de cette sensibilité qui feront de Rousseau écrivain le charmeur de la sensibilité, dont il a les couleurs sans en avoir la réalité.

Son voyage à Fribourg avec une jeune servante de madame de Warens, qu'il reconduit dans sa famille, est une autre scène de ce genre naïf comme une pastorale d'Helvétie.

Au retour, il joue un véritable histrionage en quêtant de ville en ville, à la suite d'un faux archimandrite de Jérusalem. L'ambassadeur de France à Lucerne le recueille par pitié pour sa jeunesse, et lui donne de l'argent et des recommandations pour Paris; il arrive à Lyon, reçoit des nouvelles de madame de Warens, revenue à Chambéry, l'y rejoint, s'y fait arpenteur de cadastre, puis maître de musique.

Il se détache bientôt de sa protectrice, voyage à ses frais dans le midi de la France, s'y guérit d'une maladie imaginaire, entre comme précepteur dans une maison noble de Lyon, s'y fait mépriser par quelques larcins de gourmandise, quitte de lui-même ce métier, accourt de nouveau aux Charmettes, espérant y retrouver son asile dans le cœur de madame de Warens; il ne retrouve plus en elle qu'une mère attachée à un autre aventurier, ruinée par les dissipations de ce parasite et par des entreprises d'industrie chimériques; il pleure sur son idée évanouie, quitte pour jamais sa malheureuse amie, et accourt à Paris chargé de rêves et d'un système pour écrire la musique en chiffres, et le manuscrit d'une comédie plus que médiocre.

Des lettres de M. de Mably et de l'abbé de Condillac, son frère, qu'il avait sollicitées à Lyon de cette famille obligeante, l'introduisent à Paris dans la société de quelques hommes de lettres et de quelques érudits. Diderot est le plus digne d'être nommé. Esprit aventurier comme Rousseau, fils d'un artisan comme lui, cœur bon et évaporé qui se livrait à tout le monde, Diderot fut le premier ami du jeune Génevois. Diderot eut bien à se repentir depuis de sa facilité à aimer un ingrat.

Un hasard de société le lance de plein saut dans le cercle le plus aristocratique de Paris, au milieu de femmes de cour et d'hommes de lettres; il s'y fait remarquer par sa figure, par quelques poésies récitées dans ces salons avec un succès d'étrangeté plus que de talent, et par son goût réel et inspiré pour la musique. Il ose chercher étourdiment dans madame Dupin une autre madame de Warens; une lettre trop tendre qu'il écrit à cette femme indulgente, mais sévère, ne reçoit qu'un sourire de dédain pour réponse; mais l'intérêt de commisération qu'il inspire à madame de Broglie et à d'autres femmes de cette société lui fait obtenir un emploi de secrétaire intime du comte de Montaigu, ambassadeur de France à Venise, avec un appointement de cinquante louis. Il en était temps, car il consommait ses derniers quinze louis dans une presque indigence à Paris.

## XIV

Arrivé à Venise, il dénigre ouvertement son ambassadeur, il travestit en titre de secrétaire d'ambassade de France les fonctions équivoques et domestiques de secrétaire salarié de l'ambassadeur.

Ses prétentions déplacées et ses dénigrements amers contre son patron le rendent promptement insupportable à M. de Montaigu. Rousseau pousse l'exigence du parvenu jusqu'à vouloir dîner, malgré son ambassadeur, avec les têtes couronnées qui passent à Venise et qui invitent à leur table l'ambassadeur de France.

Dans une de ces scènes amenée par la résistance du ministre aux ridicules prétentions de Rousseau, M. de Montaigu s'emporte et chasse brusquement Rousseau de sa présence et de son palais. Rousseau affecte de narguer son chef, reste à Venise malgré lui, emprunte à toutes mains pour payer son retour en France, et revient victime de son orgueil. Deux anecdotes d'une indécence révoltante sur une courtisane de Venise, sans autre sel que le cynisme des expressions, sont, avec ces rixes d'intérieur, les seules traces de sa résidence à Venise.

Rentré à Paris, il s'acharne sur le caractère et sur l'ineptie de l'ambassadeur. Il n'en reçoit pas moins son salaire des mains de M. de Montaigu quelque temps après son retour à Paris.

Les invectives de Rousseau contre l'ambassadeur choquèrent par leur véhémence les personnes qui l'avaient recommandé à cet homme de cour; on l'éloigna de ces maisons, dans lesquelles on l'avait si bien accueilli. Il s'en vengea en les prostituant aux railleries et à la haine de ses amis.

Ce fut l'origine de sa colère contre les rangs supérieurs de l'ordre social, tant cultivés par lui jusque-là; il a la franchise un peu basse de l'avouer:

«La justice et l'inutilité de mes plaintes, dit-il, me laissèrent dans l'âme un germe d'indignation contre nos sottes institutions civiles, où le bien public et la véritable justice sont toujours sacrifiés à je ne sais quel ordre apparent, destructif en effet de tout ordre. Deux choses l'empêchèrent de se développer en moi pour lors, comme il a fait dans la suite, etc.»

## XV

Voilà l'origine du *Contrat social*. L'ordre réel eût été, sans doute, que le secrétaire domestique se substituât orgueilleusement dans son rang et dans ses fonctions à l'ambassadeur, et que Rousseau mangeât à la table des rois, tandis que les officiers de l'ambassadeur dîneraient humblement à l'hôtel de l'ambassade de France?

C'est ainsi que l'orgueil déplace tout pour se faire à lui-même l'inégalité à son profit.

La saine démocratie, qui est l'ordre par excellence, parce qu'elle est la justice et la charité entre les choses, a heureusement d'autres fondements que ces vengeances intéressées des petits contre les grands.

## XVI

De ce jour-là, Rousseau cessa de prétendre à l'ambition des fonctions publiques, et ne prétendit plus pour toute ambition qu'à la singularité du désintéressement et de la pauvreté volontaire; au lieu de tendre en haut, il tendit en bas. Le tonneau de Diogène, si Rousseau eût vécu à Athènes, aurait eu en lui son héritier, pourvu qu'il fît du bruit dans ce tonneau.

Il prit le logement et la table dans une pension d'hôtes à bas prix, tenue par une pauvre veuve, dans une de ces ruelles obscures qui entouraient alors le jardin solitaire du Luxembourg; il y rencontra une jeune ouvrière de province, nièce de l'hôtesse, venue à Paris pour y vivre de son aiguille.

Il s'attache à elle d'un amour de hasard. Cet amour, très-touchant et très-gracieux dans la candeur de la jeune Thérèse, est dépouillé de sa pudeur par une exclamation cynique de l'amant, qui flétrit l'amour même d'un blasphème de libertinage.

Rousseau, heureux de cet amour qui ressemble à une idylle dans les faubourgs et dans les guinguettes de Paris, refuse cependant de le consacrer par le mariage; il se donne à la pauvre Thérèse, et il ne se donne à elle que pour la jouissance et nullement pour la réciprocité du devoir. Thérèse est pour lui une jolie esclave dont il fait une ménagère et une concubine volontaire pour l'agrément de sa vie obscure, mais avec laquelle il ne veut d'autre lien que son caprice. Ce caprice usé, il ne restera, pour la pauvre séduite, que le hasard de l'indigence et les charges de la maternité.

Mais non, les fruits mêmes doux et amers de la maternité ne lui resteront pas pour charmer sa vie, pour soulager sa misère, pour soutenir sa vieillesse. On sait que, par une férocité d'égoïsme au-dessous de l'instinct des brutes pour leurs petits, J.-J. Rousseau attendait au chevet du lit de Thérèse le fruit de ses entrailles, et porta lui-même quatre ou cinq ans de suite, dans les plis de son manteau, à l'hôpital des orphelins abandonnés, les enfants de Thérèse, arrachés sans pitié aux bras, au sein, aux larmes de la mère, et, par un raffinement de prudence, le père enlevait à ces orphelins toute marque de reconnaissance, pour que son crime fût irréparable et pour qu'on ne pût jamais lui rapporter cette charge onéreuse de la paternité! Les preuves, à cet égard, ont été complétées et aggravées depuis la publication des *Confessions*!

Or, pendant que Rousseau accomplissait ces exécutions presque infanticides, il écrivait, avec une affectation de sensibilité digne d'un Tartufe d'humanité, des malédictions systématiques et fausses sur le crime des mères qui n'allaitent pas elles-mêmes leurs enfants! proscription des nourrices, qui donnent un lait salubre et pur au lieu du lait appauvri ou fiévreux des femmes du monde. Le lait de l'hôpital et le vagabondage de l'enfant sans mère et sans père lui paraissaient-ils donc plus sains et plus purs que le sein maternel de Thérèse?—Si la démence n'expliquait pas charitablement dans Rousseau un tel contraste entre l'homme et l'écrivain, faudrait-il donc accuser l'homme de perversité et le philosophe d'hypocrisie? Non, on sait que les soupçons de conspiration universelle contre nous sont une des formes du délire. Rousseau, honnête d'intention, était vicieux par folie. Il craignait, disait-il, que la société n'armât un jour contre lui le bras parricide de ses enfants!

Quel drame expiatoire il y aurait à faire entre un fils inconnu de Rousseau, devenu meurtrier par suite de son abandon, assassinant un étranger pour le dépouiller, et reconnaissant son père dans sa victime! Qui sait ce que sont devenus ces fils de Thérèse jetés aux gémonies tout vivants par la barbarie d'un père insensé?

Ah! combien la pauvre Thérèse, dans l'amour bestial d'un tel homme et après de tels rapts de ses enfants, ne devait-elle pas frémir de devenir mère!

## XVII

Elle était aimante et fidèle cependant, par ce généreux abandon féminin de l'amante à son profanateur même. Elle suivait sa bonne et sa mauvaise fortune, elle lui gardait avec soumission et tendresse son ménage intime au retour des palais et des fêtes élégantes qu'il fréquentait pour y porter d'autres hommages et pour y chercher d'autres jouissances auprès d'autres femmes de ville et de cour qui caressaient mieux sa sensualité ou sa vanité. L'attachement de Thérèse pour Rousseau subsista jusqu'à sa mort, sans fidélité du côté de Rousseau. L'amour n'était plus pour lui qu'une domesticité commode plutôt qu'un attachement.

## XVIII

Les nécessités de la vie et le goût de la musique le jettent dans la société artiste, lettrée, licencieuse de Paris. Il joue chez madame la marquise d'Épinay, femme opulente, spirituelle, galante, un rôle de confident et de favori de la maison qui lui donne quelques relations illustres.

Sa musique naïve et semi-italienne le révèle aux théâtres de société; il tente de s'élever jusqu'à la scène de l'Opéra; ses comédies, ses poésies, ses romances, lui créent une demi-renommée de salon. Les philosophes admirent la sobriété de sa vie, les femmes du monde sa sensibilité; Diderot, son ami, soupçonne son éloquence et lui conseille quelque sophisme hardi, insolent, contre les idées qui servent de fondement au monde. Il prend la plume, il commence contre la société, contre les arts, contre la civilisation, cette série de paradoxes sur l'état de nature, c'est-à-dire l'état de barbarie: c'est là, selon lui, l'idéal de perfectibilité prêchée aux hommes.

Une société corrompue alors jusqu'à la moelle sourit à ces contre-sens de la mauvaise humeur contre elle-même; elle prend pour de la profondeur et pour de la vertu cette philosophie très-éloquente et très-absurde du monde renversé. Rousseau est parvenu à se faire regarder; c'est un sauvage sublime, un ilote de la pensée, que la société admet dans ses salons pour le voir avec curiosité et pour l'entendre avec complaisance blasphémer avec un éloquent délire contre la pensée même qui fait son existence, sa force et sa gloire.

Le suicide de toute civilisation commence par l'engouement pour cet aventurier de génie qui ne cherche pas la vérité, mais la nouveauté dans le sophisme. La France devient sa complice, et les fondements de l'ordre social sont ébranlés comme par un tremblement de logique  dans la tête des hommes et dans le cœur des femmes.

## XIX

Rousseau, en se voyant couronné pour son style par les académies, applaudi par les cours, encensé par les philosophes, se prend lui-même au sérieux; il adopte pour toute sa vie ce rôle de Diogène moderne, qui prétend renouveler la face du monde moral et politique du fond de sa prétentieuse obscurité.

Il se cache comme l'oracle dans une vie volontairement ténébreuse afin de s'y faire rechercher.

Il n'en souille pas moins ses mœurs et son union conjugale avec Thérèse dans des orgies d'abjecte débauche avec ses amis. Là une jeune fille, séduite et prêtée par son séducteur à ses convives, sert de victime à la lubricité de Grimm et de Rousseau; scène odieuse dont la confession même aggrave l'immoralité.

Il entre comme caissier dans la maison de madame Dupin, il en sort après quelques jours  de noviciat; il renonce à toute ambition de fortune par un travail régulier; il trouve qu'il est plus facile d'accepter la pauvreté que d'acquérir l'aisance. Il se fait copiste de musique à tant la page; ses patrons lui fournissent abondamment du travail et secourent, à son insu, Thérèse et sa mère, pour aider le pauvre ménage sans blesser les susceptibilités de l'orgueilleux copiste.

Son humeur s'aigrit: il commence à verser ses soupçons et son ingratitude sur Diderot, coupable seulement de légèreté, de déclamation, et de zèle pour lui; il outrage Grimm, coupable de trop d'abandon et de trop de confiance dans son ami; il calomnie indignement ces deux hommes de cœur et d'honneur pour prix des services qu'ils lui ont rendus; il paye par la diffamation la célébrité qu'ils lui ont faite. Grimm s'indigne et s'éloigne; Diderot déclare à voix basse, mais avec une amère déception de cœur, qu'il a réchauffé dans son sein un *scélérat*. Rousseau reste seul, sans amis, mais entouré d'un prestige de culte pour ses talents et ses vertus qui lui font une atmosphère de fanatisme.

## XX

À quarante ans passés cependant, cette renommée repose sur le charlatanisme du paradoxe anti-social plutôt que sur un ouvrage estimable. Le succès des paroles et de la musique de l'opéra du *Devin du village* donné à Fontainebleau devant le roi, et à Paris l'année suivante, fit éclater de nouveau le nom de Rousseau et lui donna cette popularité que le théâtre donne en une soirée et que les plus beaux livres ne donnent qu'à force de temps.

L'ivresse monta à la tête de la France et surtout des femmes; son nom courut avec ses notes sur toutes les lèvres. On crut sentir son âme dans ses mélodies, on ne la sentit que dans les oreilles.

Le roi et madame de Pompadour lui donnent chacun une gratification en argent qui remet l'aisance dans son ménage.

Dans un voyage à Genève, il passe avec Thérèse à Chambéry comme on repasse sur les traces de sa jeunesse dans un jardin couvert de ronces; il y trouve madame de Warens dans l'abandon et dans la misère; sa pitié est froide comme un passé refroidi.

Il se le reproche, il jette quelque modique aumône dans cette main qui a tenu autrefois son cœur.

Thérèse, plus tendre que l'ancien amant, baise cette main et y laisse une larme.

Il va à Genève: il semble désirer de s'y fixer.

Le voisinage de Ferney, où la popularité universelle de Voltaire à Ferney aurait éclipsé et subalternisé la renommée du Génevois, l'en éloigne. Il revient à Paris, et accepte un ermitage d'opéra dans le coin du jardin d'une femme galante, madame d'Épinay, à l'ombre de la forêt de Montmorency.

## XXI

Avant de s'y retirer, il place dans un hospice de charité publique le père de Thérèse, pour alléger le poids du ménage; le vieillard comme l'enfant, ces deux fardeaux si doux du cœur, l'importunent. Il les sacrifie également à l'égoïsme, la divinité du moi; il garde la femme, parce qu'elle est servante nécessaire au foyer, à la solitude, à l'infirmité, à la vieillesse.

L'ivresse de la nature au printemps le saisit la première nuit de son établissement à l'ermitage. Cette ivresse de la nature est sincère, éloquente, communicative sous sa plume; il se sent délivré de la société des hommes. Mais, hélas! dès le lendemain, il n'est pas délivré de lui-même: ses inquiétudes, ses soupçons, ses rivalités, ses haines, ses amours, ses ingratitudes, l'assiégent jusque sous les ombres de cette forêt et dans cette douce hospitalité d'une amie.

Pour s'en distraire et pour prophétiser dans le désert, il divague dans la politique, il veut contraster avec Montesquieu, ce politique expérimental, et il ébauche le *Contrat social* en politique imaginaire.

Une femme évaporée lui demande follement un traité d'éducation, à lui, l'homme qui n'a jamais trouvé sa place dans le monde des hommes, qui n'a reçu d'éducation que celle des aventuriers, et dont toute la règle a été de n'en point avoir! On en verra le résultat dans l'*Émile*, livre qui fait tant d'honneur au talent de plume de celui qui l'écrivit, comme rêverie, et tant de honte à ceux qui l'admirèrent comme code d'éducation.

Le caractère de Rousseau se révèle tout entier dans les motifs d'égoïsme qui le jetèrent dans cette demi-solitude au milieu de sa vie.

«Madame de Warens, écrit-il lui-même alors, vieillissait et s'avilissait! Il m'était prouvé qu'elle ne pouvait plus être heureuse ici-bas; quant à Thérèse, je n'ai jamais senti la moindre étincelle d'amour pour elle; les besoins sensuels satisfaits près d'elle n'ont jamais eu rien de spécial à sa personne.»

Ce fut à cette époque, le milieu de la vie déjà passé, que Rousseau chercha dans sa seule imagination le fantôme de cet amour que son cœur ne lui avait jamais fait éprouver. Il écrivit son *Héloïse*, roman déclamatoire comme une rhétorique du sentiment, dissertation sur la métaphysique de la passion, passionné cependant, mais de cette passion qui brûle dans les phrases et qui gèle dans le cœur. Son imagination allumée pour Julie, l'amante pédantesque de son drame, se convertit un instant en amour réel, mais purement sensuel, pour madame d'Houdetot, sa voisine de campagne, femme très-séduisante, mais très-solidement attachée à Saint-Lambert, ami de Rousseau, et qui se plaisait dans la société de Rousseau par la réminiscence fidèle de Saint-Lambert absent.

Rousseau, perverti cette fois par une passion folle, mais sincère, trahit l'amitié, et s'efforça de dérober à Saint-Lambert la fidélité de madame d'Houdetot. Elle ne lui laissa dérober que des coquetteries d'amitié et d'innocentes illusions de tendresse. Rousseau, dans un perpétuel délire, continuait à prêter au personnage de son roman les sentiments et les sensations de ses entretiens avec madame d'Houdetot; les amis de madame d'Épinay, Grimm et Diderot, informés par Thérèse du délire de Rousseau, raillèrent le philosophe amoureux, et contristèrent madame d'Houdetot et Saint-Lambert par des ricanements sur cette passion.

L'âge et la sauvagerie de Rousseau pris en flagrant délit de ridicule, il découvrit que la curiosité de madame d'Épinay allait jusqu'à corrompre Thérèse pour avoir communication de la correspondance mystérieuse entre madame d'Houdetot et lui.

Son orgueil se révolta contre ces tentatives d'espionnage, et contre ces connivences de Thérèse et de madame d'Épinay.

Ces tripotages d'amour, de jalousie, de curiosité, d'humeur, bagatelles prenant l'importance de crimes devant une imagination ombrageuse et grossissante, dégénérèrent en inimitiés acharnées entre Rousseau et madame d'Épinay. Il s'éloigna d'elle, et se réfugia en plein hiver dans une autre maisonnette de Montmorency, où il vécut dans une volontaire indigence, indigence toutefois plus ostentatoire que réelle.

Il avait renvoyé à Paris, assez durement, la mère octogénaire de Thérèse. L'aigreur de ses ressentiments contre Diderot, Grimm, le baron d'Holbach, ses premiers amis, le brouilla alors avec la secte des philosophes dont il avait été jusque-là le protégé.

Cette haine rejaillit jusque sur Voltaire, qu'il confondit injustement avec ces athées radicaux de l'impiété. Voltaire, moins emphatique, mais toutefois plus réellement sensible, plaignit la démence de Rousseau, lui pardonna ses hostilités contre lui, et lui offrit, quand il fut persécuté, une hospitalité courageuse.

## XXII

Pendant que Rousseau imprimait son roman de la *Nouvelle Héloïse*, il achevait son *Contrat social*, et, pendant qu'il écrivait cette diatribe contre toute aristocratie, il se façonnait à la courtisanerie la plus obséquieuse dans la société très-aristocratique du prince de Conti et de la duchesse de Luxembourg.

Le prince de Conti était un de ces caractères et un de ces esprits mal faits, qui profitent de leur rang pour opprimer les petits, et qui profitent de leur popularité d'opposition à la royauté pour imposer au souverain; il flattait Rousseau, républicain, pour humilier la cour; il affectait des principes austères de Romain, et il tenait à Paris ou à l'Île-Adam, près de Montmorency, une cour de débauchés et de frondeurs. Il s'indignait contre les favorites royales de Louis XV, et des Pompadours et des Dubarrys subalternes gouvernaient sa maison.

Quant à la duchesse de Luxembourg, elle avait été célèbre autrefois par sa beauté sous le nom de Boufflers, son premier mari. Elle avait été célèbre surtout par des faiblesses qui avaient scandalisé même ce temps de scandale. Devenue veuve, elle avait épousé un de ses anciens adorateurs, le duc de Luxembourg, illustre par son nom, insignifiant par son esprit, respectable par ses mœurs.

Forcée par l'âge de renoncer à l'empire de la beauté, elle avait aspiré à l'empire de l'esprit, dont elle était assez digne. Le voisinage de Rousseau, déjà recherché du grand monde, lui avait paru une bonne fortune pour son salon: le rôle de Mécène d'un cynique insociable tentait toutes les femmes. Rousseau se prêtait à ses prévenances: la protection y était noblement déguisée sous l'amitié. Il accepta du duc et de la duchesse un appartement dans le petit château dépendant de leur somptueuse demeure dans le parc de Montmorency. Pour payer cette hospitalité, il fit pour la maréchale une copie manuscrite de la *Nouvelle Héloïse*; il en fit une autre pour madame d'Houdetot, qui dut y reconnaître l'amour qu'elle avait inspiré à l'auteur. Rousseau vivait du prix de ces copies et de la musique qu'on lui commandait par le désir d'obliger un homme illustre. Il en modérait lui-même le salaire pour que le travail manuel ne dégénérât pas en munificence humiliante pour lui.

Son troisième ermitage au petit château était assiégé tout l'été des visites des plus grands seigneurs et des plus grandes dames, hôtes du maréchal. Ermite de cour dans un ermitage d'opéra, il jouait son rôle de sauvage dans une apparente séquestration. Il ne vit jamais plus de monde, et un monde plus choisi, que dans sa forêt.

## XXIII

La *Nouvelle Héloïse*, roman d'idée autant et plus que roman de cœur, eut un succès de style et un effet d'éloquence qui passionna toutes les imaginations pour l'écrivain. On déifia l'amour dans l'auteur. Le nom de Rousseau se répandit et s'éleva aux proportions de l'engouement et du fanatisme.

La déclamation à froid de certaines lettres de cette correspondance fut échauffée par le fond de passion qui brûlait sous la voluptueuse contagion des autres lettres; le style couvrit tout de son charme. Ce style, qui n'était ni grec, ni latin, ni français, mais helvétique, ravit par sa nouveauté toutes les oreilles: musique alpestre qui semblait un écho des montagnes, des lacs et des torrents de l'Helvétie. Ce fut une ivresse qui dura un demi-siècle, mais qui ne laisse, maintenant qu'elle est dissipée, que des pages froides dans des esprits vides.

C'est que ce livre était de la nature des sophismes: il fut prestigieux, il ne fut pas naturel; la nature seule a dans les livres des effets immortels.

Celui-là refroidirait aujourd'hui le cœur d'un amant, et éteindrait le sophisme même dans le ridicule des conceptions. C'est comme sur les Alpes de *Meilleraie*, un glacier qui brille, mais qui transit.

Il écrivit presque en même temps l'*Émile*, livre d'un style admirable et d'une conception insensée. C'était un singulier contraste dans Rousseau qu'un homme écrivant un traité d'éducation pour le genre humain de la même main qui venait de jeter et qui jetait encore à cette époque ses enfants à l'hôpital des enfants trouvés pour y recevoir l'éducation de la misère, du hasard, et peut-être du vice et du crime.

Père dénaturé, qui signalait sa tendresse menteuse pour l'humanité en faisant ces forçats de naissance appelés des enfants trouvés, dans ces tours, égouts de l'illégale population des cités.

Aussi la fausseté de cette paternité humanitaire du sophiste de vertu éclate-t-elle à toutes les pages de ce ridicule système d'éducation dans un livre que la démence seule peut expliquer.

Le premier de ces ridicules, c'est d'écrire, pour l'éducation universelle d'un peuple qui ne vit que de travail et de pauvreté, un livre qui suppose dans la famille et dans l'enfant qu'on élève une opulence de Sybarite ou des délicatesses de Lucullus, des palais, des jardins, des serviteurs de toutes sortes, des gouverneurs mercenaires attachés par des salaires sans mesure aux pas de chaque enfant, des voyages lointains à grands frais avec le luxe d'un fils de prince, voyages d'Alcibiade avec un Socrate à droite et un Platon à gauche de l'élève. Absurdités inexplicables, à moins d'avoir, comme le fils de Philippe, Aristote pour maître, la Macédoine pour héritage et le monde pour théâtre de ses vices ou de ses vertus. Les élèves de Rousseau dans l'*Émile* seront donc un peuple de rois!

On ne comprend pas aujourd'hui que l'engouement du dix-huitième siècle ait pris un seul jour au sérieux un livre soi-disant écrit pour le peuple, et dont tous les enseignements supposent dans les pères, les maîtres et les élèves la plus insolente aristocratie. Platon n'a rien rêvé de plus incompatible avec les réalités de l'espèce humaine.

Une seule page de ce livre est d'un philosophe, d'un poëte et d'un sage; c'est celle où, au commencement d'un chapitre, véritable vestibule d'un panthéon moderne, Rousseau décrit l'horizon, la vie, la pensée d'un pauvre prêtre chrétien enseignant à un village, où il est exilé, le culte et la charité d'une communion universelle. C'est ce qu'on appelle la profession de foi du vicaire savoyard.

Note de religion universelle, en effet, religion des sens et de l'âme qui ne froisse aucun dogme national, qui ne retranche aucune vertu humaine, mais qui embrasse et illumine tous les dogmes sincères et toutes les vertus naturelles dans une atmosphère de vie, de chaleur et de piété semblable au rejaillissement d'un même soleil sur la coupole d'Athènes, sur la cathédrale de Sainte-Sophie et sur les mosquées d'Arabie dans cet Orient plein de Dieu!

Cette page de l'*Émile* est ce qu'il y a certainement de mieux pensé, de mieux senti, de mieux écrit dans toutes les œuvres de J.-J. Rousseau. C'est un fragment de cette éloquence lapidaire dont les monuments de l'Inde, de la Perse, de l'Égypte, de la Grèce orphéique conservent les dogmes dans les inscriptions de leurs temples, retrouvées et déchiffrées par nos érudits; un alphabet épelé des vérités primitives, dont toutes les lettres rassemblées disent Dieu dans la nature et lois divines dans l'humanité.

Voltaire lui-même, qui, en qualité d'esprit juste, abhorrait Rousseau, l'esprit faux, s'arrête et s'étonne, dans son dénigrement bien naturel, devant cet éclair sorti des ténèbres, et s'écrie:

«Ô Rousseau! tu écris comme un fou et tu agis comme un méchant, mais tu viens de parler comme un sage et comme un juste! Lisez, mes amis, et saluons la vérité et la morale partout où elles éclatent, même dans la méchanceté et dans la démence.»

C'est alors que Voltaire pardonne à Rousseau les injures qu'il en a reçues sans les avoir provoquées, et qu'il lui ouvre son cœur et sa maison pour l'abriter contre les persécutions et les exils dont Paris menace l'écrivain d'*Émile* et d'*Héloïse*.

## XXIV

Ces livres, quoique protégés par M. de Malesherbes, directeur de la librairie, gardien très-infidèle de l'intolérance du clergé, du parlement et de la police, étaient frappés d'anathème, et leur auteur de proscription. Mais la faveur des grands, de la cour, du public, éteignait ces foudres officielles, et faisait échapper Rousseau à ces vaines proscriptions, plus ostentatoires que dangereuses.

Il s'en allait un moment, rentrait sans obstacle et attendait tranquillement dans la ville et dans le palais du prince de Conti la fin de ces persécutions peu sérieuses. La magie de son style le dérobait à toute atteinte des lois; tous ses lecteurs devenaient ses complices, pendant que ce livre était dans leurs mains.

La guerre intestine qu'il avait déclarée aux philosophes, ses premiers prôneurs, lui avait créé entre le christianisme et l'athéisme une situation exceptionnelle qui lui faisait ce qu'on nomme un tiers-parti dans les assemblées. Nul ne confessait Dieu avec plus de foi et plus d'éloquence. L'athéisme, délire froid des sociétés expirantes, ne pouvait sortir des montagnes, des lacs et des glaciers d'un peuple pastoral comme la Suisse. La boue ne reflète rien: le ciel et les eaux sont le miroir matériel du Grand Être.

Rousseau y avait trop souvent contemplé cette grande image, pour ne pas la reproduire dans ses écrits. Il y a peu de vraie morale, mais il y a une ardente piété dans son style. C'est par là qu'il vit: l'adoration est la vertu de l'intelligence.

## XXV

À la première rumeur produite à Paris par l'apparition de son livre, il se sauve à Motiers-Travers, village de Neufchâtel, sous la protection du roi de Prusse; il y revêt le costume d'Arménien, fantaisie grotesque qui ressemble à un déguisement et qui n'est qu'une affiche. Cette puérilité dans un philosophe européen attire sur lui une attention qui s'attache plus à l'habit qu'à la personne. Bientôt il entre en querelles épistolaires avec les membres du gouvernement de Genève qui ont condamné ses principes religieux; et, pour leur prouver son christianisme, il abjure le catholicisme et se convertit dogmatiquement et pratiquement au calvinisme sous la direction du pasteur du village.

Il communie à Motiers-Travers, comme Voltaire à Ferney, mais moins dérisoirement.

Le pasteur et lui finissent par se brouiller et par s'excommunier pour des vétilles de sacristie; les habitants prennent parti pour leur prêtre, et lancent des pierres, pendant la nuit, contre les fenêtres de Rousseau. Il s'enfuit avec Thérèse, son esclave volontaire, dans la petite île de Saint-Pierre, appartenant au canton de Berne. Il n'a que le temps d'y rêver une félicité pastorale dans l'oisiveté d'un philosophe contemplatif; le gouvernement de Berne menace de l'expulser: il supplie ce gouvernement de le faire enfermer à vie, pour qu'au prix de sa liberté, il jouisse au moins d'un asile en Suisse.

## XXVI

Un nouveau caprice de son imagination le rejette à Paris. Son costume d'Arménien le fait suivre dans les rues, et il se plaint de l'importunité qu'il provoque. Le grand historien anglais Hume a pitié de ses agitations: il se dévoue à le conduire en Angleterre et à lui trouver, avec une pension du roi, un asile champêtre dans le plus beau site du royaume pour passer en paix le reste de ses jours.

Rousseau, déjà égaré par une véritable démence de cœur, reconnaît tous ces services d'un honnête homme en accusant de perfidie et de trahison cette providence de l'amitié. Hume s'étonne d'avoir réchauffé ce malade ramassé sur la route pour en recevoir les coups les plus iniques à sa renommée: il s'éloigne en le plaignant et en le méprisant.

Rousseau revient à Paris, y continue une vie inquiète et inexplicable, moitié de génie, moitié de démence. Incapable d'activité dans la foule, incapable de repos dans la solitude, recueilli par la famille de Girardin, à Ermenonville, dans un dernier ermitage, il y meurt d'une mort problématique, naturelle selon les uns, volontaire selon les autres: le mystère après la folie.—Le moins raisonnable et le plus grand des écrivains des idées des temps modernes repose, jeté par le hasard, sous des peupliers, dans une petite île d'un jardin anglais, aux portes d'une capitale, lui qui, dans sa mort comme dans sa vie, sembla le plus misanthrope des hommes en société, et le plus incapable de se passer de leur enthousiasme.

Énigme vivante, dont le seul mot est *imagination malade*. Homme qu'il faut plaindre, qu'il faut admirer, mais qu'il faut répudier comme législateur; car il n'y a jamais eu un rayon de bon sens, d'expérience et de vérité dans ses théories politiques, et il a perdu la démocratie en l'enivrant d'elle-même.

C'est ce que nous allons essayer de vous prouver en commentant ici le *Contrat social*.

## XXVII

Le *Contrat social* est le livre fondamental de la révolution française. C'est sur cette pierre, pulvérisée d'avance, qu'elle s'est écroulée de sophismes; que pouvait-on édifier de durable sur tant de mensonges?

Si le livre de la révolution française eût été écrit par Bacon, par Montesquieu, ou par Voltaire, trois grands esprits politiques, ce livre aurait pu réformer le monde sans le renverser; le catéchisme de la révolution française, écrit par J.-J. Rousseau, ne pouvait enfanter que des ruines, des échafauds et des crimes. Robespierre ne fut pas autre chose qu'un J.-J. Rousseau enragé, et enragé de quoi? De ce que les réalités ne se prêtaient pas aux chimères.

Tel fut l'homme; voyons l'ouvrage.

Nous allons procéder dans cet examen axiome par axiome, afin d'en mettre en relief la fausseté radicale, et, quand nous aurons entassé sous vos yeux assez de ces simulacres de pensées, assez de ces cadavres vides, pour vous convaincre que ce ne sont là que les sophismes d'un rêveur éveillé qui se moque de lui-même et des peuples, nous en démontrerons le néant.

Nous nous résumerons, dans le prochain Entretien, sur la législation de la nature, et nous vous dirons à notre tour: Voilà la véritable société, telle que Dieu l'a instituée quand il a daigné créer l'homme sociable. Sur ce chemin de la nature et de la vérité, vous trouverez quelques progrès bornés par la condition *finie* de l'élément imparfait de toute institution humaine: l'homme.

Sur le chemin de la métaphysique et de l'utopie vous ne trouverez que des systèmes, des déceptions et des ruines. Dieu n'a pas voulu que, dans la science expérimentale par excellence, qui est la politique, la société pût réaliser ses rêves et se passer de l'épreuve du temps, de la connaissance des hommes, des leçons de l'histoire et du contrôle des réalités. Entre les rêveurs et les politiques, il y a les choses telles qu'elles sont, c'est-à-dire le possible.

J'étais bien jeune quand j'écrivis ce vers, devenu proverbe:

Le réel est étroit, le possible est immense!

Mais, tout jeune que j'étais, et tout poëte qu'on me reprochait d'être, j'avais un puissant sentiment du vrai ou du faux dans la politique; quoique très-dévoué aux progrès rationnels des idées et des institutions sociales, j'étais un ennemi né des utopies, ces mirages qu'on présente aux peuples comme des perspectives, et qui les égarent sur leur route, dans des déserts sans fruits et sans eaux. Mais, prématurément sensé, je croyais et je crois encore que, pour devenir législateur des sociétés humaines, il fallait un long et grave noviciat d'âge, d'études, de fréquentation des hommes, de pratique des affaires, de voyages parmi les peuples, les lois, les mœurs, les caractères des diverses contrées; le spectacle des choses humaines parmi les hommes, en ordre ou en anarchie; en un mot, une éducation complète et appropriée à l'auguste emploi que l'on se proposait de faire de sa sagesse, après l'avoir apprise; j'y ajoutais encore la vertu, cette sagesse pratique sans laquelle il n'y a pas d'inspiration divine dans le législateur.

Si l'éducation est nécessaire dans le monde des arts, ou pour le plus vil des métiers d'ici-bas, comment supposer qu'elle soit moins indispensable pour le plus sublime et le plus difficile des arts, l'art d'instituer des sociétés et de gouverner des républiques ou des empires?

Comment admettre ce génie inné ou improvisé de la législation dans le premier songeur venu, étranger même au pays pour lequel il écrit, et sorti de l'échoppe de son père artisan, pour dicter des lois à l'univers?

Aucun génie, quelque grand qu'on le suppose, ne pourrait suffire à cette orgueilleuse tâche. Pour parler il faut connaître: sans avoir appris, que connaît-on? Rien, pas même soi!

Zoroastre avait été pontife d'un empire immense, foyer d'une théocratie à la fois divine et politique, qui résumait toutes les clartés du monde primitif; ses lois n'étaient que des dogmes réformés par une longue expérience.

Solon avait voyagé dans tout l'Orient, poëte et philosophe, recueillant pour sa patrie les miettes de la profonde sagesse orientale.

Pythagore avait colonisé les grandes législations de la Grèce orphéique en Italie.

Numa avait consulté des inspirations occultes qui étaient vraisemblablement les lois de Pythagore; la législation qu'il donna à Rome était et est restée trop savante pour être l'importation de hordes de barbares.

Les feuilles de la sibylle n'étaient que les bribes éparses de quelque code d'antique législation.

Le législateur des chrétiens, lui-même, ne voulut révéler ses doctrines qu'après avoir vécu pendant trente ans dans l'obscurité, à l'étranger, et quarante jours dans la sainteté du désert.

Fût-on Orphée, on improvise un hymne, mais pas un code.

Mahomet, le législateur de l'Arabie, voyagea dix ans, recueillit sa religion et ses lois chez les juifs et les chrétiens, en leur vendant ses chameaux et ses épices, et ne commença à prophétiser qu'après avoir souffert la persécution, première vertu de l'homme qui s'immole à sa patrie et à son Dieu.

Dans les temps modernes, Bacon avait passé sa vie dans les hautes magistratures;

Machiavel, dans les négociations diplomatiques, dans les conseils de sa république, dans les conciliabules des factieux, dans les mystères de l'ambition et des crimes de César Borgia, dans la confidence des papes et des Médicis, dans les tumultes des camps et du peuple.

Voltaire avait vécu dans les intrigues de la régence, dans la diplomatie du cardinal de Fleury, dans la cour du grand Frédéric, dans la familiarité des rois et des ministres qui jouaient au jeu des batailles avec la fortune.

Montesquieu avait mené une vie grave, studieuse, solitaire, et cependant affairée, à la tête d'une de ces hautes magistratures où se résument la philosophie des lois et l'administration de la justice des peuples.

Tous ces hommes avaient touché à cette réalité des choses qui contrôle dans des esprits justes l'inanité des théories par la pratique des hommes. On conçoit que des esprits sains, exercés par de longues années de vie publique, écrivent dans leur maturité des tables de la loi, des codes sociaux, des commentaires sur les gouvernements des nations, appropriés aux caractères, aux mœurs, aux traditions, aux âges, à la situation géographique des États, aux circonstances, même politiques, des peuples dont ils éclairent les pas dans la route de leur civilisation.

Ce sont les éclaireurs des nations qui marchent en avant ou qui regardent en arrière, pour leur enseigner le droit chemin à parcourir ou le chemin déjà parcouru, afin de bien orienter la colonne humaine. Ces phares vivants doivent être eux-mêmes pleins de lumières acquises par l'étude et la vertu: c'est là l'autorité de leur mission.

## XXVIII

Mais y avait-il dans J.-J. Rousseau une seule de ces conditions préliminaires d'un sage, d'un législateur, d'un publiciste?

Quelle éducation virile pour un instituteur politique que la sienne! Quelle autorité morale que sa vie! Quelle infaillibilité de vues que ses hallucinations! Quelle connaissance des choses et des hommes dans cette séquestration capricieuse, dans la solitude, d'un sauvage civilisé, qui ne peut supporter le moindre contact avec ses semblables, et qui, au lieu de se soumettre aux lois générales de la société, s'impatiente constamment de ne pouvoir soumettre la société à son égoïsme!

Quoi! voilà un enfant né dans la boutique d'un artisan, le point de vue le plus étroit pour voir le monde tout entier; car le défaut de l'artisan est précisément de ne rien voir d'ensemble, mais de tout rapporter à son seul outil, et à sa seule fonction dans la société: gagner sa vie, travailler de sa main, recevoir son salaire, se plaindre de sa condition, si rude en effet, et envier si naturellement les heureux oisifs;

Voilà un enfant qui, dégoûté de l'honnête labeur paternel avant de l'avoir même essayé, se prend à rêver au lieu de limer, s'évade de l'atelier et de la boutique de son père, va de porte en porte courir les aventures, préférant le pain du vagabond au pain de la famille et du travail; vend son âme et sa foi avec une hypocrite légèreté au premier convertisseur qui veut l'acheter pour trois louis d'or, qu'on lui glisse dans la main, en le jetant, avec sa nouvelle religion, à la porte;

Voilà un adolescent qui se prostitue volontairement de domesticité en domesticité dans des maisons étrangères, se faisant chasser de tous ces foyers honnêtes pour des sensualités ignobles, ou pour des larcins qu'il a la lâcheté de rejeter sur une pauvre jeune fille innocente et déshonorée!

Voilà un jeune homme qui se fait entretenir dans l'oisiveté par une femme, aventurière elle-même, dont il partage le cœur et le pain sans honte, et qu'il expose pour toute reconnaissance au pilori éternel de la postérité, véritable parricide, non de la main, mais du cœur, contre celle qui réchauffa dans son sein sa misère!

Voilà un homme fait qui, voyant la fortune de cette femme baisser, épuise sa pauvre bourse pour aller à Paris chercher quelque autre fortune de hasard, sans se retourner seulement d'une pensée vers celle qui fut sa providence, de peur d'avoir pitié de sa dégradation!

Voilà un soi-disant sage qui s'insinue en arrivant à Paris, comme Socrate chez Aspasie, parmi les femmes de cour, de légèreté et de licence, pour vivre de leurs vices, adulés, caressés et servis par lui!

Voilà un secrétaire intime et salarié par un ambassadeur, qui veut usurper les fonctions, le rang et l'autorité d'un diplomate, qui affecte l'insolence d'un parvenu dans l'hôtel de France à Venise, qui s'en fait justement congédier, et qui revient calomnier et invectiver à Paris le caractère de son maître et de son protecteur, en recevant son argent de la même main dont il s'acharne sur celui qui le paye!

Voilà ce serviteur infidèle qui suscite, par une si basse conduite, la juste réprobation de toutes ses protectrices et de tous ses protecteurs dans la société opulente de Paris; qui renonce forcément, par suite de ce soulèvement contre lui, à l'ambition et à la fortune, désormais impossibles, et qui, pour être quelque chose, se fait cynique faute de pouvoir être parvenu!

Voilà un cynique qui prend, non pour épouse, mais pour instrument de plaisir brutal et pour esclave, une pauvre fille enchaînée à sa vie par le déshonneur, par la faim et par le dévouement de son sexe aux vicissitudes de la vie!

Voilà un époux qui arrache impitoyablement, à chaque enfantement de ce honteux concubinage, le fruit d'un grossier libertinage aux bras et aux sanglots de la mère, pour que ce commerce, au-dessous de celui des brutes, n'ait ni charge morale, ni responsabilité matérielle pour lui!

Voilà un père, et quel père! un hypocrite prêcheur des devoirs et des dévouements de la maternité et de la paternité, le voilà qui renouvelle cinq ou six ans de suite, et de sang-froid, cet holocauste de la nature à l'égoïsme impitoyable de l'infanticide!

Voilà le maître d'une véritable esclave de ses plaisirs, qui ne laisse pas même à cette femme, victime de sa débauche comme maîtresse, victime de sa cruauté comme mère, l'illusion d'un amour exclusif, mais qui la rend, sans délicatesse, confidente ou témoin de ses infidélités avec des femmes vénales, ou de ses passions quintessenciées pour des femmes aristocratiques, qui lui permettaient les équivoques adorations de l'imagination pour leur beauté, ne voulant pas être amantes, mais consentant à être idoles!

Voilà un écrivain qui jette en beau style quelques paradoxes d'aventure contre la société, la plus sainte des réalités, pour la faire douter d'elle-même, et pour obtenir de son étonnement le succès qu'il ne peut espérer de son estime! (*Discours à l'Académie de Dijon.*)

Voilà un romancier qui souffle sciemment dans le cœur des jeunes filles toutes les flammes de la plus tumultueuse des passions, qui attente à toutes les chastetés de l'imagination pour former une épouse chaste, et qui déclare à sa première page que celle qui lui livrera son cœur est perdue! (*La Nouvelle Héloïse.*)

Voilà un philosophe qui compose un système d'éducation exclusif pour l'aristocratie, cette exception du peuple, système tel qu'une nourrice de bonne maison n'oserait pas y débiter tant de chimères dans un conte de fées; système tel qu'un Aristote, dans la cour d'Alexandre, aurait besoin pour le proposer et pour l'exécuter que chaque père et chaque enfant appartinssent à la caste des opulents dans un peuple de satrapes! (*L'Émile.*)

Voilà un vieillard qui se sauve en Angleterre avec un ami, et qui, en route, assassine de calomnie cet ami pour prix de la pitié qu'il lui montre et de l'asile qu'il lui propose!

Voilà un théiste qui, après avoir feint la profession de déisme contemplatif et de religion pratique, en dehors de toute révélation surnaturelle, s'en va abjurer, dans une église de la Suisse, son catholicisme, son théisme, sa philosophie, et communier sous les deux espèces, de la main d'un pasteur de village;

Enfin voilà un nouveau converti qui se brouille avec son convertisseur, et qui revient faire des constitutions de commande à Paris, pour la Pologne et pour la Corse, dont il ne connaît ni le ciel, ni le sol, ni la langue, ni les mœurs, ni les caractères, constitutions de rêves pour ces fantômes de peuples! bergeries politiques pour nos scènes d'opéra, dont toutes les institutions sont des décorations, des cérémonies, des rubans, des fêtes, des musiques, des danses assaisonnées de quelques axiomes absurdes et féroces pour rappeler les *Harmodius* et les *Catons*, un peu de grec, un peu de latin et beaucoup de suisse! (*Voir ces constitutions.*)

Voilà l'homme!

## XXIX

Y a-t-il dans tout cela, et tout cela est toute la vie littérale de J.-J. Rousseau, y a-t-il dans tout cela la moindre condition de ce noviciat de raison, de vertu, de science, de voyages à travers le monde, d'études spéciales des institutions sociales, de pratique des choses et des hommes, de nature à former un législateur?

Le prestige du style, l'éloquence des sophismes, la rêverie de l'imagination, l'orgueil du paradoxe, la prétention à la nouveauté, n'y sont-ils pas pour tout, la raison et l'expérience pour rien?

Est-ce aux témérités d'esprit d'un romancier solitaire, est-ce aux excentricités d'un cynique révolté contre la société, est-ce au suprême bon sens du plus chimérique des rêveurs, après Platon, est-ce à un courtisan des boudoirs des femmes légères de cour et de ville du siècle de Louis XV, est-ce au génie malade et malsain qui n'a jamais pu assujettir sa vie à aucun travail sérieux, à aucune règle de sociabilité utile, à aucune hiérarchie civile, toujours prêt à changer de Dieu et de patrie, comme poussé par une Némésis vagabonde à travers les régions extrêmes de l'idéal ou du désespoir, depuis le délire jusqu'au suicide?

Est-ce au moraliste, enfin, qui ne prêche jamais la vertu qu'aux autres dans ses phrases, et qui s'enveloppe pour lui-même, pour sa conduite privée, de tous les vices du plus abject égoïsme, depuis l'abandon de son père et l'ingratitude envers sa bienfaitrice, jusqu'au déshonneur de sa concubine, jusqu'à la condamnation sans crime de ses enfants, jusqu'à la diffamation de ses meilleurs amis, jusqu'à l'invective contre la pitié même qu'on lui prodigue?

Est-ce à de tels signes, dans un tel homme, qu'on peut reconnaître le caractère, l'aptitude, l'inspiration sociale d'un de ces prophètes politiques que les siècles reconnaissent pour des législateurs, à l'infaillibilité du bon sens, aux trésors de l'expérience, à la sublimité des inspirations?

Est-ce dans de tels vases fêlés et empoisonnés que Dieu verse ses révélations pour les communiquer aux peuples? Est-ce là un Zoroastre? un Moïse? un Confucius? un Lycurgue? un Solon? un Pythagore? Quelles lettres de crédit apportées à la démocratie moderne, que ce livre érotique et orgueilleux des *Confessions*, dont la seule vertu est l'impudeur! Confessions séduisantes, mais corruptrices, embusquées, comme une courtisane au coin de la rue, au commencement de la vie, pour embaucher la jeunesse, pour dévoiler les nudités de l'âme à l'innocence, et pour se glorifier de tous les vices en humiliant toutes les vertus!

Non! un tel homme n'a pu être aimé des dieux, selon l'expression antique, et l'impureté de l'organe aurait altéré, en passant par sa bouche, l'évangile même du peuple dont on a voulu le faire, quelques années après, le Messie.

Voyons cet évangile, dans son *Contrat social*.

Lamartine.

(*La suite au mois prochain.*)

# LXVIᵉ ENTRETIEN

## J.-J. ROUSSEAU.
## SON FAUX CONTRAT SOCIAL ET LE VRAI CONTRAT SOCIAL.

### DEUXIÈME PARTIE.

### I

Nous avons dit, dans le dernier Entretien, que J.-J. Rousseau, le premier des hommes doués du don d'écrire, était par sa nature, par son éducation, par sa place subalterne dans la société, par sa haine innée contre l'ordre social, par son égoïsme, par ses vices, le dernier des hommes comme législateur et comme politique, faux prophète s'il en fut jamais, et dont les dogmes, s'ils étaient adoptés par l'opinion séduite de son siècle, devaient nécessairement aboutir aux plus déplorables catastrophes pour le peuple qui se livrerait à ce philosophe des chimères.

Nous avons été confondu d'étonnement, en lisant ces jours-ci le *Contrat social*, du néant sonore et creux de ce livre qui a fait une révolution, qui a prétendu faire une démocratie, et qui n'a pu faire qu'un chaos.

Comment un peuple, qui possédait un Montesquieu, a-t-il été prendre un J.-J. Rousseau pour oracle?

C'est qu'il est plus aisé de rêver que de penser; c'est que le vide a plus de vertiges que le plein; c'est que Montesquieu était la science, et que Jean-Jacques était le délire.

Analysons cet évangile d'un peuple qui avait Mirabeau, et courait à Marat; les théories sont dignes des exécuteurs; tout mensonge est gros d'un crime.

### II

Le livre commence par cet axiome:

«L'homme est né libre, et partout il est dans les fers!»

De quel homme Rousseau prétend-il parler?

Est-ce de l'homme isolé?

Est-ce de l'homme social?

Si c'est de l'homme isolé, tombé du sein de la femme sur le sein de la terre, l'homme enfant n'a d'autre liberté que celle de mourir en naissant, car sans la société préexistante entre la femme et son fruit conçu par une rencontre purement bestiale, la femme n'est pas même tenue à le relever du sol, à le réchauffer sur son sein et à l'abreuver du lait de ses mamelles; et si, par un premier acte de cette société instinctive qu'on appelle l'amour maternel, l'enfant est nourri d'abord d'un aliment mystérieux préparé pour lui par la nature, aussitôt qu'il est sevré, que devient-il?

Non pas libre assurément, mais esclave de la faim, de la soif, du froid, de l'arbre qui lui donne ou lui refuse son fruit, de l'herbe qui pousse ou qui sèche sous sa main, de l'animal faible ou féroce qu'il dévore ou dont il est dévoré, de sa nudité qui l'expose à toutes les intempéries de l'atmosphère, esclave de tous les éléments, enfin; voilà l'homme naissant fastueusement déclaré libre par J.-J. Rousseau! Ajoutez que, s'il est rencontré dans son âge de faiblesse par un autre homme isolé plus fort que lui, il devient à l'instant sa victime ou son esclave; en sorte que le premier phénomène que présente la première société, c'est un maître et un esclave, un bourreau et une victime, jusqu'à ce que par les années la force du plus âgé devienne faiblesse, et la faiblesse du plus jeune devienne force et oppression, que les rôles changent, et que l'esclavage alternatif passe de l'un à l'autre avec la force brutale.

Voilà l'homme libre de J.-J. Rousseau dans l'état de nature. Dire qu'un tel être naît libre, n'est-ce pas abuser de la dérision du langage et de l'ironie du raisonnement?

Est-ce au contraire de l'homme en société que J.-J. Rousseau veut parler? Mais l'homme isolé y naît aussi nécessairement esclave de la société préexistante, que l'homme isolé dans l'état de nature y naît esclave des éléments et des autres hommes!

Esclave de la Providence, qui le fait naître ici ou là, sans qu'il ait choisi ou accepté ni le temps, ni le lieu, ni la saison, ni la condition, ni la famille où il surgit à l'existence; esclave de la mère qui l'accueille ou le repousse de son sein; esclave du père qui brutalement a le droit de vie ou de mort sur ses enfants; esclave de la famille qui s'élargit ou qui se ferme pour lui; esclave de frères ou de sœurs nés avant lui, qui en font leur serviteur et leur bête de somme pour se décharger sur lui du travail nourricier de tous; esclave de l'État qui lui inflige la condition dans laquelle il doit se ranger; esclave des lois établies qui lui prescrivent l'obéissance non délibérée aux prescriptions sociales; esclave du travail qui doit nourrir lui et ses frères; esclave de la mort, si le salut de la société lui demande sa vie sur les champs de bataille; esclave dans son corps, esclave dans son esprit, esclave dans son âme par la supériorité de force de tous contre un seul, par l'éducation qui lui impose ses idées, par la religion qui lui enseigne ses croyances; esclave de la volonté générale qui lui inflige ses punitions, ses expiations, même la mort.

Voilà, soit dans l'état sauvage, soit dans l'état de société, voilà l'homme isolé et libre de J.-J. Rousseau! En sorte que, dans l'une ou l'autre de ces hypothèses, l'axiome vrai, l'axiome évident est précisément l'axiome contraire à celui de ce législateur du paradoxe. Au lieu de lire: L'HOMME NAÎT LIBRE, ET PARTOUT IL EST DANS LES FERS, lisez: *l'homme naît esclave*, et il ne devient relativement libre qu'à mesure que la société l'affranchit de la tyrannie des éléments et de l'oppression de ses semblables par la moralité de ses lois et par la collection de ses forces sociales contre les violences individuelles.

Mais que peut-on attendre d'un législateur, ou aussi grossièrement trompeur, ou aussi stupidement trompé dès sa première ligne? Et que peut-on attendre d'un démocrate dont le premier principe repose sur une vérité ainsi renversée?

### III

En partant de ce principe ainsi renversé, et en posant à sa démocratie une base aussi fausse en arrière dans l'état soi-disant de nature, où peut aller J.-J. Rousseau, et où peut-il mener son peuple? Il le mène fatalement à l'inverse de toute sociabilité et de tout gouvernement, c'est-à-dire à l'inverse de toute perfection sociale, à la liberté absolue de l'individu, ce qui veut dire, comme nous venons de le voir, à l'esclavage absolu de tous ses semblables et de tous les éléments, à l'isolement, à l'égoïsme, à la tyrannie, à l'abrutissement, à la mort!

Et voilà l'homme qu'un siècle entier a appelé philosophe!

### IV

Le second axiome est celui-ci:

«Tant qu'un peuple est contraint d'obéir et  qu'il obéit, il fait bien; sitôt qu'il peut secouer le joug et qu'il le secoue, il fait encore mieux. Le droit de la société ne vient point de la nature.»

Cet axiome suppose de deux choses l'une: ou que l'obéissance, dénuée de toute raison d'obéir et de toute moralité dans l'obéissance, n'est que la contrainte et la force brutale, sans autorité morale, et alors l'autorité morale de la loi sociale est entièrement niée par ce singulier législateur de l'illégalité; ou cet axiome suppose que le joug des lois est une autorité morale, et alors ce cri d'insurrection personnelle contre toutes les lois est en même temps le cri de guerre légitime, perpétuel contre toute autorité. Et alors nommez vous-même de son vrai nom ce philosophe de la guerre civile!

Le théoricien de l'athéisme moral, le *grand a-narchiste* de l'humanité! Faites des lois après cette protestation contre toute autorité des lois! Faites des démocraties après cette invocation contre toute association des individus en peuples!

Quel législateur qu'un philosophe qui inscrit sur le frontispice de ses lois le cri d'insurrection contre ces lois mêmes!

## V

Poursuivons.

Voici la théorie de la famille:

«Sitôt que le besoin que les enfants ont du père pour se conserver cesse, le lien naturel est dissous; les enfants exempts de l'obéissance envers le père, le père exempt des soins qu'il devait aux enfants, rentrent également dans l'indépendance. Cette liberté commune est une conséquence de la nature de l'homme. Sa première loi est de veiller à sa propre conservation; SES PREMIERS SOINS SONT CEUX QU'IL SE DOIT À LUI-MÊME; et sitôt qu'il est en âge de raison, lui seul, étant juge des moyens PROPRES À SE CONSERVER, DEVIENT PAR CELA SEUL SON PROPRE MAÎTRE!»

Si la brute la plus dénuée de toute moralité écrivait un code de démocratie pour les autres brutes, c'est ainsi qu'elle écrirait!... Mais non, nous calomnions la brute; car, bien que le lionceau nouveau-né soit parfaitement inutile et soit même onéreux au lion qui l'a engendré, cependant le lion, par la vertu occulte de la paternité seulement bestiale, veille et combat pour sa femelle qui allaite, et s'expose à la mort pour apporter la nourriture à son lionceau!

Mais si un tel principe calomnie les animaux, c'est qu'il blasphème encore plus l'homme, animal doué de moralité dans ses actes et dont le plus sublime est DEVOIR.

Quel blasphème, disons-nous, contre l'existence même de tout principe spiritualiste, contre toute âme, contre toute divinité dans les êtres! Quelle plus vile profession de foi d'un matérialisme absolu, réduisant toute la sociabilité, même celle de l'amour, de la génération et du sang, à la grossière sensation de la peine, du plaisir, ou des besoins physiques dans le père, dans la mère, dans l'enfant, blasphème qui donne pour toute moralité à cette trinité sainte de la famille, quoi? la basse gravitation physique qui détache et qui fait tomber le fruit de l'arbre quand il est mûr, sans se soucier du tronc qui l'a porté, et qui fait relever la branche avec indifférence quand la branche est soulagée du fruit détaché!

Ainsi la consanguinité du fils avec le père et la mère, consanguinité aussi mystérieuse dans l'âme que dans les veines; ainsi la loi de solidarité génératrice, qui enchaîne la cause à l'effet dans les parents, et l'effet à la cause dans les enfants; ainsi la loi d'équité, autrement dit la reconnaissance, qui impose l'amour, non-seulement affectueux, mais dévoué, au fils, pour la vie, l'allaitement, les soins, la tendresse, l'éducation, l'affection souvent pénible dont il a été l'objet dans son âge de faiblesse, d'ignorance, d'incapacité de subvenir à ses propres besoins; ainsi la loi de mutualité, qui commande à l'homme mûr de rendre à sa mère et à son père les trésors de cœur qu'il en a reçus enfant ou jeune homme; ainsi la piété filiale, nommée de ce nom dans toutes les langues pour assimiler le culte obligatoire et délicieux des enfants envers les auteurs de leur vie et les providences visibles de leur destinée au culte de Dieu!

Ainsi enfin le culte même des tombeaux, commandé aux générations vivantes pour les générations mortes, dont les monuments funèbres prolongent la mémoire et les deuils jusqu'au delà des sépulcres, pour rappeler les enfants à la réunion des poussières et des âmes dans la vie future, où la grande parenté humaine confondra les pères, les mères, les enfants dans la famille retrouvée et dans l'éternel embrassement de la renaissance!

Tout cela n'est rien aux yeux du législateur immoral pour qui tout le spiritualisme social, et même sentimental, consiste à nier toute loi morale et tout sentiment, et à ne voir dans la divine loi de filiation de l'être pensant que le phénomène d'une sève nourricière, d'une chair humaine, qui, quand elle a passé d'une veine à une autre veine, ne laisse à l'espèce renouvelée que le devoir de fleurir un jour sur les débris desséchés et indifférents de l'espèce qui fleurissait hier dans le même sillon!

Voilà un beau principe social à établir pour base des vertus dans toute sociabilité en ce monde!

Étonnez-vous après cela de ce qu'un pareil législateur jette une dédaigneuse pitié sur son père, flétrisse sa bienfaitrice, corrompue par sa commisération pour lui, se refuse au mariage, cette tutelle des générations à venir, et jette ses propres enfants à la voirie publique et aux gémonies du hasard qu'on appelle Hospice des enfants abandonnés, pour les punir sans doute d'être nés d'un père aussi dénaturé que ce sophiste législateur!

## VI

Après l'établissement de tels principes, et en écartant toujours le seul principe divin de toute sociabilité, le Dieu qui a créé la souveraineté nécessaire en créant l'homme sociable, Rousseau cherche à tâtons le principe de la souveraineté. Où le trouverait-il, puisque, selon lui, la souveraineté n'est qu'un principe matériel et brutal, fondé seulement sur un intérêt physique et mutuel résultant de nos seuls besoins charnels ici-bas?

Quand vous éteignez Dieu dans le ciel, comment verriez-vous la vérité sur la terre?

Aussi, voyez comme le sophiste s'égare, se confond et se contredit dans cette recherche aveugle de la loi de souveraineté à faire accepter aux peuples! Où peut être l'autorité d'une souveraineté sociale qui ne puise pas son droit et sa force dans la source de tout droit et de toute force, la nature et la divinité?

«Le droit, dit-il, n'ajoute rien à la force,» et quelques lignes plus loin il conteste le droit à la force. Reste le hasard; il lui répugne. Il imagine une convention explicite, préexistante à toute convention, c'est-à-dire un effet avant la cause, une absurdité palpable, pour toute explication du mystère social.

Ne faut-il pas en effet que le peuple existe, qu'il existe en sol, en population, en société, en connaissance de ses intérêts, de ses droits, de ses devoirs, en civilisation et en volonté, avant de convenir qu'il se rassemblera en comices pour délibérer sur son existence, sur son mode de sociabilité, sur ses lois, sur sa république ou sur sa monarchie, et de donner ou de refuser son consentement à ces juges tombés du ciel ou sortis des forêts, Moïse, Lycurgue, Numa, Montesquieu ou Rousseau, sauvages chargés d'improviser la société et de faire voter le genre humain? Toute sagesse serait un scrutin de la barbarie!

Une telle origine de la société, et de la politique, de la souveraineté des gouvernements, n'est-elle pas le délire de l'imagination? Les contes de fées racontés aux enfants par leurs nourrices ne sont-ils pas des chefs-d'œuvre de bon sens et de logique auprès de ces contes bleus du législateur de l'ermitage de Montmorency?

## VII

Quant à la SOUVERAINETÉ, c'est-à-dire à ce pouvoir légitime qui régit avec une autorité sacrée les empires, Rousseau la place, la déplace métaphysiquement ici ou là, dans un tel labyrinthe d'abstractions, et lui suppose des qualités tellement abstraites, tellement contradictoires, qu'on ne sait plus à qui il faut obéir, et contre qui il faut se révolter; tantôt lui donnant des limites, tantôt la déclarant tyrannique; ici la proclamant indivisible, là divisée en cinq ou six pouvoirs, pondérés, fondés sur des conventions supérieures à toute convention; collective, individuelle, existant parce qu'elle existe, n'existant qu'en un point de temps métaphysique que la volonté unanime doit renouveler à chaque respiration; déléguée, non déléguée, représentative et ne pouvant jamais être représentée; condamnant le peuple à tout faire partout et toujours par lui-même, lui défendant de rien faire que par ses magistrats; déclarant que le peuple ne peut jamais vouloir que le bien, déclarant quelques lignes plus loin la multitude incapable et perpétuellement mineure. Véritable Babel d'idées, confusion de langues qui ressemble à ces théologies du moyen âge où Dieu s'évapore dans les définitions scolastiques de ceux qui prétendent le définir!

Le peuple souverain de Rousseau s'évanouit comme le Dieu des théologues: on ne sait à qui croire, on ne sait qui adorer dans leur théologie; on ne sait à qui obéir dans la souveraineté populaire de Rousseau. La souveraineté y flotte sans titre, sans base, sans forme, sans organe, comme un de ces nuages dans le vide auquel l'imagination ivre de métaphysique peut donner les formes et les couleurs qui lui conviennent!

Malheur au peuple qui chercherait ainsi son gouvernement dans les nues! il serait mort avant de l'avoir trouvé pour l'appliquer aux nécessités urgentes et permanentes de son association nationale.

## VIII

Quand Rousseau touche à la question des gouvernements, il devient plus inintelligible encore; il est impossible de tirer de ses divisions, subdivisions, pondérations, un seul mode de gouvernement applicable.

Toute affirmation de pouvoir y est contredite par une négation. Démocratie, aristocratie, monarchie représentative, monarchie absolue, démagogie sans limites, sans capacité et sans responsabilité, théocratie sans contrôle et sans réforme possible; divinité de Dieu incarnée dans le pontife ou dans le corps sacerdotal, gouvernements mixtes, où les pouvoirs se gênent par les frottements ou bien s'équilibrent dans l'immobilité par les contre-poids; despotisme, tyrannie, anarchie, enfin maximes destructives de tout gouvernement, telle que celle-ci:

«LA SOUVERAINETÉ NE PEUT ÊTRE REPRÉSENTÉE PAR LA MÊME RAISON QU'ELLE NE PEUT ÊTRE ALIÉNÉE, PARCE QU'ELLE CONSISTE DANS LA VOLONTÉ GÉNÉRALE, ET QUE LA VOLONTÉ NE SE REPRÉSENTE PAS!» Idéalité abstraite substituée à toute réalité pratique, et qui rend tout gouvernement impossible en le rendant purement *idéal*.

Écoutez cette autre maxime, non moins anarchique par ses conséquences: «À L'INSTANT OÙ UN PEUPLE SE DONNE DES REPRÉSENTANTS, IL N'EST PLUS LIBRE, IL N'EXISTE PLUS!» Maxime qui conduirait le peuple à l'ubiquité de temps, de lieu, de fonction, d'aptitude, ou à la servitude et à l'anéantissement! Maxime que nous avons vu resurgir des théories métaphysiques de nos jours, maxime renouvelée des rêveries de J.-J. Rousseau; maxime qui ne renverse pas moins tout bon sens que toute société nationale!

## IX

Plus loin, Rousseau prétend établir que, LES CITOYENS ÉTANT ÉGAUX (ce qui n'est pas plus vrai des hommes que des arbres), nul n'a le droit d'EXIGER QU'UN AUTRE FASSE CE QU'IL NE FAIT PAS LUI-

MÊME, ce qui condamnerait le souverain à monter la garde à la porte de son propre palais, ou le général à combattre au même rang et au même poste que chacun de ses soldats!

En matière de religion, J.-J. Rousseau professe dans le *Contrat social* la doctrine impie qui impose la tyrannie de l'État jusque dans l'inviolabilité des âmes, la doctrine de l'*unité de religion politique* dans l'État; SANS CELA, dit-il, jamais l'État ne sera bien constitué.

Ainsi ce n'est pas seulement sa liberté que le citoyen doit céder au roi, c'est son âme. Dieu est le sujet du peuple ou du roi!

Quel libéralisme dans ce législateur oppresseur de toute liberté! la philosophie et la théologie aboutissant à une religion civile et non divine!

Là finit le livre, car la tyrannie populaire ou royale ne va pas plus loin! *Hic tandem stetimus nobis ubi defuit orbis.*

Fermons donc ce livre, et plaignons le philosophe d'avoir rencontré un tel peuple pour l'admirer, et plaignons le peuple d'avoir eu un tel philosophe pour législateur!

## X

Et maintenant que ce déplorable livre a porté ses fruits de démence et de perdition dans une démocratie avortée, faute de véritable philosophie dans son faux prophète, essayons de remettre un peu de bon sens dans la philosophie politique du peuple, et de substituer en matière de gouvernement quelques vérités pratiques, et par cela même divines, à ce monceau de chimères devenu un monceau de ruines sous la main égarée des sectaires d'un aveugle, qui écrivit de génie et qui pensa de hasard.

## XI

Qu'est-ce que la société politique entre les hommes?

Qu'est-ce que la première législation?

Qu'est-ce que la souveraineté?

Qu'est-ce que les gouvernements?

Y a-t-il une seule forme de bon gouvernement? Y en a-t-il plusieurs également bonnes, selon les lieux et les temps, les âges et les caractères des peuples?

Qu'est-ce que les lois?

Qu'est-ce que l'administration des lois?

Qu'est-ce que la famille?

Qu'est-ce que la propriété?

Qu'est-ce que la liberté?

Qu'est-ce que l'égalité?

Qu'est-ce que la perfection ou la décadence sociale?

Quel est le mode de consulter de véritables et perpétuels oracles de la véritable politique?

Raisonnons et ne rêvons pas; on n'a que trop rêvé depuis Rousseau: raisonnons d'après la nature.

## XII

Et d'abord, qu'est-ce que la société politique?

La société politique, nullement délibérée, mais instinctive et FATALE dans le sens divin du mot fatal (*fatum, destinée*), est un acte par lequel l'homme, né forcément sociable, se constitue en société avec ses semblables.

Cette société politique a-t-elle uniquement pour objet, ainsi que le prétendent J.-J. Rousseau et ses émules les publicistes semi-matérialistes, la satisfaction des besoins matériels de l'homme et l'accroissement de ses jouissances physiques?

Nullement, selon moi; cette société politique, qui multiplie en effet les forces de l'individu par la force collective de l'association de tous, a certainement pour effet la perpétuation et l'amélioration physique de la race humaine; mais elle a un objet de plus, une dignité de plus, une moralité de plus, un spiritualisme de plus.

Ce but supérieur à la grossière satisfaction en commun des besoins physiques, cette dignité de plus, cette moralité de plus, ce spiritualisme social de plus, c'est l'âme de l'humanité cultivée par la civilisation, résultant de cette société. C'est la connaissance de son Créateur, c'est l'adoration de son Dieu, c'est la conformité de ses lois avec la volonté de Dieu, qui est en même temps la loi suprême; c'est le dévouement de chacun à tous, c'est le sacrifice;

En un mot, c'est la vertu.

Toute société fondée sur l'abject égoïsme, toute société dont le premier lien n'est pas le devoir de tous envers tous, en vue de Dieu, n'est pas un peuple: ce n'est qu'un troupeau. C'est la moralité seule qui en fait une humanité.

La société politique n'est donc pas seulement une société en commandite: c'est une vertu, c'est une religion!

Cette définition, que nous n'avons malheureusement rencontrée jusqu'ici dans aucun publiciste moderne, et qui est pour nous à l'état d'évidence, élève le législateur véritable à la dignité d'oracle, fait du commandement un sacerdoce civil, de l'obéissance un devoir, de l'amour de la patrie un culte, et du dévouement des citoyens au gouvernement une sainteté.

Ce but de la société politique ainsi défini, marqué, dignifié, sanctifié, et, pour ainsi dire, divinisé, je me demande: Qu'est-ce que le premier législateur? Et je me réponds:

Le premier et l'infaillible législateur, c'est celui qui a fait l'homme; c'est celui qui, en faisant l'homme, a mis en germe dans l'âme de sa créature ces lois, non écrites, mais vivantes, consonnances divines de la nature intellectuelle de l'homme avec la nature de Dieu, consonnances qui font que, quand le *Verbe extérieur*, la loi parlée se fait entendre, à mesure que l'homme a besoin de loi pour fonder et perfectionner sa société civile, la conscience de tout homme, comme un instrument monté au diapason divin, se dit involontairement: C'EST JUSTE; c'est Dieu qui parle en nous par la consonnance de notre esprit avec sa loi! Obéissons pour notre avantage, obéissons pour la gloire de Dieu!

Donc, le suprême législateur est celui qui a créé d'avance en nous l'écho préexistant de ses lois, la conscience, cet écho humain de la justice divine!

Qu'est-ce que toutes les lois qui n'emportent pas avec elles le sentiment de la justice, cette sanction de la loi?

Donc le législateur, ce n'est ni le rêveur qui appelle loi ses chimères, ni le tyran qui appelle loi ses caprices: ces lois-là emportent avec elles leurs perturbations et leurs révoltes. Le véritable législateur est celui qui dit en nous: Cette loi est juste, et, parce qu'elle est juste, elle est utile, elle est obligatoire.

Et, parce qu'elle est juste, utile, obligatoire, elle est le devoir religieux de tous envers chacun et de chacun envers tous.

Et, parce qu'elle est devoir envers les hommes, créatures de Dieu, elle est devoir envers Dieu lui-même, père et législateur.

Et, parce qu'elle est devoir envers Dieu, Dieu la vengera.

Voilà le législateur suprême et le véritable oracle humain; dans la société spiritualiste, la législation est sacrée parce que son législateur est divin.

Cela ressemble peu à la société charnelle de J.-J. Rousseau, et à la société économique des Américains du Nord.

L'une a pour but de bien brouter la terre, en tirant chacun à soi la plus large part de la nappe terrestre; l'autre a pour but de nourrir le corps, sans doute, par la loi impérieuse du travail, mais elle a un but supérieur: élever l'âme du peuple par la pensée de Dieu, par la piété envers Dieu, par le dévouement envers ses semblables, jusqu'à la dignité de créature intelligente et morale, jusqu'à la glorification du Créateur par sa créature; en un mot, diviniser la société mortelle autant que possible sur cette terre, pour la préparer au culte de son éternelle divinisation dans un autre séjour.

J'avoue que je n'ai jamais pu comprendre autrement le législateur et la législation sociale. Serait-ce une œuvre bien digne d'un Dieu que la création d'un instinct social qui n'aurait pour fin que de faire brouter en commun une race de bipèdes sur un sillon fauché en commun, afin que la mort, fauchant à son tour cette race ruminante à gerbes plus épaisses, engraissât de générations plus fécondes ces mêmes sillons?

Si l'homme de l'humanité ne cultivait que le blé, et ne multipliait que pour la mort, sur l'écorce de cette planète, le regard de la Providence divine daignerait-il seulement y tomber?

Ôtez la vertu du plan divin du Législateur suprême, à quoi bon avoir donné une âme à ce troupeau? Il suffirait de lui avoir donné une mâchoire.

Voilà cependant la législation de J.-J. Rousseau!

## XIII

Et la souveraineté, dont ce philosophe parle tant, sans pouvoir la définir, parlons-en à notre tour.

Qu'est-ce, selon lui et ses disciples, que la souveraineté, cette régulatrice absolue et nécessaire de toute société politique?

C'est, selon la meilleure de ces innombrables définitions, la volonté universelle des êtres associés.

Mais, répondrons-nous aux sophistes, indépendamment de ce que cette volonté, supposée unanime, n'est jamais unanime, qu'il y a toujours majorité et minorité, et que la supposition d'une volonté unanime, là où il y a majorité et minorité, est toujours la tyrannie de la volonté la plus nombreuse sur la volonté la moins nombreuse;

Indépendamment encore de ce que le moyen de constater cette majorité n'existe pas, ou n'existe que fictivement;

Indépendamment enfin de ce que le droit de vouloir, en cette matière si ardue et si métaphysique de législation, suppose la capacité réelle de vouloir et même de comprendre, capacité qui n'existe pas au même degré dans les citoyens;

Indépendamment de ce que ce droit de vouloir, juste en matière sociale, suppose un désintéressement égal à la capacité dans le législateur, et que ce désintéressement n'existe pas dans celui dont la volonté intéressée va faire la loi;

Indépendamment de tout cela, disons-nous, si la souveraineté n'était que la volonté générale, cette volonté générale, modifiée tous les jours et à toute heure par les nouveaux venus à la vie et par les partants pour la mort, nécessiterait donc tous les jours et à toute seconde de leur existence une nouvelle constatation de la volonté générale, tellement que cette souveraineté, à peine proclamée, cesserait aussitôt d'être; que la souveraineté recommencerait et cesserait d'être en même temps, à tous les clignements d'yeux des hommes associés, et qu'en étant toujours en problème la souveraineté cesserait toujours d'être en réalité?

Qu'est-ce qu'un principe pratique qui ne peut exister qu'à condition d'être abstrait, et qui s'évanouit dès qu'on l'applique?

Or la souveraineté ne peut être une fiction, puisqu'elle est chargée de régir les plus formidables des réalités, les intérêts, les passions et l'existence même des peuples.

## XIV

Toutes les autres définitions que J.-J. Rousseau et ses disciples font de la souveraineté ne méritent pas même l'honneur d'une réfutation; celle-ci était spécieuse, les autres ne sont pas même des sophismes, elles ne sont que des paradoxes. C'est plus haut, c'est plus profond qu'il faut, selon nous, découvrir et adorer la véritable souveraineté sociale.

Cherchons.

## XV

La société est-elle ou n'est-elle pas de droit divin?

En d'autres termes, la sociabilité humaine, qui ne peut exister sans souveraineté, n'est-elle pas une création de Dieu préexistant et coexistant avec l'homme sociable?

Très-évidemment oui! L'homme a été créé par Dieu un être essentiellement sociable, tellement sociable que, s'il cesse un moment d'être sociable, il cesse d'exister; l'état de société lui est aussi nécessaire pour exister que l'air qu'il respire ou que la nourriture qui soutient sa vie. Par tous ses instincts, par tous ses besoins, par toutes ses conservations, par toutes ses multiplications, par toutes ses perpétuations de vie ici-bas, l'homme a besoin de la société, comme la société a besoin de la souveraineté. Contemplez la nature.

L'homme en a besoin même pour naître et avant d'être né. Si Dieu avait voulu que l'homme naquît et vécût isolé, il l'aurait fait enfant de la terre ou de lui-même, sans l'intervention mystérieuse des sexes, et sans l'intervention féconde de ce second créateur qu'on nomme l'amour, et qui est la première et la plus irrésistible sociabilité des éléments et des âmes.

Il l'aurait fait naître dans toute sa force, dans le développement accompli de ses facultés physiques et morales, sans aucune de ces gradations de l'âge, sans aucune de ces impuissances, de ces faiblesses, de ces ignorances de l'enfant nouveau-né, qui condamne le nouveau-né à la société de la mère, ou à la mort, si la mère lui refuse la mamelle, si le père lui refuse la protection, la nourriture pour subsister; et, quand la mamelle tarit pour l'enfant, la mère, elle-même, que deviendrait-elle avec son enfant sur les bras, sans la société du père, que l'amour conjugal et que l'amour paternel attachent par un double instinct de vertu désintéressée à ces deux mêmes êtres dépendants de lui?

La mère et le père vieillis et infirmes par l'usure du temps, devenus incapables de se nourrir et de se protéger eux-mêmes, que deviendraient-ils si les enfants, dénués, comme ceux que suppose Rousseau, de tout spiritualisme, de toute reconnaissance, de toute piété filiale, cessaient de former avec les auteurs de leurs jours la sublime et douce société de la famille?

Voilà donc dans cette trinité du père, de la mère, de l'enfant, nécessaires les uns aux autres sous peine de mort, la preuve évidente que la sociabilité et l'humanité, c'est un même mot.

Or, comme la souveraineté, c'est-à-dire l'autorité et l'obéissance sont deux conditions, absolues aussi, de toute société grande et petite, voilà donc la preuve évidente que *la souveraineté, c'est la nature.*

Ce n'est là ni une convention délibérée sans langue et sans raisonnement, ni un droit de la force toujours contre-balancée par cent autres forces, ni une aristocratie sans corporations, sans hérédité, sans ancêtres, ni une démocratie sans égalité possible, qui ont pu inventer et proclamer cette souveraineté chimérique de J.-J. Rousseau.

C'est la nature: elle seule était assez révélatrice des lois sociales pour inculquer à l'humanité cette condition de son existence; elle seule était assez puissante pour faire obéir cette humanité, égoïste et toujours révoltée, à cette dure condition naturelle de la sociabilité qu'on nomme souveraineté. Or, comme la nature, c'est l'oracle du Créateur, par les instincts propres à chacune de ses créatures, la souveraineté, c'est donc Dieu!

Pourquoi chercher dans les définitions quintessenciées et amphigouriques des écoles le principe de la souveraineté? Le principe, c'est Dieu, qui a voulu que l'homme sociable et perfectible développât comme un magnifique spectacle devant lui ce phénomène matériel, et surtout intellectuel, et encore plus moral, de la société; et c'est la nature, interprète de Dieu, qui a donné à l'homme dans tous ses instincts le germe de toutes ses lois et la condition absolue de cette souveraineté sans laquelle aucune société ne subsiste, parce qu'aucune loi n'est obéie.

La véritable autorité sociale, qu'on appelle souveraineté, est donc divine; divine, parce qu'elle est naturelle.

Voilà la souveraineté, voilà l'autorité morale, voilà l'obéissance obligatoire, voilà les titres et la sanction de la loi.

Religion innée, dans ce système la société mérite ce vrai nom, car elle relie les hommes entre eux, et les agglomérations d'hommes à Dieu! Bien obéir, c'est honorer l'auteur de toute obéissance; bien gouverner, c'est refléter Dieu dans les lois; bien défendre les lois, les gouvernements et les peuples, c'est être le ministre de la nature et de la divinité. La vraie souveraineté, c'est la vice-divinité dans les lois.

## XVI

Et qu'est-ce que les gouvernements?

Les gouvernements sont la souveraineté en action, le mécanisme social par lequel cette souveraineté, divine dans son essence, humaine dans ses moyens, s'exerce sur les groupes plus ou moins nombreux dont les sociétés se composent: familles d'abord, tribus après, peuplades ensuite, confédérations ou monarchies de même origine enfin. Peu importe que la souveraineté soit multiple, comme dans les républiques, ou une, comme dans les monarchies absolues, ou mixte, comme dans les royautés limitées, ou représentative, comme dans les pouvoirs électifs: pourvu que la souveraineté y soit obéie, le gouvernement existe et la société y est maintenue.

Ces formes diverses et successives de gouvernement ne sont ni absolument bonnes, ni absolument mauvaises en elles-mêmes: elles sont relativement bonnes ou mauvaises, selon qu'elles servent plus ou moins bien la souveraineté qu'elles sont chargées d'exprimer et de servir; tout dépend de l'âge, du caractère, des mœurs, des habitudes, du nombre, du site, du climat, des limites, de la géographie même des peuples qui adoptent telle ou telle de ces formes de gouvernement. Patriarcale en Orient, théocratique dans les Indes, monarchiquement sacerdotale en Judée et en Égypte, royale en Perse, aristocratique en Italie, démocratique en Grèce, pontificale à Jérusalem et dans Rome moderne, élective et anarchique dans les Gaules, représentative et hiérarchique en Angleterre, chevaleresque et monacale en Espagne, équestre et turbulente comme les hordes sarmates en Pologne et en Hongrie, assise, immobile et formaliste en Allemagne, mobile, inconstante, militaire et dynastique en France, la forme du gouvernement varie partout, la souveraineté jamais.

Du patriarche d'Arabie au mage de Perse, du grand roi de Persépolis au démagogue d'Athènes, du consul de Rome aristocratique au César de Rome asservie dans le bas empire, du César païen au pontife chrétien souverain dans le Capitole; de Louis XIV, souverain divinisé par son fanatisme dans sa presque divinité royale, aux chefs du peuple élevés tour à tour sur le pavois de la popularité ou sur l'échafaud où ils remplaçaient leurs victimes; des démagogues de 1793, du despote des soldats, Napoléon, affamé de trônes, aux Bourbons rappelés pour empêcher le démembrement de la patrie; des Bourbons providentiels de 1814 aux Bourbons électifs de 1830, des Bourbons électifs, précipités du trône, à la république, surgie pour remplir le vide du trône écroulé par la dictature de la nation debout; de la république au second empire, second empire né des souvenirs de trop de gloire, mais second empire infiniment plus politique que le premier, calmant dix ans l'Europe avant d'agiter de nouveau la terre, agitant et agité aujourd'hui lui-même par les contre-coups de son alliance sarde, insatiable en Italie, contre-coups qui, si la France ne prononce pas le *quos ego* à cette tempête des Alpes, vont s'étendre du Piémont en Germanie, de Germanie en Scythie, de Scythie en Orient, et créer sur l'univers en feu la souveraineté du hasard; de tous ces gouvernements et de tous ces gouvernants, la souveraineté, souvent dans de mauvaises mains, mais toujours présente, n'a jamais failli; c'est-à-dire que la souveraineté, instinct conservateur et résurrecteur de la société naturelle et nécessaire à l'homme, n'a pas été éclipsée un instant dans l'esprit humain.

On a pu proclamer tour à tour le règne du père de famille, le règne du chef de tribu, le règne de la majorité dans les nations délibérantes sans magistrats héréditaires, le règne du sacerdoce dans les théocraties, le règne des grands dans les aristocraties, le règne des rois dans les monarchies, le règne des chefs temporaires dans les républiques, le règne du peuple dans les démocraties, le règne des soldats dans les régimes de force, le règne même des démagogues dans les démagogies, le pire des règnes selon Corneille; mais la souveraineté administrée par des mains intéressées, perverses, violentes, tyranniques, anarchiques, même infâmes, était encore la souveraineté, c'est-à-dire l'instinct social condamnant les hommes à vivre en société imparfaite, même détestable; par la loi même de la nécessité: LA SOUVERAINETÉ DE LA NATURE.

## XVII

Ce besoin divin de la souveraineté administrée par des gouvernements plus ou moins parfaits, est le travail le plus persévérant de l'humanité, ce qu'on appelle la civilisation, ou le perfectionnement des conditions sociales, le progrès; travail pénible, lent, quelquefois heureux, souvent déçu, plein d'illusions, d'utopies, de déceptions, de révolutions ou de contre-révolutions, selon que les peuples et leurs législateurs s'éloignent ou se rapprochent davantage dans leurs lois précaires des lois non écrites de la nature sociale révélées par Dieu lui-même à l'humanité.

Les gouvernements font les lois.

Qu'est-ce donc que les lois?

Les lois sont des règlements obligatoires promulgués par les gouvernements pour faire vivre les sociétés nationales en ordre plus ou moins durable, en justice plus ou moins parfaite, en moralité plus ou moins sainte entre eux.

Plus les lois sont obéies, c'est-à-dire capables de maintenir en ordre la société nationale, plus elles sont conformes à la souveraineté de la nature, qu'elles ont pour objet de manifester et de maintenir pour conserver aux hommes les bienfaits de la société.

Plus les lois renferment de justice, c'est-à-dire de conscience et de révélation des volontés de Dieu par l'instinct, plus elles sont vraies, utiles, obéies par les peuples qui les adoptent pour règle.

Plus les lois s'élèvent au-dessus des simples rapports réglementaires d'homme à homme jusqu'au rapport de l'homme spiritualisé avec Dieu, plus elles sont ce qu'on appelle morales, plus elles ennoblissent, sanctifient, divinisent la société.

Ces trois caractères de la loi, la règle, la justice, la moralité, sont donc les degrés successifs par lesquels la société politique se fonde et s'élève d'abord par l'ordre, se légitime ensuite par la justice, s'accomplit enfin par la moralité.

Ainsi d'abord ordre entre les hommes, sans quoi la société elle-même s'évanouit.

Justice entre les hommes, sans quoi la société n'est que tyrannie.

Spiritualisme, moralité dans les lois, pour que la civilisation ne soit pas seulement matérielle, mais vertueuse, et pour que l'âme de l'homme ne progresse pas moins que sa race périssable dans une civilisation vraiment divine et indéfinie sur cette terre, et au delà de cette terre.

Voilà les trois caractères de la loi!

Qu'il y a loin de cette législation marquée du sceau de la vertu, de la moralité, de la divinité, à cette législation toute utilitaire, toute mécanique, toute matérielle et toute cadavéreuse du *Contrat social* de J.-J. Rousseau et de ses disciples! Dans ce système il y a contrat entre les hommes et leurs besoins physiques; dans notre système, à nous, il y a contrat entre l'homme et Dieu. Votre législation finit avec l'homme, la nôtre se perpétue et se divinise indéfiniment à travers les éternités.

Ce n'est donc pas la question de savoir laquelle de vos lois est plus monarchique ou plus républicaine, plus autocratique ou plus démocratique, mais laquelle est plus imprégnée de règle innée, de justice divine, de moralité supérieure à l'abjecte matérialité des intérêts purement physiques de l'espèce humaine.

En un mot, selon vous, les meilleures lois sont celles qui contiennent le plus d'utilités.

Selon nous, les meilleures lois sont celles qui contiennent le plus de vertus!

Il y a un monde entre ces deux systèmes.

Lisez le *Contrat social*, et demandez-vous, en finissant la lecture, si vous vous sentez une vertu de plus dans l'âme après avoir lu.

Lisez les législations de Confutzée, de l'Inde antique, du christianisme sur la montagne, de l'islamisme même dans le Coran, et demandez-vous si vous ne vous sentez pas soulevé d'autant de vertus de plus au-dessus de la législation du *Contrat social* et de la civilisation matérialiste de nos temps, qu'il y a de distance entre l'égoïsme et le sacrifice, entre la machine et l'âme, entre la terre et le ciel.

Voilà notre civilisation: la vôtre broute, la nôtre aime; choisissez!

## XVIII

De ces lois promulguées par les gouvernements, expression diverse de la souveraineté de la nature, les unes sont purement réglementaires, accidentelles, circonstancielles, passagères comme les besoins, les temps, les intérêts fugitifs des nations; les autres, et en très-petit nombre, sont ce que l'on appelle organiques, c'est-à-dire résultantes de l'organisation même de l'homme, et nécessaires à l'homme en société, quelque gouvernement du reste qu'il ait adopté pour vivre en civilisation.

Les préceptes de ces lois organiques, qui sont les mêmes en principe chez tout ce qui porte le nom de peuple, sont les lois qui concernent la vie, la famille, la propriété, l'hérédité, le gouvernement, la morale, la religion, la défense de la patrie, héritage commun à toutes les nations, les conditions du travail et d'alimentation, le secours du riche à l'indigent, la mutualité des devoirs, l'éducation, l'application de la justice, l'expiation des crimes ou des actes attentatoires à la société qui est la vie de tous, et que tous appellent crimes.

Voulez-vous avoir la nomenclature sommaire, et cependant complète, de toutes ces lois organiques émanées pour ainsi dire du Législateur suprême: la nature de l'homme? Lisez les décalogues antiques des législations primitives profanes et sacrées. C'est là que vous voyez et que vous entendez la souveraineté de la nature, s'exprimant par ces lois instinctives qui révèlent le Créateur de l'homme sociable dans les prescriptions nécessaires à toute société politique.

Quel est le premier besoin de l'homme venu à la vie? C'est le besoin de conserver la première de ses propriétés, la VIE. Aussi la défense de tuer et le droit de réprimer et de punir celui qui tue sont-ils placés en tête de toute législation sociale: TU NE TUERAS PAS. Cette propriété de la vie par celui qui la possède est tellement instinctive, unanime et de droit divin, puisqu'elle est d'inspiration de la nature, que vous ne trouvez pas une législation primitive ou un code moderne où elle ne soit écrite à la première page. L'instinct dit: Je veux vivre; la nature dit: Tu as le droit de vivre; la loi dit: Tu vivras. C'est le décret de la souveraineté de la nature, et, en l'écrivant dans ton droit de vivre, elle a écrit en même temps ta destinée d'être sociable: car, sans la société naturelle, tu ne vivrais pas, et, sans la société légale, tu aurais bientôt cessé de vivre.

La défense du meurtre est donc la première des lois révélées par la souveraineté de la nature.

Si tu fais mourir, tu mourras, est la première aussi des lois écrites par la souveraineté sociale. C'est donc de droit divin que l'homme vit, et c'est de droit divin qu'il s'est groupé en société pour vivre.

## XIX

De ce droit divin de vivre résulte pour lui le droit d'exercer, sous la garantie de la société, tous les autres droits indispensables à son existence.

Le second de ces droits, c'est le droit de s'approprier toutes les choses nécessaires à son existence, sous la garantie de la société, qui doit la même inviolabilité à tous ses membres. De là, les lois sociales sur la propriété, lois sans lesquelles l'homme ne pourrait subsister que de crimes. Or, comme le crime serait mutuel, l'homme cesserait promptement d'exister.

La propriété, et la propriété individuelle, est un des décrets du droit divin, sur lesquels la philosophie, si dérisoirement nommée socialiste, de J.-J. Rousseau, a répandu dans ces derniers temps le plus de ténèbres, le plus de paradoxes, le plus de sophismes destructeurs de toute société, et par conséquent de toute humanité sur la terre. C'est là que l'insurrection de l'ignorance et de la démence contre la souveraineté de la nature a été et est encore le plus blasphématoire de la société politique. On dirait que l'excès même d'évidence du droit de propriété a aveuglé, en les éblouissant, ces insurgés contre la nature qu'on appelle *socialistes*, sans doute comme on appelait à Rome les destructeurs d'empires du nom des nations qu'ils avaient anéanties.

Remettons sous les yeux des hommes de bon sens, riches, pauvres, indigents même, la vérité sur ce mystère sacré des lois de la propriété. Jamais la souveraineté de la nature n'a parlé plus clairement que dans cette révélation instinctive qui dit à l'homme par tous ses besoins: Tu posséderas, ou tu mourras.

## XX

L'homme physique est un être qui ne subsiste que des éléments qu'il s'approprie dans toute la nature en venant au monde et en s'y développant jusqu'à la mort. C'est l'être propriétaire et héréditaire par excellence; sitôt qu'il cesse de s'approprier toute chose autour de lui, avant lui, après lui, il cesse d'exister.

Embryon, il s'approprie dans le sein de sa mère la vie occulte et germinante dont il forme ses organes appropriateurs avant de paraître au jour. En paraissant à la lumière, et avant de pouvoir exercer ses organes, il s'approprie par sa bouche et par ses deux mains les mamelles, ces sources de vie, périssant à l'instant si on le déposssède de ce lait qui lui appartient, car il a été filtré pour lui dans les veines de la femme.

Il s'approprie une partie de l'espace, dans une part à lui destinée par la mesure de ses membres qui le remplissent, et qui lui appartient, en s'agrandissant, à la mesure de ses bras, de ses pas, de ses mouvements dans le nid; et, s'il en est dépossédé, il périt étouffé, faute de place au soleil.

Il s'approprie, par l'acte même de la respiration, l'air nécessaire au jeu de ses poumons et à la circulation de son sang, et, si on l'en dépossède, il étouffe, il meurt exproprié de sa part d'air respirable.

Il s'approprie la chaleur du sein maternel ou du soleil qui vivifie tout ce qu'il éclaire, ou du feu qui sort de l'arbre pour suppléer le soleil absent, et il meurt s'il est dépossédé de tout calorique, partie obligée de son existence.

Il s'approprie, en ouvrant les yeux, la lumière, sans laquelle ses mains et ses pieds deviennent inutiles à sa subsistance et à ses mouvements, et il languit dépossédé de sa part au jour.

Il s'approprie les fruits de l'arbre, l'herbe des sillons, la chair des animaux, nourriture sanglante, presque criminelle, et, si on l'en exproprie, il meurt dépossédé de sa part à l'alimentation nécessaire à la vie, convive affamé chassé du banquet terrestre; et ce banquet même tarit pour tous les convives: car, si la terre n'est pas possédée par celui qui l'ensemence et la moissonne, nul n'a intérêt à la cultiver et à l'ensemencer. Morte la propriété, morte la terre; morte la terre, morte l'humanité!

Les communistes sont donc tout innocemment les meurtriers en masse de la race humaine. Il ne faut pas les exterminer comme meurtriers, il faut les plaindre et les réprimer comme suicides. Leur crime n'est qu'ignorance, leur crime même n'est qu'utopie, c'est de la vertu en délire; mais le délire de la vertu n'a pas des effets moins funestes que celui du crime.

Cette contagion a possédé Platon, les premiers économistes populaires, affamés de l'école néo-chrétienne, les sectaires musulmans de la Caramanie et de la Perse, les anabaptistes allemands, ivres de sang et de rêves, et enfin les philosophes prolétaires de nos jours, insensés de misère, vivant du travail industriel, et demandant l'extinction du capital pour multiplier le revenu, l'anéantissement du travail pour multiplier le salaire, et l'égalité du salaire pour égaliser l'oisiveté avec le travail!

Ô esprit humain! jusqu'où peux-tu descendre quand l'esprit d'utopie prétend se substituer à l'esprit de bon sens, et inventer une souveraineté de l'absurde en opposition avec la souveraineté de l'instinct!

Il faudrait des volumes pour énumérer toutes les choses physiques et morales qui forment l'inventaire des propriétés physiques et morales nécessaires à la vie de l'humanité; ce sont ces choses qui ont fait de l'homme, en comparaison des autres êtres qui ne possèdent que ce qu'ils dérobent, le premier des êtres, L'ÊTRE PROPRIÉTAIRE, le plus beau nom de l'homme!

## XXI

Mais si la propriété individuelle est une loi aussi naturelle et aussi nécessaire à l'espèce humaine que la respiration, l'hérédité, qui n'est que la propriété de la famille continuée après l'individu, n'est pas moins indispensable à la famille.

Si donc la famille, comme nous l'avons démontré, est nécessaire à la continuation de l'espèce, l'hérédité, sans laquelle il n'y a pas de famille, est donc de souveraineté naturelle, de droit divin, de sociabilité absolue.

Supposez, en effet, que le père en mourant emporte avec lui tout son droit de propriété dans la tombe, et que la propriété soit viagère dans le chef de cette société naturelle de la famille; le père mort, que devient l'épouse, la veuve, la mère? Que deviennent les fils et les filles? Que deviennent les aïeux survivants? les vieillards, les infirmes, les incapacités touchantes du foyer et du berceau? L'expulsion du toit et du champ paternels, la mendicité aux portes des seuils étrangers, la glane dans le sillon sans cœur, le vagabondage à travers la terre, la couche sous le ciel et sur la neige, la séparation des membres errants de la même chair, le déchirement de tous ces cœurs qui ne faisaient qu'un, la destruction de la parenté, cette patrie des âmes, cet asile de Dieu préparé, réchauffé, perpétué pour la famille; les mœurs, l'éducation des enfants, la piété filiale et la reconnaissance du sang pour la source d'où il a coulé et qui y remonte par la mémoire en action qu'on appelle tendresse des fils pour leur père et leur mère; tout cela (et c'est tout l'homme, toute la société), tout cela, disons-nous, périt avec l'hérédité des biens dans la loi. Sans l'hérédité la propriété n'est plus qu'un court égoïsme, un usufruit qui laisse périr la meilleure partie de l'homme, l'avenir!

Ces philosophes à rebours qui proclament que *la propriété, c'est le vol*, et l'hérédité un privilége, volent en même temps à l'homme la meilleure partie de l'homme, la perpétuité de son existence, et constituent au profit de leur viagèreté jalouse et personnelle le privilége du néant.

Si de telles législations étaient adoptées sur parole par les prolétaires du socialisme, il ne resterait aux veuves, aux orphelins, aux pères et aux mères survivants qu'à adopter le suicide en masse après la mort du propriétaire, et de se coucher sur le bûcher du chef de la famille pour périr au moins ensemble sur les cendres du même foyer!

Les gouvernements n'ont été institués que pour défendre la propriété et l'hérédité des biens contre le pillage universel ou périodique, qui commence par des sophismes et qui finit par des jacqueries.

La souveraineté de la nature dit à l'homme: Tu seras propriétaire, sous peine de mort de l'individu; et la souveraineté de la nature dit à la propriété: Tu seras héréditaire, sous peine de mort de la famille; enfin, la souveraineté de la nature dit à la société: Tu seras héréditaire sous peine de mort de l'humanité. La loi vengeresse des attentats du sophisme contre ces décrets de la nature, c'est la mort de l'espèce. «Je n'ai pas seulement «créé les pères,» fait dire le sage persan au Créateur, «j'ai créé les fils et les générations des fils sur la terre. L'hérédité est la propriété des fils; les lois doivent la garder plus jalousement encore que celle des pères, car ces possesseurs ne sont pas encore nés pour la défendre eux-mêmes. Il faut leur réserver leur part des biens qui leur appartiennent par droit de temps.»

## XXII

Mais si la souveraineté de la nature, dont les décrets se manifestent par la nécessité, proclame clairement la loi de la propriété et celle de l'hérédité des biens, cette loi naturelle n'est ni aussi claire ni aussi unanime en ce qui concerne la part plus ou moins égale dans laquelle la propriété héréditaire doit se diviser entre les veuves, les fils, les filles, les enfants, les parents du chef de la famille.

On cherche encore avec une certaine hésitation, balancée entre des raisons contraires et très-douteuses, si ces parts des survivants dans l'héritage doivent être égales, presque égales, ou tout à fait inégales; on se demande si le droit de tester, ce despotisme absolu du propriétaire, qui est aussi le supplément de l'autorité paternelle, si nécessaire au gouvernement de la famille, doit exister sans contrôle de l'État et de la loi des partages. On se demande si le droit d'aînesse, cette espèce de jugement de Dieu, qui tire au sort la propriété, ce droit du premier occupant dans la vie, doit être la loi de l'hérédité. On se demande si les sexes doivent faire des différences dans la loi de partage; si les filles, par leur état de faiblesse et de minorité, espèce d'esclavage attribué par la nature à la femme, doivent posséder des propriétés territoriales qu'elles ne peuvent pas assez défendre. On se demande si, quand l'état de mariage les fait suivre forcément hors du foyer de la famille un maître ou un époux qui les assujettit à son empire, elles doivent emporter dans des familles étrangères la propriété héréditaire de leur propre famille. On se demande si les fils nés après l'aîné du lit paternel, doivent être déshérités de tout ou d'une partie par le droit d'aînesse qui les prime dans la vie.

Les titres de ces divers survivants à la totalité ou à des proportions équitables d'héritage sont divers, opposés, contestés, affirmés, contradictoires, sujets à des controverses incessantes, à des législations aussi variées que les climats, les natures de propriétés, les monogamies ou les polygamies, les religions ou les lois civiles, les aristocraties ou les démocraties.

Rien n'est plus difficile que de statuer sur cette unité de l'hérédité, ou sur cette répartition de l'hérédité entre les porteurs d'un même titre devant la famille, devant l'égalité, devant Dieu. Ici la souveraineté de la nature ne parle pour ainsi dire plus intelligiblement aux législateurs. C'est la société politique, diverse dans ses formes, qui prend la parole et qui parle seule.

Une fois le principe de propriété et celui d'hérédité admis par leurs nécessités et leurs évidences, le principe, infiniment moins évident, infiniment moins absolu, de l'unité ou de la division de l'héritage, flotte au gré du temps, des mœurs, des formes monarchiques, aristocratiques, démocratiques, démagogiques de la société nationale.

Ce n'est pas seulement la nature, ce n'est pas seulement la justice innée qui fait la loi: c'est l'utile, c'est l'intérêt politique de la forme sociale dans laquelle la propriété héréditaire est distribuée entre un et plusieurs, entre plusieurs et tous; c'est l'inégalité ou l'égalité de partage correspondant à l'égalité ou à l'inégalité des droits civils, à la souveraineté d'un seul, ou à la souveraineté de plusieurs, ou à la souveraineté de tout le peuple. Le juste et l'utile font ou défont, selon les lieux, l'hérédité. L'hérédité des biens dans la famille est en général la mesure correspondante de l'hérédité de l'État, ou de l'hérédité des castes, ou de l'hérédité des enfants, ou de l'hérédité même des trônes.

L'âge patriarcal, souveraineté paternelle absolue, mais providentielle, du père, première image de la souveraineté paternelle de Dieu, père universel de toute race, admet partout le droit d'aînesse dans l'hérédité, ou le droit absolu de tester en faveur du favori, du Benjamin du père; le père se continue dans celui que Dieu lui a envoyé le premier, ou dans celui qu'il a choisi pour son bien-aimé parmi ses frères. L'homme mort, sa volonté ne meurt pas: elle revit dans l'aîné, ou dans le plus chéri, ou dans le plus capable de sa race.

Ce droit d'aînesse, contre lequel l'égalité moderne s'est si énergiquement prononcée, et qu'elle a effacé presque totalement de son code en France, n'a pas été si complétement effacé encore chez les autres peuples, orientaux ou européens, républicains ou monarchiques. Il ne le sera vraisemblablement jamais.

Le peuple, plus il est peuple, c'est-à-dire plus il est gouverné par les instincts de la nature, tient à ce droit d'aînesse avec plus de ténacité que l'aristocratie elle-même. Le peuple trompe presque constamment la loi française de l'égalité des partages, en privilégiant les aînés de ses enfants sur les puînés, ou les fils sur les filles. Le père de famille veut ainsi conserver, malgré la loi, la souveraineté naturelle en l'exerçant encore après lui; il veut perpétuer, autant qu'il est en lui, sa famille et son nom, en laissant dans les mains d'un chef de maison la maison, le domaine, la richesse relative de la royauté domestique, qui constate la suprématie de la famille dans la contrée, au lieu de distribuer entre un grand nombre des parcelles de fortune que la moindre catastrophe dissipe en poussière en tant de mains. Un second, un troisième partage finissent par réduire au prolétariat ou à l'indigence la famille. Le peuple aime ainsi à concentrer la fortune de la famille dans une seule branche, plus solide, plus durable, qui sert à relever celles qui fléchissent, à donner asile et secours aux autres enfants quand les vicissitudes de la vie viennent à les réduire à la misère et à la honte. On a beau faire, la famille est aristocratique parce qu'elle aspire, par sa nature, à durer, et que rien ne dure que ce qui est héréditaire. Cet instinct du père de famille, dans la démocratie même, prévaut sur les abstractions philosophiques qui ne voient que l'individu. L'abstraction dit à l'individu: L'égalité du partage est ton droit; la nature dit au père de famille: La conservation de la famille est ton devoir; efforce-toi de la perpétuer et de la fortifier, en constituant frauduleusement, s'il le faut, une part d'hérédité conservatrice dans l'aîné de tes fils.

## XXIII

Mais à considérer la chose, même philosophiquement, cette égalité des partages change d'aspect, selon qu'on se place à l'un de ces trois points de vue très-différents:

L'individu,

La famille,

L'État.

La révolution française, trop irritée contre les excès de la loi d'aînesse, ne s'est placée qu'au premier point de vue: l'individu.

De ce point de vue de l'individu abstrait et isolé que l'on a appelé les droits de l'homme, elle a dit, et elle a dû dire: Les partages seront égaux, car l'homme est égal à l'homme, et tous les enfants ont le même droit à l'héritage du père. Vérité ou sophisme, il n'y avait rien à répondre au premier aperçu à cet axiome, du moment qu'on admettait pour convenu cet autre axiome très contestable: L'homme est égal à l'homme devant le champ; l'enfant plus avancé en âge et en force est égal à l'enfant nouveau venu, dénué d'années, de force, d'éducation, d'expérience de la vie; l'enfant du sexe faible et subordonné par son sexe même est égal à l'enfant du sexe fort, viril et capable de défendre l'héritage de tous dans le sien; l'enfant inintelligent est égal à l'enfant doué des facultés de l'esprit et du cœur, privilégié par ces dons de la nature; l'enfant vicieux, ingrat, rebelle, oisif, déréglé, est égal au fils tendre, respectueux, obéissant, actif, premier sujet du père, premier serviteur de la maison, etc., etc. Or autant d'axiomes pareils, autant de mensonges.

La révolution française, dans sa législation abstraite, a donc professé en fait autant de mensonges que de principes, en supposant l'égalité des titres de capacité, d'intelligence, de vertu filiale, c'est-à-dire de droits égaux entre les enfants. L'égalité de parts dans l'héritage des biens du père est donc un sophisme devant la nature; aussi l'instinct dans toutes les nations a-t-il protesté contre l'utopie de J.-J. Rousseau et de ses disciples. La révolution française, elle-même, n'a pas tardé à revenir sur ses pas dans la voie de la nature et de la vérité; elle a modifié sa loi d'hérédité en concédant aux pères, dans leur testament, le droit de privilégier dans une certaine proportion les premiers nés ou les privilégiés de leur cœur parmi leurs enfants.

## XXIV

Si l'on considère au contraire les lois relatives au partage de l'héritage du point de vue de la famille, au lieu de le considérer du point de l'individu, la question change de face, et la concentration de la plus grande partie des biens dans la main des premiers nés, ainsi que la permanence d'une partie des biens dans la même famille sous le nom de *majorat*, qui n'est qu'un second droit d'aînesse, deviennent le droit commun dans tous les pays où la monarchie se perpétue et s'affermit elle-même par des institutions plus ou moins aristocratiques. Les familles deviennent de petites dynasties qu'on ne peut déposséder du domaine patrimonial; le désordre même du fils aîné ne peut ruiner la génération qui est après lui, puisque la terre principale, l'*État*, comme dit l'Angleterre ou l'Allemagne, n'est jamais saisissable; le possesseur viager est dépossédé du revenu, le possesseur perpétuel (la famille) reste investi à jamais du capital; une génération recouvre ce qu'une génération a momentanément perdu. La famille est éternelle comme l'État.

Sans doute ce règlement de l'héritage, inaliénable dans quelques-uns de ses domaines, a de graves inconvénients, tant pour les enfants puînés, qui n'héritent que d'une faible légitime, que pour les créanciers de l'aîné, qui ne peuvent forcer le possesseur viager à aliéner son inaliénable domaine dynastique; mais que d'avantages pour l'État, pour la famille, pour l'agriculture, pour les mœurs, pour la politique, dans cette inaliénabilité d'une partie du patrimoine de la famille! Une famille ruinée par les fautes ou par les malheurs d'une seule génération est une famille perdue pour l'État; en perdant sa fortune stable dans une contrée, elle perd ses influences, ses patronages, ses clientèles, ses exemples, son autorité morale et politique dans le pays. Ces liens de respect, de traditions, de déférence, établis entre les riches et les pauvres d'une contrée rurale, se brisent; la reconnaissance, la considération, l'affection séculaire, qui forment le ciment moral de la société, se pulvérisent et s'évanouissent sans cesse; tout devient en peu d'années poussière, dans une contrée aussi dénuée d'antiquité, de fixité. Les opinions flottent comme les mœurs; la rotation sans limite de la fortune et des familles empêche toute autorité morale de s'établir; la roue de la fortune, en tournant si vite, précipite tout dans un égoïsme funeste à l'ensemble; le peuple même n'a plus ni protection, ni centre, ni représentants puissants dans le pays, pour défendre ses droits, ses instincts, ses libertés. En démocratisant trop la terre, elle ruine les mœurs; en nivelant sans cesse les biens, elle abaisse les âmes.

Toutes les tyrannies aiment à diminuer les éminences locales, parce que rien ne résiste là où rien n'a de prestige local ou d'autorité traditionnelle sur les populations. La liberté baisse à mesure que l'égalité des héritages s'élève dans la législation des familles. La famille en effet est une puissance, l'individu n'est qu'un néant; l'État le foule aux pieds sans l'apercevoir; la dynastie de la famille détruite par l'égalité et par la mobilité des héritages, la dynastie royale devient facilement tyrannique; la conquête même devient plus facile dans un pays où l'esprit de la famille a été anéanti par la dissémination sans bornes de l'égalité des biens. Voyez la Chine, le plus admirable chef-d'œuvre de démocratie qui soit sur la terre; le partage égal des biens entre les enfants y a multiplié démesurément l'espèce et affaibli démesurément l'État; des poignées de Tartares, où la famille est organisée en clans, en hordes, en tribus, en féodalités dynastiques, y renversent et y possèdent des empires de trois cents millions d'hommes isolés. La démocratie chinoise a pulvérisé l'esprit de nationalité; en tuant la famille elle a tué l'énergie morale de la défense. Les Tartares vivent du droit d'aristocratie, les Chinois meurent d'égalité.

## XXV

Quant à l'égalité civile en elle-même, il y a deux choses qu'on appelle de ce nom et qu'il faut bien distinguer, si l'on veut distinguer en même temps ce qu'il y a de vrai, de sacré, de divin dans l'instinct de l'homme sociable, de ce qu'il y a de paradoxal, de faux, d'injuste dans les utopies philosophiques de Platon, de Fénelon, de J.-J. Rousseau et des législateurs prolétaires de ce temps-ci, qui prennent le niveau de leur salaire pour la justice de Dieu dans la constitution de leurs chimères.

La justice est une révélation divine qui n'a été inventée par aucun sage, aucun philosophe, aucun législateur, mais que tout homme, sauvage ou civilisé, a apportée dans sa conscience humaine ou dans son instinct organique et naturel en venant au monde, comme il y a apporté un sens invisible, le sens de la société. Le sens de la sociabilité, c'est le vrai nom de la justice. Sans ce sens divin de la justice, aucune société n'aurait pu exister une heure.

L'équité est un sens composé de deux poids égaux que Dieu a mis, pour ainsi dire, dans chaque main de l'homme; poids au moyen desquels l'homme pèse forcément en lui-même si tel de ces poids est égal à l'autre, et si l'équilibre moral est établi ou rompu entre les choses. En d'autres termes, toute justice est pondération; si la pondération n'est pas exacte, la conscience souffre, bon gré, mal gré, dans l'homme, l'arithmétique divine est violée, le résultat est faux; l'homme le sent, Dieu le venge, le coupable lui-même le reconnaît: voilà la justice.

## XXVI

La justice produit naturellement l'instinct de l'égalité entre les hommes devant Dieu et devant la société morale; c'est-à-dire que la conscience dit à l'homme: L'homme, ton semblable, a les mêmes droits moraux que toi devant le même père, qui est Dieu, et devant la même mère, qui est la société génératrice et conservatrice de l'humanité tout entière. Dieu lui doit la même part de sa providence, puisqu'il l'a créé avec la même part de son amour; la société lui doit la même part de sa justice, puisqu'elle lui impose, proportionnellement à son intelligence et à ses forces, la même part de ses charges, de ses sacrifices, de ses lois dans l'ordre moral.

De là l'égalité de protection des lois humaines comme des lois divines entre tous les hommes qui ont invocation à faire à la providence par l'appel à Dieu, ou à la société sociale par l'appel à la force de la légalité de l'État.

C'est ce qu'on a appelé avec parfaite raison l'égalité devant Dieu et devant la loi. Point de privilége contre la révélation divine manifestée par l'instinct universel: la conscience. Quand bien même l'homme voudrait en créer, de ces priviléges contre Dieu, il ne le pourrait pas: c'est plus fort que lui, ce serait vengé par lui, il trouverait l'insurrection en lui, sa conscience, à *lui*, se révolterait contre *lui*: c'est fatal. Qu'est-ce donc que le remords?

La législation, en cela, est conforme à l'instinct. La révolution française a proclamé cette justice dans la proclamation de cette égalité abstraite et divine *devant la loi*; ce qui veut dire et ce qui dit: «Il n'y a pas deux Dieux, il n'y a pas deux instincts, il n'y a pas deux consciences, il n'y a pas deux humanités; Dieu, l'instinct, l'équité, la loi morale, l'humanité, voient des égaux dans tous les hommes venant en ce monde!»

## XXVII

Ainsi, dans le domaine spiritualiste, l'égalité est la justice; donc l'homme et l'homme sont égaux en droit spirituel et moral, et la société doit leur conférer cette égalité, ce droit à l'équité appartenant par égale divinité de titre à la nature, que dis-je? à l'humanité tout entière.

Voilà la révolution française, voilà la sublime démocratie divine entendue comme elle peut être seulement entendue par les esprits politiques à qui la démagogie, l'esprit de radicalisme, la manie des sophisme ou la rage suicide du nivellement impossible, qui ne serait que l'extrême injustice, n'ont pas faussé le bon sens.

Mais la société politique doit-elle l'égalité des conditions et des biens à tous les hommes venant dans ce monde, rois ou sujets, nobles ou peuple, riches ou pauvres, avec l'avantage ou le désavantage de ce qu'on appelle le *fait accompli*? Doit-elle planer comme une Némésis de l'égalité, la faux de Tarquin à la main, pour faucher sans cesse ce qui dépasse le niveau uniforme du champ social? Doit-elle à chaque individu qui naît à chaque seconde du temps, sur la terre, pour y demander de droit divin une place égale à celle de tout autre homme, lui doit-elle, à ce nouveau venu, de lui faire violemment cette place en déplaçant ceux qui s'en sont fait une avant lui et supérieure à la sienne? Serait-ce une justice? Serait-ce une société que cette répartition incessante et violente des rangs, des biens, des fortunes, enlevant toute sécurité au présent, tout avenir à la possession, tout mobile au travail, toute solidité à l'établissement des familles, des nations, même des individus? Ne serait-ce pas plutôt la souveraine injustice constituée que cette égalité forcée qui récompenserait le travail acquis par l'éternelle spoliation de l'égalité des biens?

Et, de plus, les partisans irréfléchis de cette utopie de l'égalité des biens n'ont-ils pas assez d'intelligence pour comprendre que leur égalité serait la destruction du plan divin sur la terre; que Dieu a voulu l'activité humaine dans son plan; que le désir d'acquérir est le seul moteur moral de cette activité; que l'inégalité des biens est le but, le prix, le salaire de cette activité, et que la suppression de cette inégalité supprimant en même temps tout travail, l'égalité des socialistes produirait immédiatement la cessation de tout mouvement dans les hommes et dans les choses?

Où serait le mobile de l'activité, si la loi sociale était assez insensée pour dire à l'homme laborieux et économe, et à l'homme oisif et parasite de la terre: Travaillez ou reposez-vous, produisez ou consommez, votre sort sera le même, et vous serez égaux devant la misère, et je vous condamne à être également misérables pour vous empêcher d'être réciproquement envieux!

Le monde s'arrêterait le jour où une loi si immobile serait proclamée par les utopistes de J.-J. Rousseau. Cette politique ne pouvait naître que sous la plume d'un prolétaire affamé, trouvant plus commode de blasphémer le travail, la propriété, l'inégalité des biens, que de se fatiguer pour arriver à son tour à la propriété, à l'aisance, à la fondation d'une famille.

De tels hommes sont les Attilas de la Providence, car la propriété et l'inégalité des biens sont les deux providences de la société: l'une procréant la famille, source de l'humanité; l'autre produisant le travail, récompense de l'activité humaine!—Il n'y aurait plus d'injustice sans doute dans ces systèmes; oui, parce qu'il n'y aurait plus de justice. Il n'y aurait plus de misère; oui, parce qu'il n'y aurait plus de pain; la famine serait la loi commune.

Voilà la législation de ces philosophes de la faim: l'univers pétrifié, l'homme affamé, le principe de tout mouvement arrêté, le grand ressort de la machine humaine brisé. L'homme content de mourir de faim, pourvu qu'aucun de ses semblables n'ait de superflu; constitution de la jalousie, vice détestable, au lieu de la constitution de la fraternité, heureuse de la félicité d'autrui, vertu des vertus!...

Je m'arrête; nous reprendrons l'Entretien sur la législation de J.-J. Rousseau dans quelques jours. La métaphysique amaigrit l'esprit et lasse le lecteur; il faut se reposer souvent dans cette route.

# ATLAS DUFOUR[2]

PUBLIÉ PAR ARMAND LE CHEVALIER.

Nous n'avons jamais jusqu'ici admis une annonce intéressée dans les pages de ce Cours, qui n'est pas un journal commercial, mais une œuvre périodique, destinée à former des volumes de bibliothèque; nous contrevenons aujourd'hui, pour la première fois, à cette habitude, et nous déclarons sincèrement à nos lecteurs que, bien loin de céder en cela à la complaisance envers l'auteur et le possesseur de ce magnifique atlas, fondement et illustration de toute grande bibliothèque, c'est nous-même qui avons prié M. Le Chevalier, dans l'intérêt de la science et des lettres, de permettre la mention de ce monument exceptionnel dans notre recueil.

Nous l'avons fait dans une double intention.—Premièrement, pour répandre par notre publicité de famille l'ouvrage géographique le plus nécessaire à toutes les études élémentaires ou transcendantes des savants ou des ignorants en cette matière.—Secondement, pour servir et pour honorer le nom ami de M. Le Chevalier, qui n'a cherché pendant toute sa vie d'autre illustration que l'estime, et d'autre récompense que l'utilité, l'utilité souvent ingrate, mais qui finit toujours par être appréciée à la mesure de ses services.

Les services que rend la géographie à la civilisation de l'esprit sont immenses. Sans géographie l'histoire n'existe pas, la politique est aveugle, la guerre ne sait ni attaquer ni défendre, la paix ignore sur quels fleuves, sur quelles mers, sur quelles montagnes il faut construire ses forteresses ou asseoir ses limites; la navigation ne peut se servir de ses boussoles, le commerce s'égare sur les océans, inhabile à découvrir quelles sont les productions ou les consommations qu'il doit emprunter ou porter aux climats divers dont il ne connaît ni la route, ni les richesses, ni les besoins, ni les langues, ni les mœurs, ni les philosophies, ni les religions. Les littératures, au lieu de se contrôler et de se fondre par le contact et par la comparaison, restent dans l'isolement réciproque, qui perpétue les préjugés, les antipathies, l'ignorance mutuelle. L'humanité tout entière, qui tend à l'unité pour que chacune de ses découvertes profite à l'ensemble, manque de ce grand instrument de perfectionnement et de communication qui unifie et grandit l'homme,—on peut même dire qui grandit la terre elle-même, car, sans la passion géographique qui illumina Colomb de ses pressentiments, où serait l'Amérique? Et sans les géographes, successeurs et émules de Colomb, où serait l'Australie, germe d'un cinquième monde?

Mais c'est la politique surtout qui doit vivre, les yeux sur un tel atlas.

La politique est de plus en plus la passion de ce siècle; elle doit être aujourd'hui, par nécessité, la science de tout le monde. Les événements, qui ne remuaient jadis que de petits territoires contigus à la France, remuent en ce moment le globe tout entier; comment juger avec connaissance de cause ces événements, sans en connaître la scène et les acteurs?

Nous avons une armée en Chine, nous avons une expédition en Cochinchine; nous portons une escadre d'observation sur les côtes septentrionales des États-Unis d'Amérique, nous avons une colonie militaire en Afrique, nous avons une armée en Syrie, nous en avons une au cœur de l'Italie, à Rome; nous avons une expédition française à Taïti, route égarée où ne passe aucune voile et qui ne mène à aucun but français sur l'immensité de ces mers futures; nous avons un établissement armé dans un coin des Indes orientales, triste et impuissant mémento d'un empire qui n'est plus qu'un comptoir.

Eh bien! qu'est-ce que la Chine? où est-elle? Qu'est-ce que cette prodigieuse population de quatre cents millions d'hommes, vivant en monarchie et en démocratie combinées sous le gouvernement de la capacité, tant de siècles  avant qu'Alexandre essayât de fonder son empire de découvertes et d'aventure en Asie, tant de siècles avant que l'empire romain s'avançât jusqu'en Thrace ou en Perse?

Quels sont nos droits, quels sont nos intérêts et notre politique dans la coopération sans titre et sans but que nous apportons à la destruction de cette antique, vénérable et civilisatrice unité humaine du plus vaste et du plus inoffensif empire que la terre ait jamais porté? Pourquoi prêtons-nous une main complaisante, et peut-être meurtrière, à l'Angleterre, qui va chercher des consommateurs d'opium de plus dans ces régions, vendre la mort, en vendant des vices, et se préparer des sujets de plus dans l'extrême Orient?

La géographie seule vous répondra et rectifiera d'un coup d'œil sur l'atlas, aussi bien que d'un retour de conscience, la puérile manie d'aller brûler et dévaster un palais impérial merveilleux, musée du monde antérieur à Pékin!

Que penseriez-vous d'un peuple civilisé qui jetterait ses manuscrits aux flammes, et ses médailles à la fournaise, pour prouver sa civilisation?

Qu'est-ce que la Cochinchine? qu'est-ce  que le Japon, et quelle vaine manie d'expédition, sans possessions et sans intérêt, vous pousse à aller bouleverser à coup de boulets français ces fourmilières pacifiques et industrieuses, à la voix de quelques propagandistes agitateurs du monde, qui veulent imposer des mœurs européennes à des peuples qui vivent de dogmes asiatiques?

Qu'est-ce que la Syrie, où des rixes endémiques entre des fragments de populations aussi concassées que les cailloux d'une mosaïque, ne peuvent vous appeler à leur aide sans que leurs voisins à leur tour n'appellent aussi à leurs secours d'autres nations protectrices de l'Occident, pour que la domination donnée aux uns ne devienne pas à l'instant la servitude des autres, pour que les victimes d'aujourd'hui deviennent les massacreurs de demain?

Ouvrez l'atlas, comptez ces deux cent cinquante mille Maronites, peuple innocent, religieux, cultivateur, guerrier; groupés autour de leurs moines laboureurs, sous la protection ottomane, dans leurs milliers de couvents, de villages, de cavernes, autour de leurs cénobites, le croissant y a toujours respecté la croix, malgré les calomnies insignes et intéressées de quelques agitateurs européens, qui prêchent la guerre à ces chrétiens de la paix.

Comptez quarante mille Druses, véritables Helvétiens du Liban, peuple fier, industrieux, sédentaire, vivant immémorialement en fraternité avec les Maronites dans le même village, et en parfaite harmonie, malgré leur culte différent, toutes les fois que des médiations étrangères ne leur mettent pas les armes à la main pour défendre leur part de nationalité dans les mêmes montagnes.

Comptez les Grecs de la côte, les juifs de Samarie, ceux de Jérusalem, les Mutualis, amis ou ennemis de tous leurs voisins; les Ansériés, tribu nomade, se glissant entre les groupes plus enracinés dans ces rochers, les Bédouins du désert, insaisissables par leur éternelle mobilité, les Arméniens, ces Génevois de l'Orient, tisseurs de tapis, brodeurs de soie, changeurs d'espèces monnayées, banque vivante de tout l'Orient, peuple qui s'enrichit d'industrie honnête, parce que l'industrie est travail, et que le travail règle et conserve les mœurs; peuple plus épris d'ordre que de liberté, qui ne trouble jamais l'État par ses turbulences, comme les Grecs de Stamboul, qui n'intrigue point avec l'Europe et qui ne demande à l'empire ottoman que la liberté de son christianisme et la sécurité de son commerce.

Comptez enfin les Arabes de Damas, reste du peuple des kalifes, race active, chevaleresque, fanatique, séditieuse d'habitude, torride de sang, toujours prête à prendre la torche, le poignard ou le fusil, et dont la capitale est en frémissement continuel contre les garnisons turques, qui ne la contiennent qu'en lui sacrifiant tous les dix ans la tête de leur pacha.

Voilà la Syrie; à moins de la dépeupler, d'y détruire une race par l'autre et d'y appliquer le mot de Tacite: *solitudinem faciunt*, que voulez-vous faire? Une intervention française à perpétuité n'y appellerait-elle pas une intervention anglaise, un champ d'intrigue et de bataille à perpétuité; et cela pour quoi? Pour quelques centaines de villages qui feront battre pour leurs questions de couvents et de bazars des centaines de mille hommes européens s'entr'égorgeant sur leur flotte et sur leur champ de bataille? Ne vaut-il pas mieux cent fois imposer la responsabilité de l'ordre dans le Liban aux Ottomans, qui depuis mille ans l'ont laissé chrétien, et le rendre libre et prospère en prêtant force au Grand Seigneur, libéral, quelquefois faible, jamais sciemment oppresseur?

J'ai vu moi-même ce Liban, admirablement gouverné sous la suzeraineté du Sultan par l'émir Beschir, malheureusement sacrifié en 1840 à notre inintelligent engouement pour Méhémet-Ali d'Égypte, le démolisseur de l'empire dont il avait reçu lui-même un empire. La solution que propose aujourd'hui le gouvernement français à l'Europe est évidemment, à mon avis, la meilleure: l'unité des Maronites et des Druzes sous la vice-royauté héréditaire de la famille de l'émir Beschir, famille à la fois maronite, arabe, druse, chrétienne, musulmane, hébraïque, éclectique, résumant en elle toutes les religions qui se disputent la montagne, et prenant ses soldats dans chaque tribu pour imposer à toutes l'ordre, l'égalité et la paix.

Qu'est-ce que cette Italie, enfin, que vous avez héroïquement purgée de ses envahisseurs étrangers, par deux victoires, mais que vous laissez conquérir aujourd'hui par des envahisseurs d'un autre sang qui l'incorporent à une monarchie ambitieuse et précaire, au lieu de l'affranchir dans la liberté, et de la fortifier par une confédération, république de puissances, où chaque nationalité garde son nom et prête sa main à la ligue universelle des races diverses et des droits égaux?

Ouvrez l'atlas, voyez cette magnifique péninsule, s'avançant avec ses archipels entre deux mers, avec ses ports, ses commerces, ses navires, ses capitales maritimes, Gênes, Venise, la Spezia, Ancône, Naples, Messine, Palerme, Syracuse; sa magnifique frontière tyrolienne, alpestre, apennine, navale, indispensable par son indépendance à votre sécurité. Voyez tout ce Péloponèse italien livré par votre imprévoyance à son petit roi, votre favori du jour, maître absolu demain d'un empire presque égal au vôtre, incapable de protéger cette péninsule, ces îles, ces ports, ces mers contre les Germains ou contre les Anglais, mais assez puissant pour subir l'alliance obligée de vos ennemis naturels. Est-ce que l'atlas ne vous dit pas, par toute la configuration du globe, que si l'Italie monarchisée, au lieu de dépendre d'elle-même, dépend des caprices d'un roi cisalpin, et que si ce roi la possède, au lieu de la couvrir, la France diminue de trente millions d'hommes son poids sur la terre et sur la mer, et que l'Angleterre gagne tout ce que la France perd au midi et à l'orient?

Enfin regardez sur l'atlas l'Autriche, autrefois dominatrice, aujourd'hui réduite à des proportions peut-être trop exiguës dans le midi de l'Allemagne, éventrée par la Prusse, disloquée par la Hongrie, agitée par la Gallicie, inquiétée par la Bohême, tiraillée par vingt nationalités éteintes qui veulent vivre seules sans avoir la force de vivre, appuyée sur son armée seule dont les contingents peuvent être à chaque crise rappelés par leurs provinces natales, et réfugiée sur le Tyrol, son dernier boulevard, réduite par son rôle à être empire de montagne, à être demain ce qu'était hier le faible monarque de Piémont.

Regardez plus haut, voyez dans cette Allemagne méridionale ce grand vide laissé par l'Autriche sur la carte politique du monde occidental: qu'est-ce qui le remplira, si vous avez l'imprévoyance de décomposer l'Autriche, votre boulevard? Et quelle alliance aurez-vous à opposer au lacet de la Prusse, complice toujours prête de l'Angleterre, et avant-garde de la Russie coalisée contre vous?

Sera-ce cette petite Macédoine moderne, qu'on appelle le Piémont, auquel vous livrez si aveuglément aujourd'hui l'Italie; le Piémont, puissance radicalement disproportionnée à son ambition; monarchie de complaisance, à qui vous faites un rôle plus grand que sa taille dans le drame géographique de l'Europe; puissance trop faible pour constituer l'Italie et pour la défendre, si vous consentez à lui annexer monarchiquement toute cette péninsule; puissance trop forte, si vous la laissez former contre vous un bloc de trente millions d'habitants sur votre frontière du midi et de l'est; excroissance ou chimérique ou périlleuse qui change complétement la situation défensive de la France en changeant la géographie des puissances contiguës?

La géographie vous le dit: ce qu'il faut à l'Italie, c'est l'indépendance et une confédération de ses divers États, régis librement chacun chez eux par des nationalités distinctes, et régis extérieurement par une diète souveraine. La confédération, c'est l'affranchissement de l'Italie sans danger et avec honneur pour la France; la monarchie du Piémont, c'est pour l'Italie changer de maître, et c'est pour la France changer de voisins et de frontières; c'est-à-dire qu'une Italie nouvelle, devenue monarchique, est mise à la disposition de l'Angleterre; une France nouvelle commence. L'ancienne France suffisait à elle-même et au monde; l'histoire change avec la géographie.

Il ne manque plus à nos périls qu'une république helvétique changée en monarchie militaire des cantons suisses, et une confédération germanique changée en unité monarchique allemande sous le joug de la Prusse contre nous. Unifiez l'Italie sous des baïonnettes piémontaises, soulevez la Hongrie et la Bohême, agitez la Styrie et la Croatie, livrez la Saxe à la Prusse, faites de la Bavière et du Wurtemberg des vassalités forcées de Berlin, et vous aurez achevé, vous, Français, engoués par des mots qui sonnent le tocsin de vos périls futurs, la circonvallation de la France par ses ennemis! Une carte de l'Europe vous éclairerait plus sur ce que vous faites que toutes les fanfares piémontaises de vos publicistes illusionnés par leur imprudente générosité.

Avec du cœur on fait de nobles imprudences; avec des mots on soulève des peuples, c'est vrai; mais avec des mots on ne refait pas des frontières! Ouvrez cet atlas et réfléchissez; il est temps encore de réfléchir.

En parcourant d'un œil attentif toutes ces belles cartes réunies par un lien historique, dans cet atlas si admirablement groupé pour mettre l'univers en relief sous vos mains comme dans une exposition plastique du monde à toutes ses grandes époques, où tout ce qui est essentiellement mobile dans la configuration des empires parut un moment définitif, on sait tout de l'homme et tout de la terre politique; on marche à travers les lieux et les temps avec un interprète qui sait lui-même toutes les langues et tous les chemins. Des écailles tombent de vos yeux à chaque nouvelle mappemonde dessinée par le compas des grands géographes. Géographie sacrée des Hébreux, géographie maritime des Phéniciens, géographie d'Alexandre qui efface les limites sous les pas de ses Grecs et de ses phalanges, de ses Ptolémée; géographie des Romains, qui font l'Europe et qui refont une Afrique et une Asie Mineure avec Strabon; géographie de Charlemagne, qui refait la moitié du globe chrétien avec les décombres du paganisme; géographie de l'Angleterre, qui fait une monarchie navale et commerciale avec les pavillons de ses vaisseaux; géographie de Napoléon, qui promène ses bataillons de Memphis à Madrid et à Moscou, conquérant tout sans rien retenir, et qui, de cette géographie napoléonienne de la conquête sans but, ne conserve pas même une île (Sainte-Hélène) pour mourir chez lui, après tant d'empires parcourus, en ne laissant partout que des traces de sang français versé pour la gloire; géographie actuelle, qui se limite par l'équilibre des droits et des intérêts, qui élève contre l'ambition d'un seul la résistance pacifique de tous, et qui ne se dérange un moment par une ou deux batailles que pour se rétablir bien vite par la réaction naturelle de la liberté et de la paix.

Tout cela passe successivement sous vos yeux comme un panorama parlant du globe, qui vous dit la biographie complète du globe, des temps, des races, des idées, des religions, des empires, par où l'humanité a passé, passe et passera avant de tarir, en faisant ce petit bruit que les historiens profanes appellent gloire, civilisation, puissance, et que les philosophes appellent néant! Car la géographie, surtout, enseigne la sagesse, cette saine appréciation des choses mortelles; et, quand on voit dans l'*Atlas géographique et historique* ces grands déserts qui furent des empires, ces vides immenses qui ne pouvaient jadis contenir leur population, et qui débordaient en colonies inépuisables pour aller peupler des continents nouveaux; quand on voit la place de ces fourmilières de peuples marquée seulement par un nom à déchiffrer sur un monolithe couché dans le sable, on se demande si c'était, pour ces torrents d'hommes engloutis, la peine de naître, de vivre, de combattre et de mourir sur la terre, et on se répond avec tristesse: Non, l'humanité n'est que l'ombre d'un nuage qui passe sur ce petit globe, encore trop grand et trop permanent pour elle, entre deux soleils, et, quand elle a été, c'est comme si elle n'avait pas été! Vaut-il la peine d'écrire son histoire? Vaut-il la peine de dessiner sa trace? Vaut-il la peine de conserver les dix ou douze grands noms en qui elle se résume pendant deux ou trois mille ans, et qu'elle perd même en poursuivant sa route dans le brouillard de la distance?

Encore une fois, non, elle n'en vaut pas la peine, si on considère seulement l'humanité au point de vue de son passage rapide sur ce globe. Deux points suffiraient sur ce globe géographique, comme pour marquer sa naissance dans l'inconnu, et sa disparition dans l'oubli.

Considérée comme existence visible, comme occupant sous le nom d'empire, de république, de race, de tribu, de nation, telle ou telle place dans l'espace et dans le temps, elle ne vaut pas plus que cela: car tout ce qu'elle remue n'est que poussière, tout ce qu'elle crée n'est que néant, tout ce qu'elle laisse après elle n'est qu'éblouissement, puis nuit profonde.

Mais si l'on considère de l'humanité son âme, son intelligence, sa moralité, sa destinée évidemment supérieure à cette vie et à cette mort entre lesquelles elle s'agite, sa connaissance de Dieu, l'hommage qu'elle rend à ce maître suprême de ses destinées individuelles ou collectives, la transition entre le fini et l'infini dont elle paraît être le nœud par sa double nature de corps et de pensée, sa conscience, faculté involontaire, révélation, non de la vérité, mais de la justice, son instinct évidemment religieux, son inquiétude sacrée qui lui fait chercher son Dieu, avant tout créature sacerdotale, chargée spécialement par l'Auteur des êtres de lui rapporter en holocauste les prémices de ce globe, la dîme de l'intelligence, la gerbe de l'autel, l'encens des choses créées, la foi, l'amour, l'hymne des créations muettes, la parole qui révèle, le cri qui implore, l'obéissance qui anéantit le néant devant l'Être unique, le chant intérieur qui célèbre l'enthousiasme, qui soulève comme une aile divine l'humanité alourdie par le poids de la matière, et qui la précipite dans le foyer de sa spiritualité pour y déposer son principe de mort et pour y revêtir d'échelons en échelons sa vraie vie, son immortalité dans son union à son principe immortel! voilà ce qui grandit démesurément à la proportion des choses infinies cette petite fourmilière inaperçue sur ce petit globe à peine aperçu lui-même dans cette poussière de mondes lumineux que l'astronomie nous dévoile à travers la nuit! Voilà la géographie de l'âme, qui donne seule de l'importance à cette géographie terrestre, et qui fait suivre d'un œil curieux les routes, les stations, les progrès, les bornes, les catastrophes des empires, conduisant par des voies visibles l'humanité au but invisible, mais ascendant, non de sa grandeur ici-bas, mais de sa grandeur ailleurs, c'est-à-dire de sa moralité!

L'homme est petit par ce qu'il fait, il n'est grand que par ce qu'il pense; ne mesurez pas le globe par son diamètre, mesurez-le par la masse de pensées qui en est sortie. Cette pensée est plus vaste que la circonférence de toutes ces sphères flottantes qu'aucun de vos chiffres ne peut calculer.

Vous voyez que la géographie, bien comprise, est aussi un cours d'intelligence et de théologie. Les mondes ne sont-ils pas les caractères de l'imprimerie divine avec lesquels l'Infini écrit ses leçons à l'intelligence de ses créatures, le catéchisme de l'infini?

Si j'étais père de famille, au lieu d'être un solitaire de l'existence entre deux générations tranchées par la mort, du passé et de l'avenir de ce globe, qui n'a plus pour moi que le tendre et triste intérêt du tombeau; ou si j'étais un instituteur de la jeunesse, chargé de lui enseigner le plus rapidement et le plus éloquemment possible ce que tout homme doit savoir du globe et de la race à laquelle il appartient, pour être vraiment intelligent de lui-même, je suspendrais un globe terrestre au plancher de ma modeste école, et j'expliquerais, avec ce miraculeux démonstrateur de l'astronomie, le second Herschel, la place et le mouvement de notre globule au milieu des espaces et des mouvements de cette armée des astres, qui exécutent, chacun à son rang et à son heure, la divine stratégie des mondes.

Je tapisserais ensuite les murailles blanches de ma pauvre école avec les cartes de l'atlas Le Chevalier; je mènerais par la main mes petits astronomes et mes petits géographes d'abord devant le globe, puis devant ces cartes où ce globe se décompose en surfaces planes sur lesquelles sont gravées, époque par époque, les superficies terrestres qui furent, ou qui sont, ou qui seront des empires humains. À chacune de ces superficies géographiques j'appliquerais la partie de l'histoire qui lui donne sa signification, son caractère, sa corrélation avec les peuples voisins, avec les temps, avec les idées, les religions, la politique de telle ou telle date du globe.

Quand nous aurions achevé ensemble ce tour du globe, cette chronologie des choses humaines, dans ma chambre de vingt pieds carrés, parcourue lentement en une année de stations devant ces cartes, et que les volumes de l'histoire lue sur place joncheraient à nos pieds le plancher de notre école, semblable à un navire qui aurait fait la circumnavigation du globe et du temps, j'appellerais un à un mes petits géographes, compagnons de notre navigation sur place; je leur demanderais d'être à leur tour les pilotes de notre longue et universelle expédition sur tant de mers, de côtes, de fleuves, de montagnes, de terres inconnues; de nous dire où nous en sommes de cet itinéraire géographique entrepris ensemble et accompli en une année d'études aussi variées qu'intéressantes. Quel est ce continent? Quel est ce climat? Quels sont les animaux, les fruits, les céréales, les commerces? Quelle était la langue, quelle est la religion, les lois, les mœurs, la politique, les dynasties ou les républiques? Par qui fondées, par qui déclinantes, par qui remplacées? Quelle renommée ont-elles laissée sur leurs ruines? Quels sont les deux ou trois grands hommes qui ont signalé leur existence dans ces régions, par ces hautes vertus ou par ces exécrables crimes qui font vénérer à jamais ou détester les prodiges de bien ou les monstruosités de mal qui honorent ou déshonorent notre espèce? Comment ces nations taries se sont-elles perdues comme des fleuves absorbés dans des nations nouvelles? Quelle place occupent-elles aujourd'hui dans la mémoire des hommes? Par qui ont-elles été remplacées?

En un mot, la main d'un enfant, grâce à cet atlas mnémonique du monde, nous décrirait le cours du temps, et sa voix nous raconterait jusqu'à nos jours les destinées universelles de la terre; vous auriez cherché à faire un simple géographe, et vous auriez fait un historien, un moraliste, un philosophe, un politique, un théologien universel, un homme enfin embrassant d'un coup d'œil toutes les faces de l'humanité.

Notre cours de géographie serait devenu naturellement et nécessairement un cours d'humanité tout entière. Sur ces océans de continents, d'empires, de royaumes, de provinces, d'îles, de mers, de fleuves, de montagnes, de plaines, votre boussole serait le compas qui a dessiné cet atlas, et le doigt d'un enfant, vous en enseignant les lignes, vous enseignerait l'univers!

Quel père de famille ne voudra se procurer ce merveilleux instrument de science que l'atlas de MM. Dufour et Le Chevalier a créé, pour abréger le globe et pour l'éclairer sur toutes ses faces, afin que les lieux racontent les choses, que les choses rappellent les hommes, que les hommes retracent leur histoire, que les *cosmos* soient contenus dans quinze ou vingt pages in-folio, et que ces quinze ou vingt pages, muettes jusqu'ici, mais rendues tout-à-coup plus éloquentes qu'une bibliothèque, soient devenues la photographie parlante du monde où nous passons sans le connaître, mais qui nous dira lui-même, pendant que nous passons, ce qu'il fut, ce qu'il est, ce qu'il sera?

Les anciens gravaient les distances pour les voyageurs sur les bornes milliaires qui bordaient les voies romaines, du Capitole aux extrémités de l'empire; combien le voyage eût été plus instructif et plus intéressant, si chaque borne milliaire, en vous disant la distance, vous eût raconté en même temps tout ce qui s'était passé avant vous sur chacun de ces espaces circonscrit entre ces deux pierres, et s'il avait reproduit ainsi tous les faits et tous les acteurs, en même temps qu'il reproduisait le lieu de la scène de tous ces grands drames de l'humanité!

C'est ce que fait l'ATLAS que M. Le Chevalier édite aujourd'hui pour ceux qui estiment la science comme le premier devoir de ceux qui veulent profiter de la vie.

Nous ne saurions trop recommander à nos lecteurs l'acquisition de cet instrument de lumière, qui double le jour en le répercutant.

Lamartine.

FIN DU TOME ONZIÈME.

## Notes

1: Hélas! je ne les ai plus, mais ils ont mon cœur.

*26 avril 1861.*

2: Nous apprenons, en envoyant ces feuilles à l'impression, que M. Dufour, l'auteur de ces magnifiques cartes, épuisé avant l'âge par ce travail surhumain de tant d'années, vient de laisser tomber de sa main le compas, seul instrument du salut de sa pauvre famille, et que son seul moyen d'exister aujourd'hui est une part du prix de cet atlas qui lui coûte son infirmité précoce. Nous espérons que cette infortune de l'éminent géographe plaidera mieux que nous en faveur d'un ouvrage rendu plus intéressant encore par le travail incomparable de l'illustre graveur Dyonnet.

Milton Keynes UK
Ingram Content Group UK Ltd.
UKHW011140220424
441551UK00007B/712

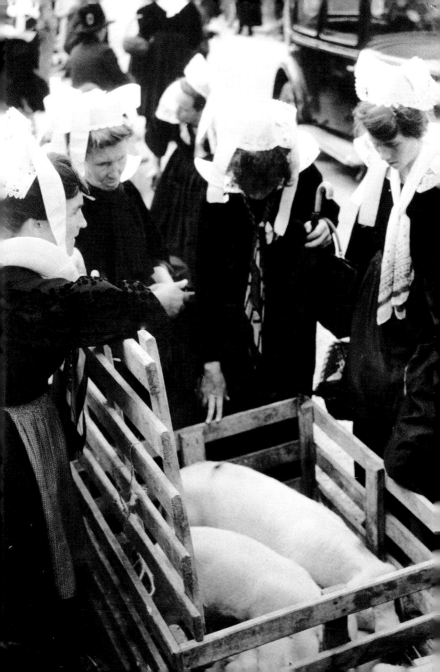

# SOMMAIRE

# LA BRETAGNE
## ENTRE HISTOIRE ET IDENTITÉ

Alain Croix

DÉCOUVERTES GALLIMARD
HISTOIRE

Extraordinaire histoire que celle de ces immigrés d'outre-Manche qui, pendant mille ans, construisent un duché capable de résister au voisin franc. De survivre aux Vikings. De garder un territoire immuable depuis le XI^e siècle. Des immigrés qui introduisent leur christianisme. Font naître une culture bilingue. Et nous laissent, à la croisée de l'histoire et du mythe, des personnages aussi forts que Nominoé, Du Guesclin et la duchesse Anne…

CHAPITRE 1

# MILLE ANS POUR UN DUCHÉ

Bretagne, France… Anne de Bretagne (présentée à la Vierge par les saintes Anne, Hélène, Ursule), alors reine de France. Et le blason plain d'hermine, symbole de la Bretagne depuis son adoption par le duc Jean III vers 1316, alors qu'il est d'origine française…

## La Bretagne naît

Vers la fin du
VIᵉ siècle au plus
tard, l'ancienne
Armorique
commence à être
appelée Britannia,
et ses habitants
Britanni ou Britones :
en 461, un concile
accueille même à
Tours un certain
Mansuetus, « évêque
des Bretons ». Que s'est-il donc passé ?

Il semble bien que, dès le IVᵉ siècle, les garnisons
romaines de l'Armorique s'étoffent de mercenaires
recrutés dans l'actuel pays de Galles et le nord
de l'actuelle Angleterre, et que s'ouvre ainsi un
courant migratoire régulier et abondant qui s'étale
sur deux siècles. La pression démographique dans
la grande Bretagne, les attaques des terribles Scots
d'Irlande et des Pictes (ancêtres des Écossais),
chassent les populations. L'Armorique est proche
– un ou deux jours de mer –, la langue gauloise
des indigènes est parente du breton insulaire.

Comme bien des migrants d'aujourd'hui, ces
Bretons s'appuient sur les liens de parenté, sur des
origines géographiques communes qui permettent
d'instaurer des réseaux. Et ils sont suffisamment
nombreux pour introduire les noms des contrées
de départ : la Domnonée britannique (qui deviendra
le Devon) se retrouve pour désigner tout le nord de la
péninsule, lieu d'arrivée de la plupart des migrants,
et le peuple des Cornovii donnera dans l'île comme
sur le continent Cornouaille.

### Chrétiens et autonomes

Ces immigrés sont chrétiens, bien plus que les
indigènes semble-t-il, et organisés d'une manière
alors fortement originale. En Gaule, la
christianisation s'étend à partir de villes-évêchés
dont le territoire se subdivise peu à peu, de manière

La navigation miraculeuse de saint Brandan et de son disciple Malo (en haut, à gauche), en quête du paradis terrestre, rejoint la réalité historique de la migration vers l'Armorique, à bord d'embarcations comme celle-ci, très proche des *curraghs* irlandais. Malo, disparu vers 630, est avec Samson, Brieuc, Patern, Corentin, Tugdual et Paul Aurélien (Pol) un des évêques-abbés considérés comme les fondateurs des évêchés (ci-dessus) nés d'une immigration bretonne aux traces bien palpables : le gong « de Paul Aurélien » (à droite) prouve ainsi l'influence du monachisme celtique.

S. peuc. S. patet. S. coëtin. S. cuðual. S. paut.

pyramidale, en paroisses. C'est donc le cas aussi dans l'est de l'Armorique : Melaine, évêque de Rennes, laisse trace en 511, et l'évêque aristocrate Félix marque fortement, un peu plus tard, l'histoire de Nantes. Chez les immigrés en revanche, chaque communauté s'organise de manière autonome autour de son saint personnage, souvent un ancien ermite, parfois le futur abbé d'un monastère, si l'on en croit les nombreuses *Vies* de saints. L'évêque y est connu, mais son autorité, avant tout personnelle, ne s'exerce pas sur les paroisses.

Ainsi s'explique que tant d'individus aient laissé leur nom aux toponymes – les noms en *plou-*, en *gui-*, en *lan-* – et que tant de « saints » aient marqué les mémoires. Ce passé très lointain fait aussi peut-être – sans doute ? –

l'autorité dont jouissent les prêtres à la tête des paroisses, jusque loin dans le XX<sup>e</sup> siècle, et l'attachement longtemps très profond, au-delà des clivages idéologiques, au « clocher », à l'esprit de paroisse : aujourd'hui encore, la commune est désignée en breton par le terme de *parrez*, « paroisse »…

### Les délicats rapports avec les Francs et leurs successeurs

Ces immigrés ne sont pas simplement de pacifiques colons – à supposer qu'ils l'aient été, car le silence des sources incite à la prudence : pendant mille ans, ils s'opposent aux tentatives de mainmise des puissants voisins francs, mérovingiens, carolingiens puis capétiens. Ce long affrontement, unique dans l'histoire française, mérite d'autant plus l'attention qu'il est inattendu.

Le rapport des forces est inégal évidemment, et pourtant, vers 500, les Bretons parviennent à négocier avec Clovis, qui n'est pas un tendre : sa souveraineté est reconnue… mais toute symbolique, puisque sans tribut. Quand le roi franc est fort, les Bretons cèdent : vers 637, le maître de la Domnonée, Judicaël, va jusqu'à Paris faire soumission à Dagobert. Certes. Mais il y en a tant, de ces soumissions (786, 799, 811, 818, 822, 824, 825 !), qu'elles doivent être bien superficielles. Bien sûr, en 753, Pépin le Bref (le fils de Charles Martel et le père de Charlemagne) prend Vannes et impose à la tête d'un large glacis protecteur, la « marche de Bretagne », un certain Roland, auquel les Basques réserveront un mauvais sort à Roncevaux en 778. Bien sûr, en 818, Louis le Pieux profite d'une soumission pour normaliser la puissante abbaye de Landévennec en lui imposant la règle bénédictine, c'est-à-dire en alignant un fonctionnement tout pétri de culture irlandaise sur la pratique continentale.

Gwénolé fonde en 485 Landévennec, la plus illustre abbaye bretonne. Les récits de sa vie rapportent des miracles, et surtout sa bien réelle formation dans l'école monastique tenue par Budoc dans l'île Lavret, près de Bréhat.

**De Nominoé au roi Salomon : l'apogée de la puissance bretonne**

Cette page d'évangéliaire est une extraordinaire synthèse des cultures dont s'imprègne l'atelier de peinture et de copie (scriptorium) de l'abbaye de Landévennec. La sagesse et le classicisme venus de la métropole religieuse de Tours ne l'emportent pas sur l'exubérance et la mise en pages originale dues à l'influence irlandaise. Plus encore, l'apôtre Marc n'est pas accompagné du lion, mais arbore une tête de cheval, tout simplement parce que *marc'h* désigne cet animal en langue bretonne. Le document est conservé à... Boulogne-sur-Mer, ce qui renvoie très certainement au périple des moines de Landévennec après la prise de l'abbaye par les Vikings en 913 : emportant seulement reliques et manuscrits précieux, ils se réfugient tout près, à Montreuil-sur-Mer. Cet exode explique que les quatre autres exemplaires de même type, également réalisés au IXe siècle en Bretagne et très probablement à Landévennec, soient aujourd'hui conservés à New York, Oxford, Troyes et Berne.

Chaque partie finit cependant par reconnaître l'inanité de cette politique de force : en 830, Louis le Pieux fait du comte de Poher – vaste pays autour de Carhaix –, Nominoé, son représentant. Le retour en arrière n'est plus possible, tant les Carolingiens s'affaiblissent : ils sont battus en 845 à Ballon, près de Redon, encore en 850 et 851, et poursuivis jusque dans le Vendômois ! Contre un hommage toujours aussi théorique, ils cèdent à Érispoé, le fils de

Nominoé, toute la Haute-Bretagne, c'est-à-dire les comtés de Rennes, de Nantes et le sud de la Loire ; et au cousin d'Érispoé, Salomon, ils cèdent, contre un modeste tribut, tout le pays jusqu'à la Sarthe puis le Cotentin, avec en prime la reconnaissance du prestigieux titre de roi !

Ce ne sont pas là que péripéties territoriales : en quelques décennies, les souverains bretons ont triplé leurs domaines, mais en terre uniquement romane. L'incontestable succès militaire et politique fait de leur Bretagne une terre non seulement bilingue, mais sensiblement plus « francophone » que bretonnante. Ce sont là, à très peu près, les limites qu'adoptera le territoire breton deux siècles plus tard. Et cette romanisation de la Bretagne porte en germe le futur recul du breton.

L'expansion bretonne au IXe siècle (ci-dessous) : éphémère apogée d'un royaume qui s'étend en quelques années très au-delà de la zone de parler breton.

Royaume de Nominoé (avant 851)
Conquêtes d'Érispoé (851)
Conquêtes de Salomon (867)

0        50 km

## Le traumatisme des raids vikings

À cette époque cependant se sont déjà manifestés les terribles pillards vikings, qui, en 843, ravagent Nantes et massacrent la population, évêque en tête, dans la cathédrale. L'effroi est immense, les conséquences, à terme, terribles : autour de 920, les moines de Landévennec, de Saint-Gildas-de-Rhuys, de Saint-Sauveur de Redon s'enfuient vers le royaume carolingien, en emportant leurs objets précieux et donc en particulier leurs manuscrits et leurs reliques. Les Grands en font autant vers l'Angleterre, en particulier le plus prestigieux, le comte de Poher, fils du dernier souverain breton Alain le Grand. Et les Vikings se font reconnaître en 921 la propriété d'une Bretagne en passe de devenir une seconde Normandie.

La geste bretonne retient que le fils du comte de Poher, Alain Barbetorte, rentré d'exil, triomphe

En une seule image (à droite), l'illustrateur de la *Vie de saint Aubin* parvient à exprimer la terreur qu'inspirent les Vikings, avec cette masse de soldats, très proches dans leur aspect de ceux de la tapisserie de Bayeux, qui date également de la deuxième moitié du XIe siècle. La date de réalisation du manuscrit montre aussi l'importance de la mémoire du traumatisme : à la fin du XIIe siècle une chanson de geste, le *Roman d'Aiquin*, raconte encore l'histoire d'un chef viking, Haakon, établi dans la région de Saint-Malo !

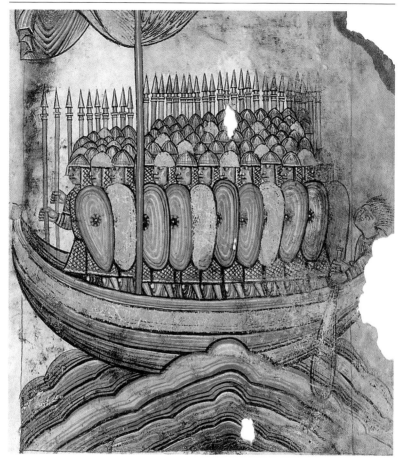

des Vikings, chassés de Nantes en 937 et écrasés définitivement deux ans plus tard; qu'il devient donc, dans les faits, duc de Bretagne. En réalité, la Bretagne ne se remet pas du désastre. Les territoires conquis au siècle précédent ont été perdus, et, s'il existe un « duc des Bretons », voisins aussi bien qu'aristocrates bretons contestent son autorité. S'agit-il même de véritables ducs de Bretagne ? Alain Fergent, duc de 1084 à 1115 (?), est sans doute le dernier qui parle le breton couramment…

Les raids meurtriers et destructeurs des Vikings, puis leur installation à Nantes jouent un rôle décisif dans l'interruption des liens historiques et culturels entre la Bretagne et le pays de Galles, et détournent pour longtemps les Bretons de la mer.

## Une Bretagne féodale

Conflits, ambitions déçues,
réussites spectaculaires,
usurpations à l'occasion de
troubles : la féodalité bretonne
se construit comme ailleurs
dans une confusion qui ne doit
pas masquer l'essentiel,
l'émergence d'une aristocratie
née avant tout de la captation
de fonctions attribuées à un
moment donné par le
souverain franc ou par le duc
de Bretagne. Le formidable
recueil de documents constitué
par l'abbaye Saint-Sauveur de
Redon, connu sous le nom de
« cartulaire de Redon », montre
bien le recul des propriétaires
indépendants et leur souci de

se placer sous la protection d'un puissant, et on en voit
l'effet à travers la construction de châteaux en bois
sur des mottes de terre élevées un peu partout à partir
de l'an mil. Les plus puissants – les plus brutaux, les
plus voleurs ou les plus habiles – de ces aristocrates
parviennent même à édifier des châteaux forts
de pierre à partir du XIIᵉ siècle.

   La captation des profitables charges
ecclésiastiques – le comte de Cornouaille
est même un temps également évêque de
Quimper – assoit encore un pouvoir que
nul n'est en mesure de contester. En
dehors de Nantes et Rennes, les très
modestes « villes » n'existent que par la
grâce des seigneurs, autour du château
comme à Fougères et Clisson, et plus
souvent à la profitable croisée d'un fond
d'estuaire et du premier pont permettant
de franchir la rivière : c'est ainsi que se
développent Vannes, Auray, Hennebont,
Quimperlé, Quimper, Morlaix, Lannion,
Tréguier, Dinan…

## De modestes ducs

Entre Alain Barbetorte et la reconnaissance du titre
de duc de Bretagne par le roi Philippe le Bel, en 1297,
il a fallu trois siècles et demi pour que les modestes
souverains bretons établissent solidement une
autorité payée par une stricte fidélité au Capétien.
Les écarts ont été durement sanctionnés. Pendant
la deuxième moitié du XIIe siècle, le duché est
étroitement contrôlé depuis l'extérieur, Angleterre,
Anjou ou Aquitaine, par les Plantagenêts, Henri,
Richard Cœur-de-Lion et Jean Sans-Terre – vue de
Bretagne, cette période n'est vraiment pas celle de
Robin des Bois : ses velléités de résistance valent
au jeune duc Arthur de mourir en prison. La tutelle
des Capétiens prend le relais, le très français Pierre
de Dreux menant le duché à partir de 1213.

  L'avenir seul permet de discerner dans cette période
de solides fondements. Oui c'est vrai, depuis le
Xe siècle, les neuf évêchés bretons sont stables,
et le seront jusqu'à la création des
départements en 1790.

Dans la deuxième
moitié du XIe siècle,
c'est encore une
motte portant des
fortifications de bois
que figure la tapisserie
de Bayeux, ici (à
gauche), pour Dinan.
Au XIIe siècle, une étape
décisive est franchie
avec l'édification,
notamment sur les
frontières du duché, de
grandes fortifications
en pierre comme
celles de Fougères (ci-
dessous), sans cesse
renforcées jusqu'au
XVe siècle.

Oui, les pratiques linguistiques se sont stabilisées, le breton se cantonnant à l'ouest d'une ligne qui court sensiblement de Saint-Brieuc à Saint-Nazaire. Oui, plus encore, le territoire de la Bretagne se fixe au XI$^e$ siècle et, cas rarissime en Europe, ne se modifiera plus pendant un millénaire. Oui, une administration ducale se met en place, mais si timide encore. Oui, encore, des textes juridiques apparaissent : en 1185, le pouvoir Plantagenêt promulgue l'Assise au comte Geoffroy, le premier grand texte juridique breton qui, dans les héritages nobles, défavorise filles et cadets ; et autour de 1320 une première Très Ancienne Coutume de Bretagne diffuse largement droits français et romain bien plus qu'usages locaux. Oui enfin et surtout, la paix du XIII$^e$ siècle enrichit tout le monde et permet le développement du commerce sur la Loire, l'importation du vin, l'exportation du sel, la naissance d'une marine marchande. Certes. Mais, en 1341…

## Une terrible guerre pour rien

La guerre de Cent Ans s'ouvre en Bretagne presque en même temps qu'en Flandre. En 1341 le titre ducal est revendiqué par deux candidats : Charles de Blois, époux de Jeanne de Penthièvre, petite-fille d'un premier mariage du duc Arthur II ; et Jean de Montfort, fils d'un deuxième mariage. L'arbitrage du roi de France Philippe VI étant favorable à Blois, Montfort accepte le soutien des Anglais, qui font de la Bretagne un abcès de fixation : aucun camp n'a les moyens de l'emporter. Pendant deux décennies rien ne se passe d'important, sinon que la soldatesque, anglaise, bretonne, française, ravage le pays : c'est dans ces escarmouches que Du Guesclin se fait un nom, c'est l'une d'elles qui vaut à Blois neuf années de captivité anglaise. En 1362, le fils de Jean de Montfort rentre d'Angleterre et l'emporte finalement sous les murs

À droite, l'intensité dramatique de cet instant où l'histoire de Bretagne bascule. Nous sommes le 29 septembre 1364, au terme de vingt trois années d'une guerre civile bien illustrée par le fait que les deux camps arborent les mêmes hermines, symboles de la Bretagne. À gauche de la ville d'Auray, les tentes de l'assiégeant Montfort. Au premier plan, à l'extrême gauche, Jean de Montfort porte la couronne ; à l'extrême droite, également couronné, Charles de Blois a perdu les deux chevaliers qui le protégeaient : il va périr, et Montfort triompher.

d'Auray en 1364 : Blois y est tué, le roi Charles V reconnaît le nouveau duc Jean IV.

De ce pitoyable et terrible épisode, on retient la victoire des Montfort, et souvent aussi le rôle, réel, des très fortes épouses qui « tiennent la maison » pendant la captivité plus ou moins longue des maris, Jeanne de Flandre pour le premier Montfort et Jeanne de Penthièvre pour Blois. Mais rien n'est réglé.

Du Guesclin, que Charles V fait connétable de France en 1370 (à gauche), sert loyalement les Blois, alliés du roi, et combat les Anglais en Bretagne. Mais il refuse de combattre le duc Jean IV en 1379, ce qui lui vaut une demi-disgrâce.

Ni à court terme : Du Guesclin contraint Jean IV
à un nouvel exil anglais de six ans en 1373, et un
nouveau conflit éclate en 1392 quand Jean IV rate
l'assassinat d'un grand féodal, Olivier de Clisson,
connétable de France et soutien des Penthièvre.
Ni à long terme : les grands féodaux ne se soumettent
qu'en apparence. Marguerite de Clisson fait même
enlever le duc Jean V en 1420, ce qui vaut aux
Penthièvre exil et confiscation de leurs domaines.
Et lorsque le rapport des forces est moins favorable
au duc, les féodaux soutiennent le roi de France
jusqu'à combattre à ses côtés contre l'armée ducale,
lors du grand affrontement de 1487-1491.

### Un État ducal illusoire...

La population s'effondre pendant un siècle, jusqu'au
plus creux du milieu du XVᵉ siècle : les effets de la
guerre sont durables. Mais le sont moins
qu'ailleurs, et moins profonds aussi : c'est dans ce
contexte d'une France ravagée, elle, jusqu'en 1453
par une guerre interminable qu'il faut situer
l'éclat des duchés de Bourgogne et, dans une
plus modeste mesure, de Bretagne.
De 1364 à 1442, la Bretagne ne connaît

La scène se déroule
peut-être à Rennes,
mais peu importe à
vrai dire : l'enluminure
illustre parfaitement la
taille très modeste des
ports, des bateaux,
des chargements.
Cette modestie fait la
fortune des « rouliers
des mers » bretons
dès le XVᵉ siècle. Elle
explique aussi le très
grand nombre des ports
– point n'est besoin
d'équipements –,
et permet même
d'irriguer presque
tout l'intérieur de la
province : Rennes est,
ou très peu s'en faut,
un actif port de mer,
et plus encore les
villes de fond de ria,
à l'exemple de
Pontrieux, Morlaix,
Landerneau et de tous
les ports de la côte
méridionale.

que deux ducs, et quasiment aucun épisode militaire sous Jean V. Et le roi de France a d'autres soucis que la Bretagne. Alors on bâtit. Une autorité : Jean IV déjà frappe des monnaies d'or, et encourage les chroniqueurs qui exaltent le duché ; une cour, raisonnablement brillante, se développe ; Jean V se dit duc « par la grâce de Dieu », ses successeurs portent la couronne. Une administration digne de ce nom se met en place : un Conseil, une chancellerie pour le quotidien, une Chambre des comptes pour les finances, une cour de Parlement pour la justice – mais l'appel reste possible au Parlement de Paris jusqu'en 1485, évidente limite de la souveraineté. Une assemblée d'évêques et d'abbés, de grands seigneurs et de quelques représentants des villes, l'assemblée des États de Bretagne, n'a guère de pouvoir mais assure le lien entre le duc et ceux de ses sujets qui comptent : on le voit

bien avec le soutien apporté
à Jean V captif en 1420.

Une capitale se dessine
même : le Conseil ducal
est transféré en 1460 de
Vannes à Nantes, où
commence à s'édifier un
magnifique château
moderne, donc gothique
flamboyant. En 1460, le
nouveau duc François II y
obtient même du pape la
création d'une université.
Et l'argent afflue, grâce à
un efficace système fiscal
qui épargne, comme
ailleurs, les plus pauvres
et les privilégiés : qu'il
serve à financer presque
uniquement la cour
et la guerre est après
tout dans les normes
du temps.

### ... rattrapé par les réalités

Que la Bretagne ait échappé
si longtemps à l'emprise de
son très puissant voisin
n'est pas un miracle de
l'histoire, mais le résultat

d'une situation bien précise : l'insigne faiblesse du
roi de France (que vient d'illustrer la guerre de Cent
Ans), la souplesse de ducs qui lui rendent au moins
un hommage formel, et à défaut le soutien anglais.

Or en 1461 monte sur le trône de France un roi
débarrassé de la guerre contre les Anglais, et donc
à même de manifester son autorité : Louis XI. Ces
Anglais, en outre, sont empêtrés depuis 1455 dans
une guerre civile de trente ans. Et l'allié objectif
des Bretons, le duché de Bourgogne, sombre avec
Charles le Téméraire en 1477.

Pierre Landais illustre parfaitement le
basculement. Ce grand marchand devenu maître

Tout un symbole :
l'association du lys
français et de l'hermine
bretonne sur l'écu
d'Anne de Bretagne
s'impose à partir du
mariage de la duchesse
– la peinture date de
1512 – et symbolisera
l'Union tout au long
des trois siècles de
l'Ancien Régime.
La devise, d'origine
espagnole, *Non
mudera*, signifie :
« Je ne changerai pas ».

des finances ducales impose pendant quinze ans une politique très réservée à l'égard de la France, avec le soutien d'une part notable de la bourgeoisie. En 1485, il est pendu au terme d'un procès inique, victime de l'hostilité du haut clergé et de l'aristocratie acquis au roi de France.

Un couple, Charles VIII et la reine Anne, sans doute au moment de leur mariage en 1491. Anne a succédé à son père François II, mort trois

La suite n'est plus que soubresauts, malgré la résistance courageuse de Nantes à l'armée royale en 1487. Le 28 juillet 1488, près de Saint-Aubin-du-Cormier, les troupes de Charles VIII, qui comptent nombre de grands seigneurs bretons, écrasent celles du duc François II, qui comptent nombre de grands seigneurs français dont le futur roi Louis XII : des deux côtés, des aristocrates privilégient leur hostilité à un pouvoir fort. En décembre 1491, la jeune duchesse Anne – elle va avoir quinze ans – épouse Charles VIII. C'est, dans les faits, le terme d'une autonomie parfois bien proche de l'indépendance, et qui aura duré mille ans.

ans plus tôt, et ce mariage très politique ignore l'amour, ce que nous aident à percevoir les conventions picturales du temps qui nous livrent deux regards vides... C'est en fait la raison d'État qui nous est proposée ici, qui mène droit à la future union du duché au royaume de France.

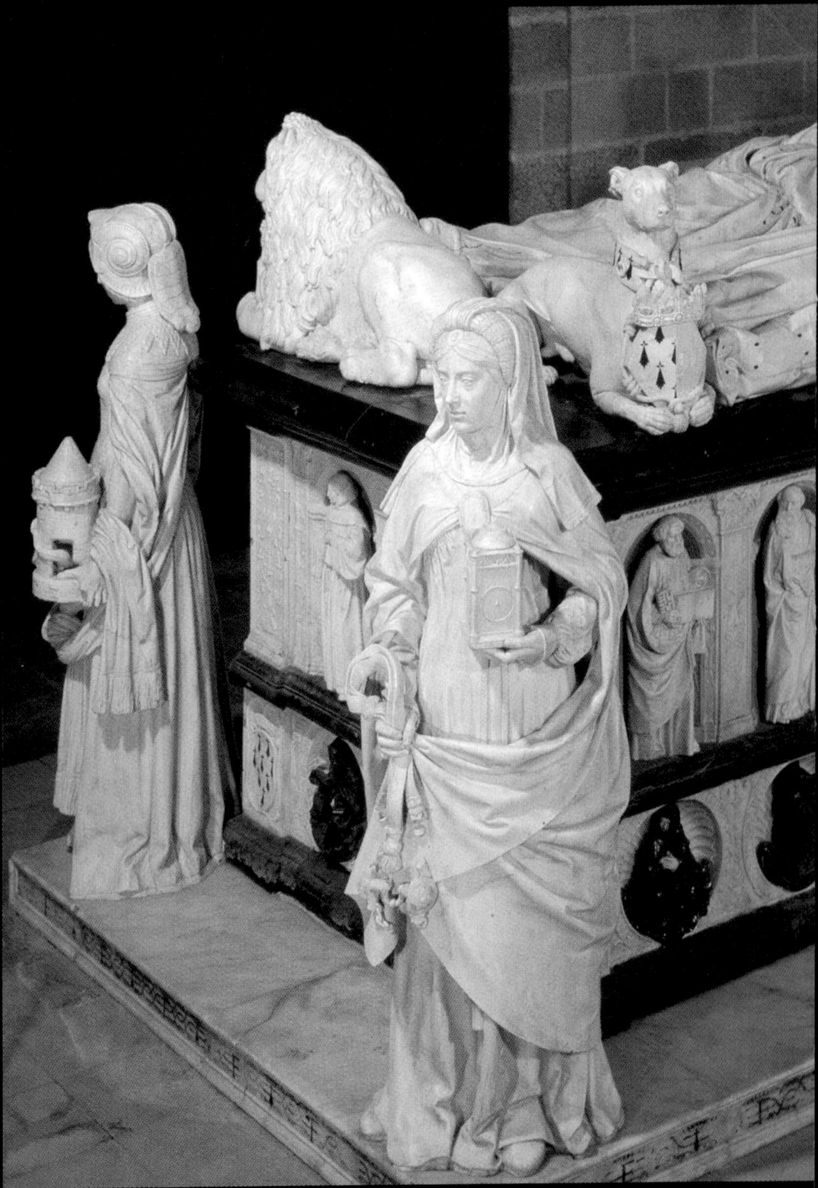

En 1499, Anne de Bretagne, alors veuve du roi Charles VIII, commande un tombeau monumental pour ses parents, le duc François II et Marguerite de Foix. Installé au couvent des Carmes de Nantes, le monument accueille aussi la dépouille de la première épouse du duc, Marguerite de Bretagne, et plus tard le reliquaire du cœur d'Anne. Il sera réinstallé dans la cathédrale en 1817. Le concepteur, Jean Perréal, et le sculpteur, Michel Colombe, terminent en 1507 ce chef-d'œuvre très influencé par la Renaissance italienne, jusqu'au choix des marbres. De la tradition gothique française reste l'imposant massif qui supporte les gisants – autrefois relevés d'or et, sur les chairs, d'une discrète couleur –, les anges à leur tête, le lion et le lévrier à leurs pieds. Aux angles, l'Italie a donné les quatre vertus cardinales : la Justice, ici invisible, et, de gauche à droite, la Force, très guerrière, la Tempérance, et la Prudence au double visage, qui se regarde dans un miroir et s'inspire du passé symbolisé par le vieillard. Couronnes et hermines affirment un rang et un particularisme auxquels Anne est plus que jamais attachée.

Préparée par un siècle de reconstruction
à la fin de l'époque ducale, la richesse
au moins relative des XVIe et XVIIe siècles fait
de la Bretagne une exception. Cet « âge d'or »,
celui des « rouliers des mers », d'une
agriculture presque capable d'éviter les
famines, d'une industrie au marché un temps
mondial, d'un art paroissial extraordinaire,
est aussi celui où s'invente littéralement
la religion des Bretons.

**CHAPITRE 2**

## « L'ÂGE D'OR »

Bretagne royale, celle des élites, parfaitement illustrée par la splendeur du palais du Parlement à Rennes : sur ce plafond de Charles Errard, *La Justice tend la main à l'Innocence* (1662, à gauche). Et Bretagne rurale, paysanne, à l'expression fortement marquée par la tradition artistique : le calvaire de Plougastel-Daoulas (1598, restauré en 1948-1949 ; détail ci-contre).

## 1532, simple péripétie ?

En août 1532, les États de Bretagne sollicitent du roi l'union de la Bretagne à la France, ce que François Ier concède par deux édits promulgués à Nantes puis au Plessis-Macé, en Anjou.

L'événement, mis en avant par une longue tradition d'histoire événementielle, n'a en fait guère plus d'importance que les autres étapes d'un processus inéluctable. Anne de Bretagne, veuve de Charles VIII en 1498, a épousé aussitôt son successeur Louis XII, l'ancien compagnon d'armes de l'armée ducale à Saint-Aubin-du-Cormier, ce qui fait d'elle l'unique femme deux fois reine de France. Elle meurt en 1514, mais sa fille Claude a épousé François d'Angoulême, devenu quelques mois plus tard le roi François Ier. Et c'est au fils aîné de ce mariage que doit aller un titre de duc de Bretagne qui disparaît en 1547 quand Henri II monte sur le trône.

Le plus remarquable est évidemment que la monarchie française ait choisi en définitive la voie de la douceur, dans un processus qui a duré soixante ans. Le plus évident est que l'événement n'est marquant que pour la poignée d'individus directement

Pour la « joyeuse entrée » de Louis XII et Anne, chaque ville offre un royal cadeau : la médaille conçue par les Lyonnais (ci-dessous) jalonne la banalisation progressive d'une union entre la Bretagne et la France, consacrée en 1532 non par un « traité », comme la légende en court parfois encore, mais par un acte unilatéral du roi François Ier (ci-dessus).

concernés, députés aux
États et grands officiers.
Le phénomène marquant
de l'été 1532 est en
réalité une terrible
disette qui, comme
souvent, tourne à la
famine en Pays nantais :
quand la nouvelle reine
Éléonore d'Autriche et le
dauphin-duc François III
y font leur rituelle
« joyeuse entrée » en août
1532 c'est, littéralement,
parmi les cadavres au
ventre gonflé : « les
pauvres mouraient
de faim par les rues »...

### Une Union sans nuage

Non-événement donc, et
c'est logique : l'Union ne
change à peu près rien, et
correspond aux intérêts
de tous ceux à qui on
demande un avis. Le roi
y gagne évidemment
l'entrée définitive dans

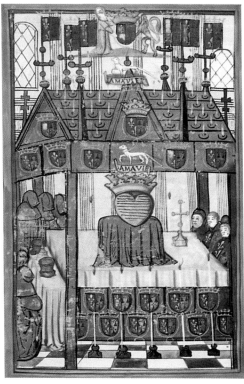

ses États d'une province parmi les plus riches,
et qui compte à elle seule un dixième de ses sujets.

Les élites bretonnes y gagnent un horizon élargi :
pouvoir poursuivre, désormais sans le moindre
risque, les lucratives carrières au service du roi
de France, et les fructueuses opérations financières
autour de la trésorerie des États de Bretagne. Le prix
à payer est purement symbolique : les villes gardent
leur autonomie, les privilèges provinciaux sont
respectés, en particulier dans le domaine fiscal, ce
qui fait de la Bretagne une province fortement sous-
imposée. L'administration continue à s'améliorer, en
particulier avec la création en 1554 d'un Parlement
de Bretagne, dont les magistrats gèrent autant le
quotidien que la justice : il s'agit bien d'un succès

Anne de Bretagne
partage son corps entre
la basilique de Saint-
Denis et le couvent des
Carmes de Nantes (qui
reçoit son cœur, dans
un reliquaire en or, ci-
dessus). C'est là geste
classique d'aristocrate,
et non une preuve
d'amour pour la ville,
contrairement à la
légende. Arrivé par
la Loire depuis Blois,
le reliquaire est exposé
dans une chapelle
ardente.

de la province, puisqu'il provoque la grogne du Parlement de Paris. Ces élites n'avaient en fait d'autre choix que ce compromis permanent et docile avec la monarchie, mais il correspond bien à leurs intérêts.

La preuve en est bien dans le déroulement de la Ligue, ultime et féroce épisode des guerres de Religion. Le gouverneur de Bretagne, Philippe-Emmanuel de Lorraine, duc de Mercœur, et surtout époux de Marie de Penthièvre, fait pratiquement sécession en 1589 pour refuser qu'Henri IV monte sur le trône de France : voilà une bien belle

occasion de manifester des sentiments « bretons ». Or les plus fidèles soutiens du nouveau roi sont justement ceux des parlementaires qui sont d'origine bretonne, et les clivages s'opèrent sur des critères de convictions religieuses et de rivalités nobiliaires, qui font de Rennes une ville « royaliste » et de Nantes une ville « ligueuse ». La résistance de Mercœur et de Nantes jusqu'en 1598 vaudra à la ville fanatisée le paradoxe d'être le lieu de signature du fameux édit de tolérance religieuse par un roi venu la soumettre par la force...

### La paix féconde

Si l'on excepte les quatre années de guerre entre armées ducale et royale (1487-1491) et les combats

Belle illusion des images, qui valorisent un événement à la formidable médiatisation... postérieure : il n'existe en effet aucune représentation fidèle de la signature de l'édit de Nantes en avril 1598 (ci-dessus, le manuscrit original) qui, si elle a eu lieu dans une salle du château des ducs de Bretagne, a dû se dérouler dans une intimité bien éloignée de la cérémonie imaginée par le graveur hollandais presque un siècle plus tard (à gauche). Au point que l'événement a été caché aux Nantais pendant plusieurs années ! Quant à la tolérance, il s'agit alors non pas de la valeur aujourd'hui exaltée, mais bien d'une acceptation contrainte et limitée de l'exercice d'un « autre » culte, exclu notamment de la ville de Nantes.

de la Ligue (1589-1598), la Bretagne vit presque trois siècles de paix, et à cela non plus l'Union de 1532 ne change rien.

Les ducs du XVe siècle ont mené une politique de neutralité qui permet aux Bretons de commercer tranquillement, et limite les improductives dépenses militaires. Les rois n'ont ensuite d'ambitions que continentales : l'affrontement avec l'Espagne se passe en Italie ou sur la frontière des Pays-Bas, le grand affrontement maritime avec l'Angleterre ne commence qu'en 1689, celui, plus bref mais très dur, avec les Hollandais qu'en 1667.

La guerre se limite donc à des coups de main épisodiques, parfois simples représailles après des attaques menées par des marins bretons. Et, bénédiction alors incomparable, les soldats se font donc très rares dans la province. L'âge d'or est donc un âge de paix, qui doit autant aux ducs qu'aux rois, qui n'ont guère alors de moyen de peser sur l'économie qu'en la perturbant par la guerre, et de moyen de l'encourager qu'en s'en désintéressant…

La séduisante et archaïque apparence des deux hôtels rennais de La Noue et Racapé de La Feuillée, place des Lices, cache bien une réelle modernité : celle d'une opération immobilière d'envergure, lancée en 1657, hors les murs de la ville ; celle de la tradition locale de la construction en pans de bois, mais associée à la pierre du rez-de-chaussée. Le changement dans la continuité, permis par l'aisance de grands magistrats, du Parlement ou du présidial.

## Un pays de cocagne

Sauf parfois en Pays nantais, les
Bretons ne meurent pas de faim :
énoncer ce simple fait marque
une énorme, une décisive différence
avec le reste du royaume.

L'explication tient en un mot :
diversité. Climat, sols,
encouragements aussi venus
d'originaux systèmes de location de
la terre relativement favorables aux
paysans comme le bail à convenant,
autorisent et incitent à varier
les activités agricoles. Pas de
monoculture des céréales ici, puisque
l'élevage est aussi important que
répandu partout. Et il y a plus.
Comme ailleurs, les grains sont de
froment, de seigle, d'orge, mais aussi
de sarrasin (ou blé noir), plante
miraculeuse. Parfaitement adaptée
aux sols pauvres, cette polygonacée
(la famille de… l'oseille) aux
rendements élevés rend dès la fin

septembre les semailles de mai ou juin ; en plus, elle
échappe au prélèvement du meunier (des moulins à
bras permettent de préparer la bouillie) et parfois à la
dîme du clergé. Apparue au XVᵉ siècle, elle est partout
dès la fin du XVIᵉ. Cette diversité permet d'échapper,
largement, aux aléas climatiques, d'autant que
l'engrais manque moins en Bretagne qu'ailleurs :
les côtes bénéficient du goémon, naturel ou brûlé, et
parfois d'amendements de sable calcaire (le *maerl*), et
tout le monde des déjections des si nombreux bovins.

Car l'élevage n'est pas ici que de porc ou de
mouton : la bête du pauvre, c'est la vache, ce qui
explique l'importance de la production (et de la
consommation) du beurre, facilitée par l'abondance
d'un sel à bas prix : pas besoin de transformer le lait
en fromage. Cette diversité et surtout cette sécurité
alimentaire permettent de réserver pour le
commerce les grains nobles comme le froment,

À leur apogée des XVIᵉ
et XVIIᵉ siècles, les
foires (ci-dessus, celle
de Quimper) attirent
des marchands de toute
la France du Nord et
même de l'étranger.
Par milliers, chevaux
et bovins prennent
ensuite la route vers
la Normandie et Paris.
Et c'est bien sûr
l'occasion de
rencontres festives
et d'échanges culturels
qui jouent un grand
rôle dans l'ouverture
sur le monde qui
caractérise alors les
campagnes bretonnes.

Le culte du patron des laboureurs, Isidore, se répand très vite après sa canonisation en 1622, et nous vaut de passionnantes figurations du costume de cérémonie de paysans, à l'exemple de ce Cornouaillais qui porte, sous le justaucorps ouvert, plusieurs gilets taillés de manière à faire apparaître les parements de chacun, la culotte bouffante, et les cheveux longs.

d'exporter beurre, bovins, chevaux élevés en grand nombre dans le Léon et le Trégor, au nord. Avec évidemment le vin du Pays nantais (et plus modestement de la presqu'île de Rhuys), l'agriculture bretonne est largement exportatrice, ce qui implique que le commerce a des retombées jusque dans les plus petits villages. Et explique les centaines de foires tenues chaque année.

### Une grande région industrielle

Chantiers navals certes, forges importantes, oui, mais pas plus qu'ailleurs... C'est le textile qui fait de la Bretagne une grande région industrielle : les draps de Haute-Bretagne et, avant tout, la grande spécialité des toiles.

Depuis le XVe siècle au moins, le lin permet de fabriquer des toiles fines (les *crées*) en Léon, entre Morlaix et Landerneau et encore, au cœur

de la province, entre Saint-Brieuc et Loudéac, les *bretagnes*. Des marins vont chercher jusque dans les pays baltes les graines qui permettent d'améliorer de manière spectaculaire le rendement des cultures. Le tissage puis le blanchiment font vivre des spécialistes, mais aussi des milliers de paysans-tisserands, car la production est presque exclusivement rurale. La commercialisation fait la prospérité d'un port comme Morlaix, mais aussi en partie celles de Nantes et de Saint-Malo.

Et le chanvre n'est pas alors produit secondaire : le chanvre, ce sont les toiles d'emballage – le seul produit

Sans doute réalisée dans la perspective d'une véritable canalisation de la Vilaine – un des tout premiers chantiers français de cette ampleur entrepris en 1543 –, cette peinture montre bien la très grande activité maritime d'un port comme celui de Redon, pourtant déjà loin à l'intérieur des terres.

d'emballage alors, en dehors des futailles – du pays de Vitré, et plus encore les toiles à voile de Locronan, celles-là même qui menèrent les vaisseaux de l'Invincible Armada au désastre face aux Anglais, en 1588...

Ce qui pourrait sembler pittoresque local se mesure à l'aune de deux chiffres, à l'apogée des années 1680. Chacune des paroisses productrices de *crées* du Léon produit chaque année, en moyenne, 200 000 mètres de toile, dont les trois quarts sont absorbés par le marché anglais. Et le huitième de toutes les exportations européennes vers l'Amérique espagnole, de la Californie au rio de la Plata, est fait de toiles bretonnes !

### Les rouliers des mers

Près d'une centaine de ports bretons se livrent au commerce international au XVIᵉ siècle : c'est dire l'extraordinaire importance du commerce maritime, mais aussi la modestie de l'échelle. Les navires du commerce européen, aux XVᵉ et XVIᵉ siècles, ne dépassent guère 60 ou 70 tonneaux.

Séduisante mais trompeuse image ! Les « rouliers des mers » bretons du XVIᵉ siècle utilisent bien moins ces nefs, pourtant représentées sur le *Manuel de pilotage* (1548) du cartographe breton Guillaume Brouscon, que de modestes embarcations,

Et la Bretagne est merveilleusement adaptée à cette modestie. La multiplicité des havres permet de s'abriter et de commercer partout. La petite taille des navires permet des équipages de quelques hommes, sans investissement important : donc de très modestes armateurs locaux, et des marins qui sont le plus souvent paysans une partie de l'année.

Et, dans une économie de transports qui ne renoncent à l'eau que par force, la Bretagne est idéalement placée, entre péninsule Ibérique voire Méditerranée d'un côté, Angleterre, Pays-Bas et mer Baltique de l'autre.

pas ou peu armées, mais parfaitement adaptées à l'échelle du commerce maritime de cabotage : faibles quantités de marchandises, petits ports mal ou pas équipés, équipages de quelques hommes. Mais il y eut aussi, il est vrai, les expéditions de Cartier et quelques autres aventureux voyageurs malouins...

Ces milliers de bateaux – Penmarc'h est un temps, au XVIᵉ siècle, le premier port d'armement européen ! – transportent tout, vin et sel, grains et produits méditerranéens, matières premières du Nord, œuvres d'art flamandes, draps anglais, et bien sûr tous les produits d'exportation bretons. Ils sont partout : en 1488, le premier navire qui apporte à Bruges le si rare sucre venu de Madère est breton ; en 1533, 800 des 995 bateaux entrés à Arnemuiden, le principal avant-port d'Anvers, sont bretons ! Des marchands de La Baussaine, tout petit village de l'intérieur, près de Hédé, fréquentent régulièrement Anvers, des Roscovites font les courses pour leur paroisse à Dantzig et à Königsberg…

Cette expérience donne quelques compétences : Le Conquet, près de Brest, abrite une véritable école de cartographes. Des marins tentent l'aventure : vers Terre-Neuve au tout début du XVIᵉ siècle au plus tard, vers le Brésil (1527), vers le Canada avec Jacques Cartier (1534), autour du monde même. Bien sûr, dans les années 1630, les concurrents hollandais commencent à construire en série des navires de 200 ou 300 tonneaux, bien adaptés à la dimension nouvelle du trafic maritime et à sa dimension mondiale, mais qui s'en inquiète ? Les plus optimistes peuvent même relever qu'au même moment Nantes s'ouvre au commerce antillais…

**Pour le profit de tous ?**

Quand se manifestèrent les premiers signes de la prospérité, sous le duc Jean V, la Bretagne comptait environ 1 250 000 habitants. Deux siècles et demi plus tard, à l'apogée des années 1670-1680, elle en compte près de deux millions.

Cette croissance spectaculaire se mesure dans la société. Elle permet d'entretenir une noblesse

Pauvre Jacques Cartier (ci-contre), qui doit sa notoriété à la tardive exploitation de nos « gloires nationales » – ce « portrait » date de 1895 – et au souci de nos cousins québécois de se donner des racines nationales anciennes et glorieuses. Ce bon marin ne ramène du rêve canadien que de faux diamants, mais pas l'or recherché ni la route vers la Chine, et c'est à un autre, Roberval, que le roi confie la tentative de colonisation, abandonnée dès 1543.

pléthorique, 3 à 4 % de la population, qui édifie par centaines, dès le XV<sup>e</sup> siècle, des manoirs dont certains, il est vrai, sont encore de modestes constructions en terre. Elle donne aux campagnes une réputation de « petit Pérou », et quand on sait la force de l'image après la découverte des mines d'or et d'argent… Et, effectivement, l'argent est là, dont nous voyons la trace à travers les magnifiques enclos paroissiaux financés par les toiles du Léon, à travers les rutilants retables baroques du XVII<sup>e</sup> siècle que s'offrent tant de paroisses même modestes, à travers la course au plus beau et donc au plus haut clocher. D'ailleurs, si ce n'est pendant la Ligue et pour des raisons essentiellement religieuses, aucune révolte ne touche la Bretagne pendant près de deux siècles, quelques émeutes tout au plus, alors que le royaume, lui, est ravagé par des centaines de mouvements populaires, parfois terribles, au XVII<sup>e</sup> siècle en particulier.

Dans son *Manuel de pilotage* (1548), Guillaume Brouscon illustre fidèlement l'horizon des marins bretons, de la Baltique à la Méditerranée occidentale. L'exagération de l'importance des estuaires souligne à quel point le commerce maritime irrigue alors l'intérieur des terres. Les successeurs de Guillaume Brouscon entretiendront pendant un siècle, au Conquet, une école de cartographes très réputée.

L'enclos paroissial à son apogée du XVIIᵉ siècle (en haut, à gauche, celui de Guimiliau). Volonté de l'Église catholique qui veut désormais sacraliser l'espace autour du sanctuaire, et donc le clore. Volonté conjointe du clergé et des paroissiens de disposer des outils nécessaires au culte mais aussi aux pratiques habituelles : église et sacristie évidemment, calvaire (ci-contre, celui de Saint-Thégonnec) – livre d'images –, tribune de prédication, ossuaire (en bas, à gauche, celui de Sizun) pour y déposer les ossements des morts qu'il faut bien retirer de temps à autre des fosses qui, dans l'usage bas-breton, sont quasiment toutes creusées dans le sol de l'église. Volonté enfin d'affirmer la richesse dans une compétition entre paroisses à qui aura le clocher le plus haut, le porche sud – entrée principale de l'église – le mieux orné, le calvaire le plus monumental, la porte de l'enclos la plus impressionnante…

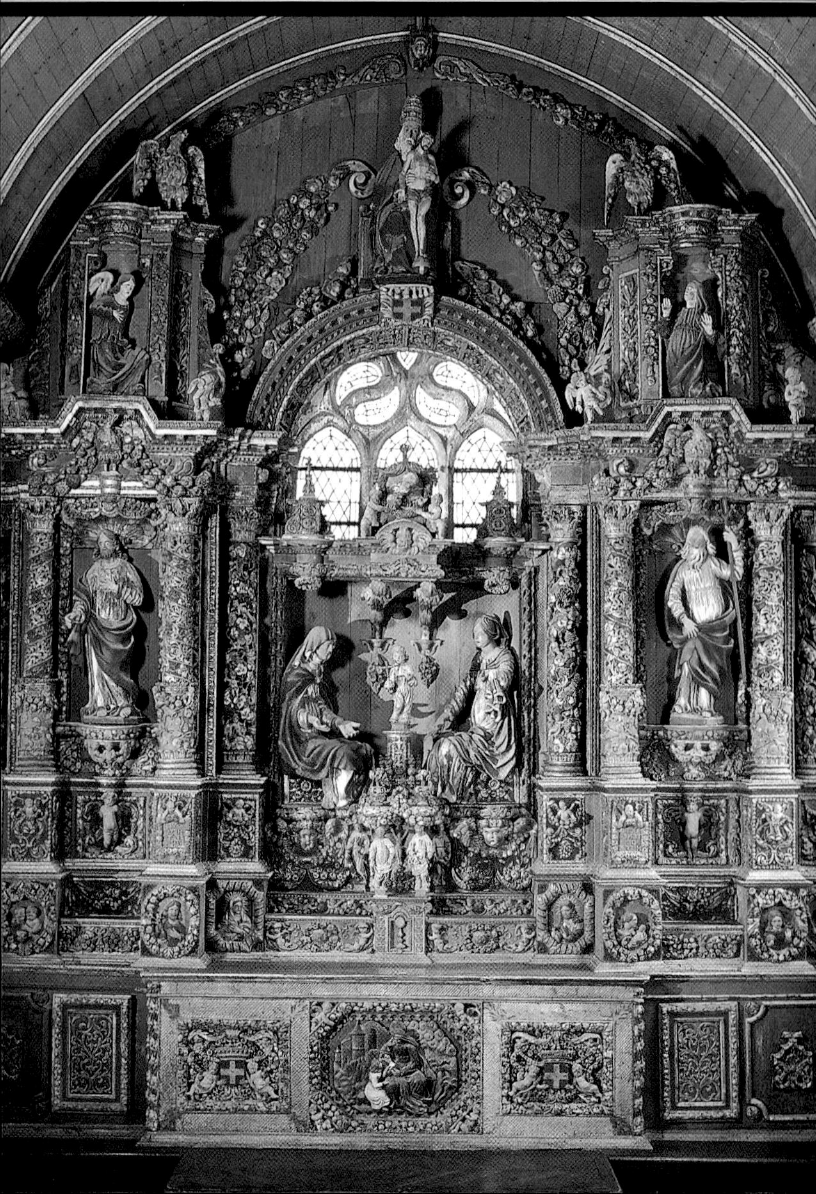

Entre le jubé de la chapelle Saint-Fiacre du Faouët (Morbihan, pages précédentes), et le retable de Sainte-Anne dans l'église de Commana (Finistère, ci-contre), il y a bien plus que deux siècles : ils relèvent de deux univers différents. En 1480, Olivier Le Loergan sculpte au Faouët une barrière qui sépare les fidèles du chœur et de l'espace dévolu à une messe qui est simple spectacle sonore complété par la lecture de l'Évangile depuis la tribune du jubé. L'iconographie est complexe, autour du thème de la Rédemption, depuis le péché original jusqu'à la résurrection des morts. Au XVIIe siècle, en revanche, l'Église se soucie d'instruire les fidèles : une balustrade basse sépare la nef d'un chœur désormais bien visible, et c'est depuis le milieu de la nef, dans une chaire, que le prêtre s'exprime. Et d'une instruction à la portée des fidèles : le retable de Commana (1682) propose quelques images pieuses, sainte Anne, sa fille et son petit-fils (Marie et Jésus), l'Annonciation, Dieu le Père présentant son fils supplicié. Au complexe gothique flamboyant a succédé enfin un exubérant baroque, conçu pour impressionner (8 mètres de haut !) et surtout émouvoir : nous sommes là au sommet du baroque breton.

Même si aucune fortune bourgeoise ne rivalise encore avec celles de l'aristocratie, les villes aussi progressent : Nantes et Rennes triplent leur population entre le XVᵉ et la fin du XVIIᵉ siècle, pour atteindre 40 000 ou 45 000 habitants. Et dès le XVᵉ siècle les bourgeois et armateurs de Saint-Pol-de-Léon sont assez sûrs d'eux, et assez riches, pour édifier face à la cathédrale de l'évêque-comte l'extraordinaire chapelle de Notre-Dame du Kreisker, avec son clocher de 77 mètres. La richesse maritime irrigue les ports du Sud, au fond de leur ria, de Quimper à Vannes, celle du sel fait Guérande.

Tout au sommet, le Parlement se fait construire par Salomon de Brosse un magnifique palais, à la décoration somptueuse par ses boiseries et ses toiles. Certes. Mais il se passe quatre-vingt-trois ans entre le tout début du chantier, en 1611, et la commande des peintures de la Grand Chambre à Jouvenet, en 1694. L'ambition est là, peut-être pas encore tout à fait ses moyens.

Du « profil », représentation classique des villes au XVIIᵉ siècle – ici Rennes en 1661 –, il faut retenir non pas un premier plan souvent stéréotypé, mais la forêt de clochers des églises et couvents, presque toujours, en Bretagne, seuls points éminents, en l'absence presque partout de beffrois. La marque de l'Église est ainsi physiquement palpable, et partout élément décisif du paysage.

### Gagner sa vie « au jour la journée »

Et cette prospérité d'un large nombre a un prix : celui de la misère d'une minorité, d'une misère atroce, celle, on l'oublie souvent, de la Renaissance puis du Grand Siècle comme bien sûr du temps de la « bonne duchesse » Anne…

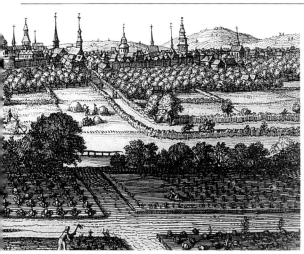

Yves Hélori (vers 1250-1303), pieux juriste issu de la petite noblesse de Tréguier, choisit la prêtrise en même temps qu'une vie de pauvreté et de charité qui lui vaut une canonisation en 1347, et un culte rapidement étendu à toute la province. La représentation habituelle de saint Yves entre deux plaideurs, le Riche et le Pauvre, venus solliciter son arbitrage (ci-dessous), nourrit durablement sa popularité, même si, au XVIIᵉ siècle, la question de la pauvreté est passée du registre de la charité à celui de l'administration et de la gestion des problèmes sociaux.

Les pauvres, ceux qui gagnent leur vie « au jour la journée » et qui n'ont donc aucune réserve, ne sont à l'abri de la misère que les bonnes années. Qu'arrivent un temps de pain cher, une infirmité, le veuvage pour une femme chargée d'enfants, et la misère est là. Dans les campagnes, un minimum de solidarité veille à assurer la subsistance aux mendiants, et il reste toujours l'apparente issue du refuge citadin et de son assistance organisée. Mais c'est là que le pire se passe. Dans les temps de prospérité, il demeure les solutions du désespoir : s'engager comme marin, survivre de petits métiers. Mais pour le reste du temps : ce sont des milliers de miséreux qui s'entassent dans les

LE PAUVRE – Sᵗ YVES – LE RICHE

L'égalité devant la mort, thème central de la prédication au Moyen Âge, est mise en images au XVe siècle dans toute l'Europe sous la forme de danses macabres : la figuration très crue de la Mort est associée à un personnage figurant chaque rang de la société, du pape et de l'empereur au simple paysan. Dans le cas de la chapelle de Kermaria an Isquit en Plouha (Côtes-d'Armor, ci-dessus et ci-contre), la force de l'image est encore accrue par son association à une autre fresque, *Les trois morts et les trois vifs*, illustration de la rencontre de personnages vivants avec la figuration de ce qu'ils deviendront après la mort... Le thème est traité également à Kernascléden (Morbihan), dans la littérature, et ensuite, sous une forme simplifiée, dans la décoration de plusieurs ossuaires, tel celui de Ploudiry (détail à droite).

galetas et dans les rues, espérant quelque aumône de villes financièrement débordées. Nous ne sommes pas à la marge : ces miséreux sont en permanence environ 10 % de la population, et leur proportion atteint le tiers en temps de cherté. Alors cette société barbare prend son vrai visage : trier parmi les pauvres ceux qui ont « droit » à l'assistance, cultiver l'illusion qu'on peut « chasser les étrangers », ceux qui sont venus, parfois, des campagnes à quelques lieues. Personne n'est dupe, mais c'est la solution d'attente du XVIe siècle, avant que ne s'affirme au XVIIe une autre illusion, celle d'enfermer les miséreux et d'exiger de leur part travail et prière contrôlés. C'est cela aussi, « l'âge d'or ».

### Oublier et espérer

Et c'est pour cela que des consolations sont nécessaires : la quasi-impuissance devant la maladie et la mort, l'incertitude de l'avenir – sauf pour les plus

riches –, le souci aussi de cet au-delà que chacun sait bien partagé entre le paradis et l'enfer.

Les réponses sont venues longtemps, et, dans les campagnes, continuent à venir très largement de croyances magiques. La divination, selon qu'une épingle flotte ou non à la surface d'une fontaine, par exemple. Le cadeau : la poignée de sarrasin jetée dans un fossé en offrande au diable. La prière, adressée à d'innombrables saints dont la compétence couvre tous les maux et soucis imaginables. Le contrat : l'offrande de l'ex-voto en échange du vœu exaucé.

Un clergé d'une extraordinaire densité, et jusqu'au XVIIe siècle souvent issu de la paroisse même ou des environs immédiats, tente d'encadrer et de canaliser ces croyances, en développant les rites collectifs : la messe dominicale est, ici plus qu'ailleurs, le moment essentiel de la vie sociale si l'on y adjoint ses suites, cabaret, réunion éventuelle de la communauté des habitants pour discuter des affaires locales, danses de l'après-midi. Chaque sanctuaire essaie d'obtenir des indulgences, qui valent réduction totale ou partielle du temps de punition dans

La représentation bretonne de la Mort, originale (pas de Mort faucheuse ici), évoque pour les fidèles bas-bretons l'Ankou, personnage essentiel de la culture populaire. Le message est fondé sur la terreur, mais une terreur familière qui correspond à la curiosité de fidèles très préoccupés par l'au-delà.

l'au-delà en échange de l'accomplissement
d'un rite : c'est le rassemblement du pardon,
religieux autant que festif, temps de prière,
de beuverie, de lutte – une spécialité bretonne
réputée –, de danse. Le drapeau paroissial
qu'est la bannière exprime bien la démarche
collective, jugée bien préférable à celle du
pèlerinage trop souvent individuel ou en petits
groupes sans encadrement clérical et donc
propices à tous les écarts, même si le succès
du culte à sainte Anne « d'Auray », après la
découverte d'une statue « de sainte Anne »
en 1625, montre une hésitation en la matière.

### L'échec logique du protestantisme

À Nantes, à Vitré, à Rennes même, et à la
campagne dans l'entourage de quelques
seigneurs, le calvinisme connaît un réel essor
au milieu du XVIe siècle : peut-être un millier
de personnes aux prêches nantais en 1561,
vingt et une églises dotées d'un pasteur en
1565. Mais l'échec n'en est pas moins à peu
près total, et rapide.

La répression y est pour quelque chose
évidemment : une première exécution dès 1534,
des exils forcés pour les citadins, la fuite pour
les protecteurs nobles et les pasteurs au plus
tard dans les années 1570, si bien qu'au
XVIIe siècle les rares protestants viennent de
l'extérieur, à l'exemple des Hollandais qui
dominent la communauté nantaise. Cela rend
compte de l'échec des Églises constituées, mais
pas des faiblesses de l'adhésion, au-delà de quelques
notables, et de grandes âmes à l'élévation assez
impressionnante.

Les calvinistes échouent sur le terrain décisif de la
conquête des masses rurales et du clergé qui en était
si proche, parce qu'ils heurtent de front une culture
profondément enracinée : en 1582, le pasteur de
La Roche-Bernard, Jean Louveau, s'en prend à « des
gens ivres qui s'en revenaient d'un baptême », et
les intéressés le poursuivent à coups de pierres…
Il a manqué aux calvinistes le relais d'un clergé

Vers 1630, un fils et sa
mère remercient Notre-
Dame-de-la-Joie, patronne
de leur chapelle située
en Guimaëc (Finistère),
peut-être pour une
vocation ecclésiastique :
l'ex-voto serait banal si
n'apparaissait au premier
plan Michel Le Nobletz,
intercesseur essentiel
au point d'en occuper
plus d'espace que
la Vierge.

Les deux principaux missionnaires, Michel Le Nobletz et Julien Maunoir, n'ont jamais été canonisés, mais ils occupent dans la piété, et pas seulement populaire, une place d'autant mieux établie qu'on leur attribue, non sans raison, la paternité aussi bien des tableaux de mission (les *taolennoù*) que des cantiques. Maunoir en publie au moins onze éditions de son vivant, dans la ligne ouverte dès 1642 par de très pédagogiques *Canticou spirituel da beza canet er catechismou ha lechiou all* (« Cantiques spirituels à chanter au catéchisme et en d'autres endroits », ci-dessus) restés anonymes.

local, une préparation de longue haleine, et aussi de prendre en compte la si riche culture locale autour de la mort. Les missionnaires catholiques du XVIIᵉ siècle ont les mêmes objectifs, mais eux bénéficient de ces trois atouts...

### Le choc des missions du XVIIᵉ siècle

Michel Le Nobletz à partir de 1617, depuis Douarnenez pour l'essentiel, le jésuite Julien Maunoir dans toute la Basse-Bretagne à partir de 1640, et d'innombrables émules, jusqu'à Grignion de Montfort au début du siècle suivant : pendant un siècle, la Bretagne est labourée par des missionnaires qui œuvrent – certains le confessent – exactement comme dans les missions destinées aux Indiens du Canada. Cela indique bien le fossé entre les exigences nouvelles de l'Église en matière de culture religieuse, et la réalité de fidèles pratiquant des rites largement incompris. Les effets de cet immense effort ne sont durables que grâce à la persévérance d'un clergé paroissial peu à peu mieux contrôlé et surtout mieux formé, même si les séminaires n'apparaissent que tard dans le siècle.

Dans les années 1630, Le Nobletz fait réaliser par des cartographes du Conquet, sur des peaux de mouton faciles à transporter, des cartes ou itinéraires à l'exemple de ce *Miroir du monde* (à droite) : le commentaire, destiné à de petits groupes de fidèles, met l'accent sur diverses situations de la vie, en distinguant notamment les gens du peuple des « mondains », dont le char est mené par le démon (détail ci-dessus).

Dans un effort pédagogique extraordinaire, se mettent alors en place des outils qui, en Bretagne bretonnante surtout, serviront jusqu'au milieu du XX$^e$ siècle. C'est l'enseignement par l'image, dans le prolongement de celui des calvaires, mais avec la grande souplesse que donne la peinture : de grandes « cartes » – les *taolennoù* – illustrent les péchés et indiquent les chemins de l'enfer et du paradis. C'est, pour évoquer la passion du Christ, le recours au théâtre alors si populaire dans les campagnes. De nouvelles paroles utilisent l'air de chansons populaires profanes : le cantique sur l'examen de conscience sur l'air du « Canard s'ébat à plonger » et celui sur l'envie sur *Dez mat dechuy oll en ty man* (« Bonjour à tous dans cette maison »)… Le catéchisme par questions/réponses vise les fidèles plus persévérants, mais tous suivent, avec passion parfois, une prédication de combat aux propos saisissants, à l'image de Le Nobletz faisant parler en chaire la tête de mort qu'il brandit. En 1642, Maunoir évoque « les tourments de l'enfer avec une si grande véhémence que

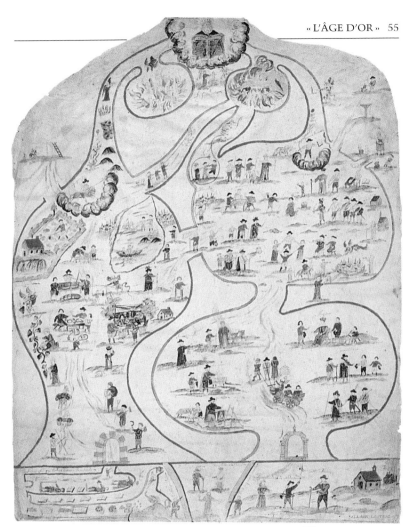

tout l'auditoire effrayé se met à crier miséricorde »,
et son biographe de noter sobrement que « le Père
passa de la chaire au confessional »…

Quand Maunoir meurt en 1683, les « Messieurs
de Saint-Malo » viennent de faire de leur ville le
premier port français, et les Nantais s'apprêtent
à armer leur premier navire négrier : un monde va
bientôt séparer deux Bretagne… ▪

C'est à l'époque de
Maunoir que certains
menhirs, tel celui de
Saint-Duzec à Pleumeur-
Bodou (Côtes-d'Armor,
à gauche), sont ornés
de symboles chrétiens,
crucifixion et instruments
de la Passion.

De la révolte des Bonnets rouges en 1675 à la Chouannerie, il y a peut-être une continuité : celle de la concentration de la richesse et de l'innovation dans des villes qui n'ont jamais joué un rôle aussi important, aux dépens de campagnes anémiées. L'Orient la ville nouvelle, Saint-Malo à l'éclat fulgurant, Nantes la négrière et la coloniale. Une contradiction qui nourrit une Révolution tellement particulière en Bretagne.

**CHAPITRE 3**

# LE RÈGNE DES VILLES

Brest (à gauche), la ville presque entièrement nouvelle née pour et par la marine royale, plus militaire que jamais en 1794. Nantes, figure de proue du grand commerce et du monde des armateurs (à droite, saint Georges, figure de proue, 1775). Les deux faces de l'essor maritime du XVIIIe siècle, argent du dehors, argent du dedans…

## Papier timbré et Bonnets rouges

Le 3 avril 1675, c'est l'émeute à Rennes, bientôt
à Nantes, puis, fugitivement, dans la plupart
des villes de Haute-Bretagne. La foule manifeste
contre de nouvelles mesures fiscales promises à un bel
avenir : le monopole du tabac, et l'instauration d'un
papier timbré, donc taxé, pour les actes officiels.

Le 9 juin, plusieurs centaines de paysans
attaquent le château de La Boixière en Briec, non
loin de Quimper et, jusqu'en août, du pays bigouden
à Carhaix, la Cornouaille est en révolte. La cible
en est l'impôt royal, plus encore les seigneurs
et leurs exactions, parfois le clergé, et la
capitale, Quimper. La révolte rurale aussi,
en mobilisant les troupes, retarde la répression
à Rennes jusqu'à la fin août.

Il s'agit donc dans les deux cas d'un mouvement
antifiscal, mais pas seulement : les nouveaux
impôts datent de l'année précédente, voire d'avant.
L'inquiétude, la conscience plus ou moins nette que
la prospérité économique fléchit, ont joué leur rôle.

À bon droit pourtant, l'historiographie a
retenu deux noms différents pour ces révoltes.
Celle du Papier timbré urbain vaut aux Rennais
la destruction de la populaire rue Haute, l'expulsion
de deux mille habitants au moins, et surtout l'exil
à Vannes, pour quinze ans, d'un Parlement soupçonné
non sans raison de mollesse : il y a du politique
et du mécontentement de privilégié dans ce Papier
timbré. La révolte des Bonnets rouges (ou bleus,
coiffure habituelle du peuple) est interne à la Basse-
Bretagne : les ruraux contre tous ceux qui prélèvent
la rente, seigneurs et citadins, et qui sont plus ou
moins frottés de culture savante, française bien plus
que latine. Deux mondes.

### Une crise profonde

Dans les campagnes de Basse-Bretagne en
particulier, la vie devient bien moins facile à partir
des années 1660 : on le sent bien au tarissement des
si prodigues investissements dans l'art paroissial,
au revenu moindre de la terre, au fléchissement

« Les riches et les
pauvres sont injustement
accablés » : le cartouche
qui accompagne
cette représentation
allégorique de la révolte
du Papier timbré
(à droite), œuvre de
Jean-Bernard Chalette
(1676), exprime toute
l'ambiguïté de la révolte
rennaise, en associant
les vraies victimes,
populaires, et les
privilégiés, bien
légèrement affectés par
les nouveaux impôts.

La révolte des Bonnets rouges se distingue par la mise en forme de véritables cahiers de doléances, des « codes paysans » (détail ci-contre) aux accents parfois naïfs – la distribution de tabac gratuit à la messe –,

des prix du froment. Les charges seigneuriales et fiscales, supportables dans un temps de prospérité, le deviennent moins.

Les seigneurs et les propriétaires compensent la baisse de leurs revenus en pressurant : en 1662, la mesure à grains seigneuriale de Guingamp a été creusée au point de contenir 30 % de plus qu'à la fin du XVIe siècle ! L'impôt royal est bien moins lourd qu'ailleurs, mais qui le sait ? Alors que chacun sent bien les multiples piqûres d'épingle des nouvelles taxes sans cesse créées. Même la noblesse a été touchée par une vérification systématique de ses titres, depuis 1668, qui a valu bien des rejets dans la roture et donc la perte des privilèges.

mais aussi suffisamment modernes pour que des revendications comme la suppression des corvées, la réduction du prélèvement du seigneur sur les récoltes, un juste tarif pour la justice et les messes, le droit de chasse se retrouvent dans les cahiers de doléances de 1789 . Assez extraordinaire pour que la presse étrangère, hollandaise en particulier, s'en fasse l'écho…

Surtout, la clé de la prospérité est en train de se tarir. Les rouliers des mers bretons, le commerce dans le moindre havre, sont du passé : augmentation de la taille des navires, du montant des opérations, concentration de l'armement maritime, l'avenir est dans les grands ports et à l'étranger.

Et il y a Colbert et Louis XIV : à partir des années 1660, l'économie devient une arme de guerre, contre la Hollande, contre l'Angleterre. Entre le milieu du XVIIe siècle et 1687, la taxe sur l'importation du drap anglais est multipliée par… 24 ! Or cette importation est la contrepartie de l'exportation des toiles du Léon et des *olonnes* de Locronan, dont la manufacture s'effondre. En mettant fin à la liberté du commerce, Colbert sert, peut-être, les intérêts du royaume mais sape les fondements de l'économie bretonne.

## Une nouvelle Bretagne

Il n'y a pas de déclin démographique breton au XVIIIe siècle : la population passe même de 2 à

Le plus grand incendie qu'ait connu une ville française au XVIIIe siècle : en décembre 1720, la moitié de la ville haute de Rennes, la plus riche, est détruite. Ce sera l'occasion d'une remarquable opération d'urbanisme conçue pour l'essentiel par l'architecte Jacques V Gabriel, qui donne au cœur de la ville une allure « française » encore bien reconnaissable aujourd'hui, autour de deux grandes places carrées, devant le parlement et l'hôtel de ville. La reconstruction durera trente ans.

Les marques des tisserands de la région de Quintin, Moncontour et Loudéac, dûment enregistrées (ci-dessous), évoquent modestement la manufacture des toiles *bretagnes*, écoulées selon une organisation bien rodée par Saint-Malo et Cadix jusque dans les colonies espagnoles. Dans un XVIIIᵉ siècle qui voit l'activité et la richesse se concentrer dans quelques grands ports, cette mondialisation et cette prospérité rurale sont désormais une exception, fragile, comme le montre l'effondrement de la production lorsque la guerre d'Indépendance américaine perturbe profondément le trafic américain, à partir de 1778.

2,2 millions d'habitants. Mais celle de la France augmente d'un tiers : tout est dans ce déclin *relatif*, dans cette quasi-stagnation.

Le symbole en est la survie des enclos paroissiaux : il n'y a tout simplement plus d'argent pour continuer à les faire évoluer au goût du jour. Et cela témoigne bien du nouveau déséquilibre au sein de la province : l'industrie toilière s'effondre à l'Ouest quand les *bretagnes* de Quintin continuent à se vendre en Amérique espagnole et les *noyales* de Vitré sur le marché français. La richesse, l'activité maritime, se concentrent dans les deux grands ports, Saint-Malo et Nantes, et bien sûr dans la capitale rennaise qui – c'est un signe – se remet assez vite du double traumatisme de l'exil du Parlement et de l'immense incendie de 1720.

Le dynamisme aussi se concentre : à la fin du
XVIIIᵉ siècle, les campagnes sont considérées comme
arriérées, ignorent des innovations alors aussi
essentielles que les plantes fourragères et la pomme
de terre – timidement apparue cependant dans les
années 1740 –, et aussi les nouveautés culturelles,
en matière artistique notamment. En un siècle, le
moderne, ouvert et entreprenant paysan breton est
en passe de devenir un *plouc*, et la Basse-Bretagne
un bout du monde exotique loin, très loin des
lumières malouines et nantaises.

### Le retard politique

En 1692 s'établit à Rennes, pour treize ans,
Louis Béchameil, marquis de Nointel, qui n'a pas
simplement donné son nom à une illustre sauce.
Il installe en effet solidement une institution
nouvelle, l'intendance, main du roi dans les
provinces. Le fait est fortement symbolique : la
Bretagne est la dernière province à en être dotée,
en 1689 ; et il illustre l'intervention croissante de
l'État, désormais indiscutable autorité première,
même s'il n'est pas sans importance que l'autorité
rivale, les États de Bretagne, se dote d'une
administration permanente en 1732.

Le reste est dérisoire, comme le « complot » de ce
pauvre marquis de Pontcallec en 1718, bon exemple
de ces petits nobles las d'être victimes des « gens
d'affaires » mais qui poussent dans le cas précis leur
rancœur jusqu'au rêve (alliance espagnole, serment,
relents de Ligue…), jusqu'à la mort aussi, sur
l'échafaud de Nantes, en 1720.

Le reste est décalé, comme cette incroyable « affaire
de Bretagne » qui oppose violemment, à partir de
1764, le Parlement mené par le procureur général
Louis-René Caradeuc de La Chalotais et, en un temps
d'intendants faibles, le représentant du roi et très
aristocrate duc d'Aiguillon, commandant militaire
de la province. Derrière la raideur des personnes et les
calculs des institutions, l'enjeu est simple : le contrôle
effectif de la province par les élites traditionnelles et
socialement conservatrices, ou par un pouvoir royal
porteur de modernité. L'amnistie décidée par

Le 26 juin 1726 est
inaugurée à Rennes la
statue de Louis XIV sur
la place du Parlement
devenue place Louis
le Grand. Pour ne pas
porter ombrage à la
statue, le magnifique
escalier monumental du
parlement a été transféré
dans la cour intérieure.

Louis XVI lors de son arrivée sur le trône (1774)
clôt l'affrontement, sans le résoudre.

C'est la rue qui s'en charge, pour le compte de la
bourgeoisie : en janvier 1789, le jeune Chateaubriand
voit couler à Rennes ce qu'il dira être le premier sang
de la Révolution, lors d'un affrontement entre jeunes
nobles et jeunes bourgeois. Les nobles bretons
refuseront de députer aux États généraux, et le
Parlement disparaîtra sans gloire en février 1790…

La place Louis le Grand
est le symbole de la
mainmise, alors à son
apogée, d'un pouvoir
royal qui a imposé au
Parlement une stricte
soumission, à la ville sa
nouvelle architecture,
et à la province son
intendant.

## Le retour stratégique

L'autorité nouvelle du roi, et sa politique de guerre économique, se traduisent aussi par le retour de la Bretagne au premier plan de la stratégie militaire : dans le grand affrontement franco-anglais qui court de 1688 à 1715, la Bretagne est un – modeste – lieu d'affrontement, avec d'éphémères débarquements anglais dans les îles, notamment à Belle-Île, de 1761 à 1763, et sur le continent parfois, ce qui donne lieu à une des rares victoires françaises (à Saint-Cast en 1758), sans importance aucune…

Les affrontements maritimes comptent bien plus, souvent désastreux – le comble est en 1759 la bataille des Cardinaux, au sud de Belle-Île –, parfois héroïques ou s'en donnant l'image – le combat du *Vengeur* devant Ouessant en 1794. Il en reste les fondements d'une anglophobie ranimée à chaque conflit franco-anglais, nourrie par les très pénibles souvenirs de captivité sur les pontons anglais, et les consolations que sont les états de service des corsaires, Cassard et Duguay-Trouin sous Louis XIV, Surcouf pendant la Révolution et l'Empire.

Il en reste aussi et surtout la transformation de la toute petite ville de Brest en un puissant arsenal du Ponant, Colbert réalisant le rêve de Richelieu. Chantiers navals, arsenal, remodelage complet par Vauban à partir de 1694,

Issu d'une famille malouine comptant de nombreux corsaires, René Duguay-Trouin (1673-1736) invente les grandes escadres associant navires privés et navires de guerre, ce qui permet en 1707 cette victoire sur la Royal Navy devant le cap Lizard (à droite), à l'origine de son anoblissement et, en 1711, la prise de Rio de Janeiro.

triplement de la population grâce à l'afflux de milliers d'ouvriers et aussi, à partir de 1749, de mille cinq cents à deux mille forçats : Brest devient une ville « française » en partie étrangère à son environnement rural, une « ville nouvelle » agitée, pleine de très remuants soldats et marins, d'officiers nobles agressifs et de bourgeois qu'ils méprisent. La toute-puissante « Royale » apporte aussi à la ville théâtre et académie de marine, alcoolisme et

Même dans l'avant-port de Brest (ci-dessous), à l'écart donc de la ruche bourdonnante de l'arsenal et des bagnards, on mesure à quel point la marine militaire a transformé le modeste bourg en une vraie ville.

prostitution, et, par la promiscuité et le manque d'hygiène des équipages, de terribles épidémies tel le typhus connu comme « la maladie de Brest »…

### Le rêve déçu de l'Orient

Nous sommes bien plus encore dans le « Far Ouest » à Lorient, créée de toutes pièces dans le désert des landes du Faouëdic en 1666, dans une rade magnifique protégée par la citadelle de Port-Louis. « L'Orient », fille de la Compagnie des Indes née deux ans plus tôt avec d'énormes capitaux et privilèges. Lorient, d'abord base technique, puisque la vente des soieries et mousselines, du thé et du café, des porcelaines,

La Compagnie des Indes satisfait une passion occidentale pour la porcelaine de Chine, importée en l'état (à gauche, un vase réalisé vers 1710 et orné de motifs chinois traditionnels), ou spécialement conçue pour la clientèle européenne par les célèbres ateliers de Jingdezhen (à droite, sur cette assiette, fabriquée vers 1700, des paysages chinois figurés dans des cartouches encadrent la reproduction fidèle d'une gravure de Nicolas Bonnart). Sur commande, les artisans de l'empire du Milieu produisent également des services de porcelaine ornés des armoiries de leurs clients européens.

se pratique à Nantes jusqu'en 1733, par une compagnie qui a bien du mal à se développer. Mais Lorient épanouie ensuite pendant une génération, port d'un intense cabotage international indispensable pour fabriquer et armer les navires, port de traite négrière même, et vraie ville qui avoisine les vingt mille habitants.

Lorient victime pourtant de la guerre avec l'Angleterre, trop dérangeante, victime aussi de l'hostilité au monopole extrême-oriental de sa Compagnie des Indes, dissoute en 1769. La reprise du site par l'État conduit à développer arsenal et fonction militaire, orientant ainsi l'avenir de la ville, mais il reste le souvenir du rôle historique de porte des Indes et de la Chine, de la diffusion d'un goût par les millions de pièces de marchandises de luxe, les milliers de marins venus de toute la côte méridionale de la Bretagne, et aussi les capitaines et armateurs souvent nantais et malouins.

En haut, le miracle d'une ville nouvelle, Lorient, d'autant plus remarquable qu'il coïncide dans le temps avec le formidable développement de Brest.

## Les Messieurs de Saint-Malo

En voilà bien qui échappent totalement à la
conjoncture bretonne, et n'en font qu'à leur tête !
Cette aristocratie marchande longtemps formée
à la dure, et donc à la mer, apporte à sa ville soixante
années d'une extraordinaire prospérité, entre 1660
et 1720 environ, au moment même où la Bretagne
presque tout entière vacille. Et – ce n'est pas le
moindre de leurs mérites, ni la moindre des
explications – ils ont su le faire en renouvelant
plusieurs fois la source de leurs énormes profits.

Le port a longtemps senti la morue, mais
une morue bien vendue tout autant que
pêchée. De Terre-Neuve – de ses souffrances,
de ses morts –, les morues malouines gagnent
en effet la Méditerranée, andalouse,
provençale, italienne, où elles se transforment
en vin, en laine, en fer, un temps aussi dans
le précieux alun romain indispensable à la
fixation des teintures, produits ramenés à
Saint-Malo dans un commerce triangulaire qui
ne s'arrête pas là, puisqu'une redistribution
dans toute l'Europe du Nord-Ouest permet de
ramener bois, produits de calfatage, blés, etc.
À chaque étape, on s'en doute bien, les profits
s'engrangent.

Arrive en 1688 la guerre avec l'Angleterre ?
Qu'à cela ne tienne : nos Messieurs
investissent dans la course, et à leur échelle :
plus de neuf cents navires entre 1688 et 1713,
et l'image d'une cité corsaire qui leur vaut
solides inimitiés et bombardements anglais.

Saint-Malo, reliée
au continent par la
chaussée du Sillon,
a toujours revendiqué
sa culture insulaire.
Dans les années 1820,
le peintre Louis
Garneray la représente
(ci-dessous), figée dans
sa splendeur passée.

Et tout cela sans jamais renoncer au si fructueux marché espagnol, toiles bretonnes contre argent, d'abord à Cadix, puis directement et frauduleusement sur la côte Pacifique de l'Amérique espagnole.

Le seul point faible de cette épopée marchande est d'être menée par des hommes de leur temps : après 1720, ils mesurent que les hautes charges de l'État peuvent rapporter beaucoup, avec moins de peines, et les Danycan, les Magon, les Éon s'y convertissent

Dans son *Traité général des pêches* (1759), Duhamel du Monceau montre bien la différence entre la pêche à la morue « verte » (à gauche), salée à bord d'embarcations armées à Pornic, Bourgneuf, Saint-Nazaire, Le Croisic avec des capitaux nantais, et la pêche à la morue « sèche » des Malouins. Depuis le XVIe siècle, les Malouins possèdent une base sur la côte du « Petit Nord » de Terre-Neuve, et sur celle du Labrador. Des chaloupes partent chaque jour pêcher à vue de terre. La morue est vidée et salée sur des *chauffaults* (au centre) puis mise à sécher sur des galets pendant plusieurs semaines (à droite). Les équipages, importants (60 à 100 hommes) comptent nombre de pauvres *graviers*, hommes et femmes, recrutés pour la saison dans les campagnes, qui assurent le travail à terre. Pour 4 000 à 5 000 Bretons chaque année, le froid, des journées de 18 à 20 heures, les risques de la mer…

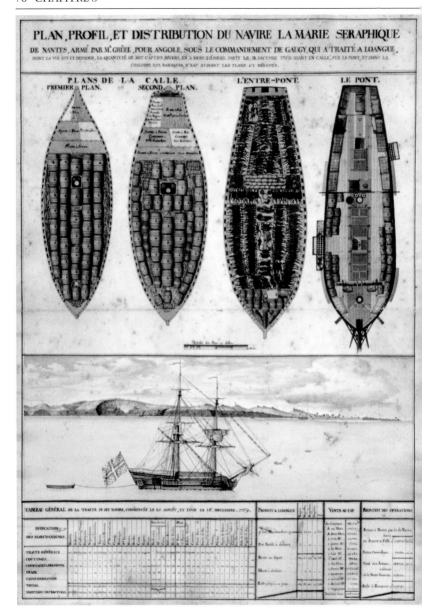

quand ils ne profitent pas de leurs délicates résidences secondaires ou « malouinières »… Sans doute y ont-ils été encouragés par le sentiment d'avoir manqué quelque chose, le grand tournant antillais et négrier qui a fait, enfin, la vraie fortune de Nantes.

## L'or noir

La traite négrière n'est pas seulement nantaise, puisque y participent notablement Lorient, Saint-Malo – qui y cherche une modeste compensation à son déclin dans la deuxième moitié du XVIIIe siècle – et presque tous les autres ports, ponctuellement. Mais Nantes n'a pas l'usage du commerce andalou et les toiles à portée de port, pas non plus la contrainte du commerce armé sous la menace anglaise ; et la reconversion imposée ici par l'essoufflement du commerce traditionnel des grains, des vins et du sel se fait tout naturellement dans le commerce colonial, longtemps trop expérimental pour que les habiles Malouins s'y intéressent : Nantes a déjà acquis une expérience du trafic des hommes en acheminant aux Antilles, tout au long du XVIIe siècle, les pauvres « engagés », prolétaires ou aventuriers livrant aux planteurs leur force de travail en échange d'un futur établissement.

Nantes seule, c'est donc 42 % – quatre cent cinquante mille êtres humains – de l'ensemble du trafic négrier français, le « commerce triangulaire » qui amène en Afrique les marchandises – avant tout les toiles de coton imprimées, les *indiennes* – échangées contre les esclaves vendus par souverains et commerçants africains, et ramène des Antilles les produits coloniaux – café, tabac, coton et surtout sucre – achetés grâce à la vente des Noirs. Avec le commerce purement colonial, en droiture avec les Antilles, la traite fait la fortune de Nantes : celle de ses armateurs d'abord, qui peuplent le somptueux lotissement de l'île Feydeau et les « folies » des campagnes voisines ; celle de la ville, dotée de tout ce qui fait alors une cité moderne, urbanisme, grand théâtre, bourse ; celle de toute la région, pourvoyeuse en équipages et capitaines.

Au large de la côte de l'Angola, à l'automne 1769, la *Marie-Séraphique*, de Nantes, charge les esclaves amenés par des pirogues. Le détail du chargement des cales et du pont souligne l'indispensable abondance de vivres et d'eau pour nourrir les 307 esclaves entassés dans l'entrepont. Ce document récemment découvert est exceptionnel car il démontre que les gravures antiesclavagistes du XIXe siècle, jusque-là considérées comme excessives, reflétaient l'exacte réalité. En bas enfin, les chiffres, car il s'agit bien de commerce, et donc de réaliser des bénéfices… Les profits se concrétisent ensuite, notamment, dans le confort de vie des armateurs, comme Pierre-César de Roulhac (pages suivantes, à droite) : le siège, le vêtement, la porcelaine de Chine, le thé et jusqu'au sucre donné au chien d'agrément, tout dans son portrait évoque le luxe et le raffinement. Un luxe porté à son comble dans le portrait de cet autre riche Nantais (à gauche), avec la présence d'un esclave familier et domestique, l'un de ces milliers de Noirs qui, sans échapper à la servitude, bénéficient en métropole de conditions de vie sans rapport avec celle des travailleurs des plantations antillaises.

Toute la ville vit des Antilles et de la traite : la construction navale et tous ses sous-traitants, l'avitaillement des navires, les manufactures d'indiennes qui à elles seules font travailler près de cinq mille ouvriers à la veille de la Révolution, le bâtiment aussi, et pas seulement pour les constructions de prestige. La ville attire en effet une énorme immigration, au point de doubler sa population en un siècle : c'est grâce à cette énorme agglomération de quatre-vingt-dix mille habitants qu'à la fin du XVIIIᵉ siècle la Bretagne représente au moins le tiers de la construction navale, au moins le quart de la marine marchande françaises.

### De nouvelles valeurs citadines

Nantes, à plus modeste échelle Saint-Malo et Lorient, et puis Brest, et même Rennes, ne sont pas que le luxe, l'argent, et une prospérité acquise ou croissante qui contrastent avec la pauvreté des campagnes. Elles ne sont pas non plus simples relais dans la diffusion des Lumières du siècle, avec leurs chambres de lecture et leurs loges maçonniques. Elles figurent, chacune à son échelle, la modernité et, ce faisant, l'assimilation au royaume.

Et plus que cela : à la différence des Malouins du début du siècle, les Nantais des années 1780 peuvent rêver d'assouvir leurs ambitions par une autre voie que le service de la monarchie absolutiste. Lucide voyageur anglais passé à Nantes en 1788, Arthur Young l'a bien perçu, qui décrit une ville « enflammée pour la cause de la liberté ».

Entendons bien l'implicite : la liberté des élites.

L'or noir, issu de la traite négrière, et plus largement les profits du commerce atlantique s'investissent à Nantes dans la pierre, au point de profondément transformer la ville. Ce sont les luxueux hôtels du quai de la Fosse et, mieux encore, ceux du lotissement pour les privilégiés de la fortune qui est créé au milieu du XVIIIᵉ siècle dans l'île Feydeau (ci-dessus, une façade de la place de la Petite Hollande).

Celles qui constituent les « chambres de lecture », dont les plus avancées, à Nantes évidemment, évoluent vers des clubs à l'anglaise, avec bibliothèque, salle de lecture et salle de conversation. Celles qui canalisent les aspirations paysannes à la fin du régime seigneurial en rédigeant les modèles des cahiers de doléances de 1789 et, fortes de cette alliance avec la paysannerie, monopolisent alors les nouvelles fonctions électives et administratives. Celles qui contrôlent la nouvelle Garde nationale, protection contre les velléités

Sur les façades nantaises, la richesse s'affiche dans de somptueuses ferronneries, et par une décoration de mascarons évoquant parfois directement les activités commerciales (à l'exemple de la figure négroïde dessous). La modernité artistique s'affirme en outre au fil du siècle

VUE PERSPECTIVE DE LA PLACE GRALIN ET DE LA NOUVELLE COMEDIE

Dédiée a Son Altesse Seren.me Mgr le Duc de Penthievre Grand Admiral de France Gouverneur de la Bretagne

nobiliaires et les menaces populaires. Celles qui valent à la Bretagne la réputation de province farouchement « révolutionnaire », à la mode de 1789 ou de 1790. Les plus avancés, les « jeunes gens » fils de famille, initient même en janvier 1790, avec la Fédération réunie à Pontivy, le grand mouvement de soutien à cette Révolution prudente qui culmine à Paris dans la Fête de la Fédération.

dans une architecture de plus en plus dépouillée qui s'inscrit dans un véritable plan d'urbanisme : le point culminant en est la réalisation du quartier financé par Graslin, autour d'un magnifique théâtre construit en 1780, écrin de ce qui est alors un art majeur pour un large public. Le dynamisme nantais s'exprime bien dans cette alliance de l'argent et du goût.

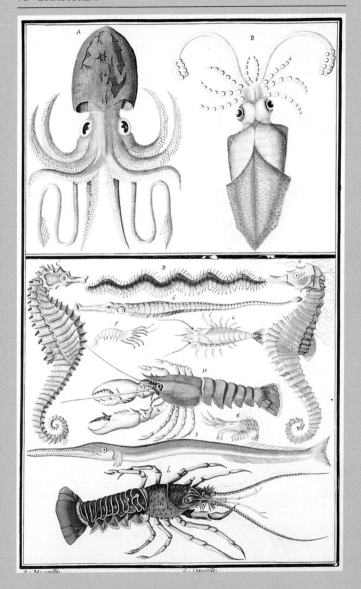

A. Morinville.                    G. Chasserelle.

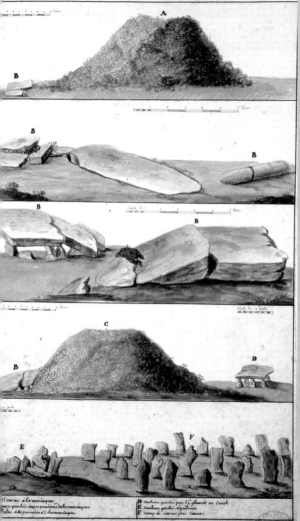

Antiquités gauloises qui se trouvent à locmariaquer, ...ch, quiberon & Carnac parroisses de l'évesché de Vannes

Christophe-Paul de Robien (1698-1756), président au Parlement de Bretagne, est sans conteste le plus remarquable intellectuel du siècle dans une province dépourvue d'académie : bibliophile (il fait réaliser son portrait devant ses livres), amateur d'art et de « curiosités », historien, « antiquaire » – c'est-à-dire archéologue –, géologue, naturaliste, il laisse une description encyclopédique illustrée de sa province qui demeure une mine extraordinaire d'informations. Les planches de cet ouvrage, toujours soigneusement légendées, donnent une bonne idée de la qualité formelle et scientifique d'une œuvre qui lui vaudra d'entrer en 1755 à l'académie de Berlin.

Les plus expérimentés, députés aux États généraux, y constituent un club breton vite devenu repaire des « patriotes » sous le nom de club des Jacobins.

### Contradictions révolutionnaires

Bien évidemment, comme ailleurs, les révolutionnaires de 1788 ne sont pas ceux de 1791 et moins encore ceux de 1794. Mais les événements ne sont pas vécus de la même manière à Brest, si fortement marquée par l'hostilité entre la bourgeoisie et la caste de la noblesse militaire, à Rennes, enfermée dans les querelles de ses juristes et administrateurs, et dans la grande métropole nantaise. C'est là sans doute que se noue la Révolution bretonne dans toutes ses contradictions.

On peut vivre en effet de la traite, et faire un triomphe à *La Négresse*, larmoyante pièce abolitionniste jouée au grand théâtre en 1788. On peut constituer en 1789 un *lobby* farouchement hostile à l'abolition de l'esclavage, et – évidemment – se montrer très sensible à l'air du temps en matière de goût : très peu de villes françaises donnent à leurs enfants autant de prénoms nouveaux pendant l'an 2, et bien au-delà des prénoms militants, Amand Fidèle, Constant voire Bonheur, Hyacinthe et Narcisse, ou bien encore Zélie, du nom de l'héroïne de *La Négresse*.

Et puis bien sûr le sens de la propriété, l'argent, l'attachement à l'ordre créent d'essentiels clivages : quand en juin 1793 une large part des administrateurs des départements bretons protestent contre l'arrestation des Girondins, c'est certes par refus du pouvoir parisien désormais montagnard mais aussi, selon les termes des Finistériens, « pour la répression des anarchistes »… Plus forte pourtant a été la véritable rupture avec une large part des campagnes : c'est la très large mobilisation nantaise qui, lors de la grande attaque vendéenne du 29 juin 1793, sauve la ville et peut-être ce jour-là la République. Et cela mérite explication.

*La Négresse* (livret de la pièce, en haut, à gauche) conte l'histoire d'un armateur négrier nantais recueilli par des Noires, Zoé et Zilia, après un naufrage sur les côtes d'Afrique, et prône l'abolition de l'esclavage. Son succès (et celui de sa suite, en 1792) peut révéler une sensibilité nouvelle, ou bien l'expression de bons sentiments à bon compte…

## La terrible révolte des campagnes

En mars 1793, les ruraux de l'ensemble du Pays nantais, d'une large part du Morbihan, du Léon et de quelques autres petits pays refusent la mobilisation, et c'est l'embrasement en quelques jours : trop, trop vite pour que le malaise ne soit pas bien plus profond. Trop violemment aussi : plus de cinq cents républicains sont massacrés à Machecoul.

Jouent, certes, le mauvais souvenir des levées d'hommes de l'Ancien Régime, l'abstraction de la notion de patrie en danger, avec des frontières si lointaines : la déclaration de guerre d'avril 1792 n'a pas marqué les esprits. Et bien plus, la tutelle des villes,

La répression de la révolte menée à Fouesnant par Alain Nédelec, un riche laboureur élu juge de paix (ci-dessus), fait plusieurs morts le 10 juillet 1792. Menée par la Garde nationale de Quimper, elle est un des premiers signes de l'affrontement entre les campagnes et les pouvoirs citadins, qui se généralise à partir de mars 1793.

des nouveaux chefs-lieux de district, de leur Garde nationale parfois exaspérante dans sa prétention à tout contrôler. De villes qui ont imposé le départ des prêtres refusant en 1791 de prêter serment à la Constitution. L'action de contre-révolutionnaires patentés, nobles et parfois ecclésiastiques, n'est pas négligeable, mais les ruraux ont acquis une réelle expérience politique – locale – en gérant assez démocratiquement les affaires paroissiales. C'est tout cela qui nourrit l'insurrection, qui tourne en guerre au sud du Pays nantais – c'est déjà la Vendée – et en guérilla ailleurs, une Chouannerie qui ne s'éteint qu'en 1801.

C'est peut-être aussi un siècle d'incompréhension entre deux univers toujours plus lointains en termes de richesse et de culture. La ville a peur de la contre-révolution, terriblement peur même à Nantes, qui a recueilli les réfugiés et les proches des victimes de Machecoul : il en résulte le sursaut du 29 juin 1793, quand la ville repousse l'attaque des Vendéens, et en partie au moins le fait que Jean-Baptiste Carrier ait pu prétendre mettre fin de si terrible manière – noyades, exécutions de masse –, pendant l'hiver de 1793-1794, à la Contre-Révolution. Et la France a peur : c'est un de ses membres que la Convention a envoyé à Nantes

L'échec lamentable du débarquement de Quiberon, l'incapacité des Chouans à apporter un secours efficace aux troupes débarquées, signent la fin de toute résistance militaire organisée à la République. Pour les émigrés, c'est aussi la fin du rêve d'une reconquête et d'une restauration, qu'il faudra attendre pendant presque vingt longues années. Il reste une mémoire, consacrée dans le mausolée du « champ des martyrs », édifié près d'Auray en 1828, sous Charles X, et magnifiée dans cette *Bataille de Quiberon* que Jean Soreuil livre en 1850.

Ignace Le Garrec, vicaire à Kerlaz, près de Douarnenez, refuse de prêter serment à la Constitution civile du clergé (ci-dessous), et il est condamné par le tribunal révolutionnaire de Quimper en 1793 : 70 % des prêtres bretons agissent ainsi, et jusqu'à 90 % dans certains districts, dont celui de Kerlaz (45 % en France). La commande de cette verrière à la fin du XIXe siècle montre bien l'entretien d'une mémoire qui viendra nourrir l'opposition à la République et à la séparation des Églises et de l'État au tout début du XXe siècle.

en la personne de Carrier, c'est la France en guerre qui craint la trahison et la réprime aussi durement, quand Hoche fait fusiller des centaines de prisonniers en juillet 1795 après le débarquement anglo-émigré de Quiberon.

La pacification vient de la lassitude de tous, du concordat conclu avec l'Église en 1801, du retour d'une certaine prospérité agricole aussi. Mais il en reste un clivage perceptible pendant presque deux siècles, entre Blancs et Bleus, une méfiance réciproque entre villes et campagnes, et, plus profondément encore peut-être, l'abandon durable de cette ouverture sur l'extérieur qui avait nourri les innovations bretonnes et le dynamisme économique et culturel.

Amieux et LU, la belle époque de la sardine, la naissance de Saint-Nazaire, les machines agricoles et le noir animal, les beaux costumes. Mais aussi l'émigration et le « peuple noir » à l'identité doloriste, à la crispation conservatrice, à l'affirmation de plus en plus timide. La contradiction entre ces Bretagne qui se comprennent mal et parfois se méprisent se résout, en partie au moins, dans la terrible période de 1940 à 1944.

**CHAPITRE 4**

# AU TEMPS DE L'IDENTITÉ NÉGATIVE

À gauche, un pardon à Notre-Dame-des-Portes en Châteauneuf-du-Faou (Finistère), vu par un peintre de l'école de Pont-Aven, Paul Sérusier, disciple de Gauguin. À droite, Bécassine, devenue le symbole de l'identité négative de la Bretagne. En deux images, les clés – au moins culturelles – du long XIXe siècle breton : la tradition et la modernité, l'identité et sa négation.

## Comme si de rien n'était...

Vers 1825, Nantes, baromètre de la modernité
économique en Bretagne, retrouve son niveau
d'activité d'avant la Révolution ou, bien plus
exactement, d'avant la guerre contre l'Angleterre
recommencée en 1793 : l'Empire et son Blocus
continental ont eu infiniment
plus d'effets que l'an 2 ! C'est
à ce moment exactement que
le Nantais Joseph Colin met
en œuvre la technique de
l'appertisation et invente
donc la conserverie moderne.
Amieux, Cassegrain,
Saupiquet, des dizaines
d'usines sur la côte
méridionale de la province que
se partagent capitaux nantais
et locaux, un apogée vers 1880
avant une délocalisation
sensible vers la péninsule Ibérique,
un formidable essor de la pêche
à la sardine et dans une moindre
mesure au thon et au maquereau,
le développement de cultures
légumières pour nourrir les usines
pendant les creux de la pêche : nous
voilà bien dans le « beau XIXe siècle ».

Ces noms emblématiques sont
bien plus qu'une vitrine : la reprise
du commerce, cabotage puis
commerce colonial, nourrit la
construction navale. Des isolats
industriels apparaissent, à Basse-
Indre pour le fer-blanc – destiné aux
conserveries –, à Hennebont (les
forges), à Fougères (la chaussure),
à Quimperlé et Quimper (le papier
des cigarettes), l'État contribuant
notablement avec ses arsenaux,
ses poudreries, ses manufactures
de tabac de Morlaix et Nantes. On

L'emblématique
*Petit écolier* de Firmin
Bouisset (à gauche) est
utilisé par la biscuiterie
LU de 1897 à 1945 : cet
extraordinaire succès est
justice, dans la mesure
où l'industrie agro-
alimentaire, nantaise en
particulier, mise très tôt
sur une publicité de
qualité. LU ainsi recourt
aux services d'Alfons
Mucha, le maître de l'Art
nouveau. Elle est suivie
dans l'affiche, les objets
publicitaires, les
emballages de collection,
par Cassegrain qui utilise
le talent d'Ogé puis, dans
les années 1930, d'Henry
Le Monnier (ci-dessous).

pourrait même se croire revenu au temps des grandes créations, quand les frères Péreire font de Saint-Nazaire la tête de ligne de la Compagnie générale transatlantique et bientôt le siège de très puissants chantiers navals accolés au bassin de Penhoët (1861). L'argent a même moins d'odeur encore : de 1815 à 1830, Nantes reprend très activement une traite négrière pourtant désormais interdite…

**Des campagnes qui changent...**

En un siècle, près de la moitié des landes sont mises en culture et embocagées. Derrière cette lente mais forte mutation, il y a l'agronomie, dans la foulée d'un Jules Rieffel qui installe en 1830 à Grand-Jouan, en Nozay, ce qui deviendra ensuite l'École d'agriculture de Rennes ; il y a des progrès techniques : le noir animal, sous-produit du raffinage du sucre nantais, les phosphates, les machines que produisent de nombreuses entreprises spécialisées, parfois dans de petites villes, comme Huard à Châteaubriant ; il y a ces nouveaux lieux de diffusion du progrès que sont les comices agricoles, apparus en 1827 ; et donc amélioration des races animales, large diffusion de

À la sardinerie (ci-dessus), le travail, saisonnier et à 80 % féminin, dépend étroitement des vingt mille pêcheurs recensés vers 1900, souvent les maris. Étêtée puis frite, la sardine emplit plus de cent millions de boîtes au début du XXᵉ siècle. Pénibilité et bas salaires expliquent la syndicalisation précoce de ces *penn-sardin*, du nom de leur coiffe, adaptée aux contraintes de leur travail : nous sommes ici non pas dans la société « traditionnelle », mais dans l'univers d'un travail de type industriel.

la pomme de terre, amorce de la ceinture légumière même dans les années 1880. En 1882, les campagnes du Finistère et de la Loire-Inférieure comptent parmi les dix les mieux équipées en machines à vapeur : un comble pour une agriculture considérée encore un demi-siècle plus tôt comme immobile.

C'est à ce moment aussi que commence le maillage serré des campagnes en lignes ferroviaires, à partir des grands axes apparus entre 1851 (Nantes) et 1865 (Brest), à temps pour prendre le relais de canaux dont le rôle a été essentiel dans la diffusion des amendements et des engrais depuis l'ouverture de ceux de Nantes à Brest et d'Ille-et-Rance (1842-1843).

## Les signes de l'aisance

Le niveau de vie s'élève donc dans les campagnes. Qui en douterait, à voir l'éclat inégalé d'un mobilier – c'est l'âge d'or du lit clos – dont l'ornementation affiche l'aisance ? à voir celui des costumes de fête pour lesquels, en Basse-Bretagne au moins, chaque petit pays rivalise d'inventivité en faisant feu de toutes les possibilités modernes, drap de Montauban, perles

Les forges de Basse-Indre (ci-dessus), créées en 1822, puis rénovées par des Gallois, en 1836, deviennent l'une des entreprises les plus modernes de Bretagne. À la même époque apparaissent les *Inexplosibles*, des navires à vapeur fabriqués à Nantes (page de droite, en haut, l'*Inexplosible* n° 21, *Ville-de-Nantes*, lancé en 1841) qui, non sans risques – on remarque la vigie à la proue, chargée de repérer les bancs de sable – remontent la Loire jusqu'à Orléans.

 Plougastel-Daoulas (Finistère [ci-dessous]), à Pluméliau et à Guémené-sur-Scorff (Morbihan [pages suivantes]), les costumes de Basse-Bretagne, et en particulier les coiffes des femmes, sont d'une grande richesse. Vêtements réservés à la paysannerie aisée, portés lors des fêtes ou des cérémonies (pages suivantes, à droite, costume d'une fiancée à la veille de ses noces, partant à la messe dominicale), ils ont fasciné les voyageurs, tels les peintres Charles

métalliques, dentelles, soie lyonnaise… C'est l'aisance encore qui explique le succès de la faïence quimpéroise. La langue bretonne bénéficie aussi de l'euphorie en accédant largement à l'écrit, le livre aussi bien que la presse au moins agricole et religieuse.

L'argent des bourgeoisies locales, et un peu des touristes étrangers, s'investit également dans un tourisme balnéaire que les lignes de chemin de fer suscitent : La Baule est créée en 1879, le Val-André un peu plus tard, qui viennent concurrencer Dinard lancée par les Anglais dès le milieu du siècle.

Il n'est jusqu'au temps des grandes aventures qui semble revenu, quand les armateurs paimpolais se risquent en 1852 dans la pêche à la morue au large du Groenland et de l'Islande, ou quand Louis Lefèvre-Utile se lance en 1882 dans la biscuiterie industrielle – LU – qui fait sa fortune. Et il serait facile d'énumérer les multiples signes de « progrès » dans l'aménagement des villes, des routes, des ports… Comme ailleurs, mais moins qu'ailleurs : l'essor de l'agriculture est bien moindre qu'en Allemagne du Nord, celui de l'industrie sans commune mesure avec ce qui se passe dans les grandes régions industrielles.

Cottet (ci-dessus) et Hippolyte Lalaisse (pages suivantes). Récits, peintures, photographies ont ainsi largement diffusé cette impression trompeuse de richesse générale.

## Plus que jamais, des Bretagnes diverses

Au milieu du XIXᵉ siècle, dans un contexte de forte pression démographique, l'effondrement de la si importante industrie textile rurale, restée longtemps vivante dans les Côtes-du-Nord, commence à lancer sur les routes des milliers d'émigrants de la misère, d'une misère terrible, celle qui engendre l'errance, la prostitution, au mieux le déracinement et les petits métiers. L'industrie métallurgique disparaît de presque partout, Basse-Loire et Hennebont exceptés. Les ports secondaires sont ruinés par l'arrivée du chemin de fer. La prospérité d'une partie de la paysannerie masque un temps le drame, par l'embauche de valets et domestiques : en 1882, Côtes-du-Nord et Morbihan comptent à eux seuls 15 % des domestiques françaises !

Vers 1850, l'émigration devient pourtant, pour un siècle, une permanence dans la société bretonne : la population des Côtes-du-Nord commence à décliner dès la fin du second Empire et, au tout début du XXᵉ siècle, on compte chaque année vingt mille départs ! Bien plus même en réalité, car une part notable des migrants reste dans les villes, Nantes en particulier. C'est alors que Paris devient une grande ville bretonne, la seule en fait en dehors de Nantes, alors que s'affirme le stéréotype du Breton qui baragouine, un peu demeuré, à l'exemple de Bécassine, dont le personnage est lancé en 1905.

### Du triomphe des Blancs au « peuple noir »

À cette date, l'image d'une Bretagne – entendue comme rurale et arriérée – s'est imposée au moins à l'extérieur, et elle repose sur un décalage politique et culturel devenu criant à la fin du XIXᵉ siècle, quand progressent dans le reste de la France la gauche politique et l'anticléricalisme.

Jusque vers 1880, rien à vrai dire ne distingue réellement cette province simplement très

La maison, la basse-cour, l'étable, le jardin, évidemment, mais aussi les champs et en saison les gros travaux : le travail de la paysanne a longtemps été sous-estimé. Ci-dessus, le peintre Lucien Simon a su saisir la sueur, les corps pliés, à la peine : un regard encore nouveau en 1907, qui fait le grand intérêt de ce tableau.

conservatrice, où les Blancs, sous la Restauration, puis la bourgeoisie urbaine, au temps de Louis-Philippe, ont imposé leurs vues. Le ralliement au second Empire y a été massif, au point que les Blancs ont été contraints de transformer leur rêve d'une restauration monarchique en une action, efficace, pour préserver une société rurale et catholique.

Au peuple moins alphabétisé qu'ailleurs, au catholicisme solidement ancré et parfois conforté par les souvenirs de la Révolution, le châtelain et le recteur – les fonctions du « curé » français, mais une autorité bien supérieure ! – proposent une foi vivifiée

Les pommes de terre sont alors utilisées aussi pour nourrir les porcs, une tâche féminine. Mais elles ont d'abord été, à partir du XVIIIe siècle, à l'origine d'une petite révolution agricole qui a permis, après 1850 seulement, la disparition des disettes.

par de spectaculaires missions ; par un extraordinaire effort de construction d'immenses églises ; par des fêtes somptueuses – la décoration des rues lors de la Fête-Dieu ! –; en Basse-Bretagne par des pardons réactivés et en Haute-Bretagne par des pèlerinages comme celui de Lourdes, permis par le chemin de fer. Nous sommes à l'apogée de l'influence de l'Église catholique, au point que le débat

d'idées semble parfois se dérouler en son sein, entre une aile moderniste, « démocrate chrétienne », qu'illustre un prêtre comme Félix Trochu, fondateur en 1899 avec Emmanuel Desgrées du Loû de *L'Ouest-Éclair*, l'ancêtre direct d'*Ouest-France*, et une aile traditionaliste, dominante.

« Monsieur le Recteur », *an Aotrou Person*, est souvent, plus que le maire, le vrai maître du village, contrôlant tous les aspects de la vie, nourrissant ainsi le cliché d'un peuple obscurantiste et confit en dévotion, violemment dénoncé comme le « peuple noir » par les anticléricaux. La foi, la langue bretonne – *ar brezhoneg hag ar feiz a zo breur ha c'hoar e Breiz* : « le breton et la foi sont frère et sœur en Bretagne » –, le mépris des citadins pour les ruraux et des bourgeois pour les pauvres, tout cela nourrit même des attitudes très proches du racisme, que l'on voit s'exprimer à Nantes dès le milieu du XIXᵉ siècle…

**Un sensible décalage**

En 1896 commence à Paris la construction du métropolitain. À Trégastel, les paroissiens viennent de transférer processionnellement les ossements de leurs ancêtres depuis l'ossuaire vers une fosse

Il manque le vent, un peu de pluie peut-être, et le bruit sec des crânes tombant dans la fosse, les uns sur les autres. En 1896, les paroissiens de Trégastel vident leur ossuaire rempli par les ossements eux-mêmes peu à peu extraits des fosses de l'église : le maintien de grandes cérémonies macabres montre que l'état d'esprit qui les a inspirées au XVIIᵉ siècle n'a pas disparu. Il se prononcera même, jusque loin dans le XXᵉ siècle, des sermons de mariage centrés sur la vision d'une vie ici-bas pour se préparer à la mort…

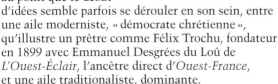

commune. Voilà, en deux images, ce qui fait désormais l'*étrangeté* de la Bretagne, celle qui attire les voyageurs : cette talentueuse langue de vipère de Flaubert en 1847, et quantité d'Anglais ; qui attire, aussi, les artistes – le succès de Pont-Aven n'est pas dû qu'à sa lumière, ses auberges bon marché et le rayonnement de Gauguin – et bientôt touristes en nombre.

Il y a même marginalisation : nulle part ailleurs l'influence du clergé n'est telle, ni le rôle de la noblesse maintenu à ce niveau après 1870. C'est bien pour cela que le procès en appel du capitaine Dreyfus a lieu à Rennes en 1899, et qu'aucune figure politique nationale n'émerge en un siècle, hors du cas toujours particulier de Nantes.

1925, voyage présidentiel : Gaston Doumergue passe à Plougastel-Daoulas. Quelques femmes en chapeau, mais la plupart, et toutes les fillettes, portent la coiffe, alors que les hommes ont presque tous renoncé au chapeau de leurs ancêtres. Décalage entre les sexes dans l'attachement à la « tradition ».

Sainte-Anne-la-Palud, au fond de la baie de Douarnenez : la foule, immense, dans un site exceptionnel, la mer à deux pas qui amène des pèlerins depuis Morgat ou la rade de Brest, les autres marchant le long de la plage et des chemins côtiers. Un des pardons les plus courus de Bretagne, notamment à la fin août, lors du « grand pardon ». On y vient, comme partout, pour obtenir des indulgences, c'est-à-dire des remises de peine valables dans l'au-delà. La relance du pardon, vers 1770, lui a donné sa vraie dimension : lieu de prière et de procession paroissiale, bannière en tête, derrière la statue de sainte Anne. Offrandes, parfois d'un ex-voto, pour remercier de quelque miracle. Lieu de sociabilité aussi : pique-nique et beaux atours, rencontres où se nouent parfois les futures amours, retrouvailles familiales, combats de lutte, marchands ambulants puis stands forains où l'on achète aussi bien de quoi se sustenter que les souvenirs de pardons, épingles, images… Lieu fort d'une culture, tout simplement, surtout à l'apogée du XIXe siècle, qui inspire aussi bien Tristan Corbière qu'Eugène Boudin et plus tard Jean Moulin – oui, le héros de la Résistance, artiste à ses heures –, que des milliers de photographes.

Même le dynamisme démographique est devenu un stigmate : les « peuplades toujours renaissantes de Bas-Bretons » que dénonce l'industriel, polytechnicien et élu nantais Auguste Chérot en 1851 renvoient à une fécondité désormais incongrue, dont les effets ne sont tempérés que par une mortalité également demeurée très forte, mauvaises conditions de logement, sous-équipement – cinq fois moins de sages-femmes en 1893 que dans le reste de la France ! – et alcoolisme obligent.

L'exaltation d'une image doloriste du fier pêcheur de morue promis à la mort dans les eaux glacées d'Islande, née de Loti, de Botrel (ci-dessous), ses *Chansons de chez nous* publiées en 1898) et de

## L'identité nostalgique, doloriste et négative

Ce qui est en passe de devenir une identité négative est nourri aussi par les intellectuels bretons. Émile Souvestre publie en 1836 *Les Derniers Bretons* et, trois ans plus tard, le *Barzaz Breiz* du vicomte Théodore Hersart de La Villemarqué rencontre un succès rapidement international : il s'agit d'un recueil de chansons en breton recueillies dans les environs du manoir familial de Nizon qui inaugure un formidable mouvement de collecte de la littérature orale. Mais cette génération de nobles légitimistes, écartés du pouvoir depuis la révolution de 1830, trouve là le moyen d'exprimer sa vision idéalisée du passé, relayée ensuite par de nombreuses sociétés savantes et par le très influent historien Arthur Le Moyne de La Borderie, nationaliste breton et français à la fois, chantre avant tout du conservatisme social et de la soumission à Dieu.

Cette nostalgie prend une coloration doloriste lorsque les Bretons fournissent l'essentiel des zouaves volontaires pour défendre les États du pape menacés dans les années 1860 par l'unité italienne et donc voués à la défaite ; ou bien, pour un public bien plus populaire, par la traduction littéraire de la terrible condition des pêcheurs de morue paimpolais – deux mille morts en moins d'un siècle – inaugurée par le *Pêcheur d'Islande* de Loti

tant d'autres – même l'excellent Joseph-Guy Ropartz compose une musique pour la pièce que Pierre Loti tire de son roman (ci-dessus) – renvoie aux Bretons une valorisante image d'eux-mêmes, qui explique son succès durable.

Pour la pê_che d'Is _ lan _ de    Mon mari vient

À l'opposé d'un Botrel, Anatole Le Braz est un authentique savant et militant culturel, attaché aux valeurs laïques et républicaines autant qu'à la langue bretonne. Ses collectes de terrain bénéficient notamment de

en 1885, relayé par la larmoyante *Paimpolaise* de Théodore Botrel en 1896.

À cette époque, les contacts avec l'armée, l'école, la presse ont déjà commencé à inculquer l'idée de l'infériorité, accrue pour ceux qui ne parlent pas le français. Cette identité nostalgique, doloriste et négative ne trouve consolation que dans la révolte, ainsi en 1902 lors de la dispersion des congrégations non autorisées, et surtout en 1906 lors des inventaires des biens des églises imposés par la loi de séparation des Églises et de l'État. Et c'est tout naturellement que la Bretagne tout entière se retrouve, après la terrible saignée de 1914-1918, dans un imaginaire morbide fondé sur le chiffre mythique de deux cent

l'extraordinaire mémoire de Marc'harit Fulup [Marguerite Philippe], dont il diffuse la culture dans de brillantes conférences jusqu'aux États-Unis. Son rayonnement lui vaut l'amitié aussi bien de Victor Basch, animateur de la Ligue des droits de l'homme, que de l'académicien Charles Le Goffic.

quarante mille morts – au lieu des cent trente mille réels, chiffre déjà énorme – apposé notamment sur le mémorial achevé en 1932 à Sainte-Anne-d'Auray.

### Les écarts se creusent

Bien sûr que la Première Guerre mondiale a été, et en Bretagne un peu plus qu'ailleurs, une effroyable boucherie. Mais lui attribuer la responsabilité des difficultés de l'entre-deux-guerres est entrer dans le domaine du rêve doloriste : les autres régions rurales ont subi aussi un choc profond, mais les écarts se creusent avec une Bretagne qui donne parfois l'impression – excessive – de l'immobilisme.

En 1929, 70 % des exploitants agricoles travaillent moins de dix hectares. Il n'est pas besoin de chercher bien au-delà les raisons de l'exode rural continu, et facilité désormais par l'organisation de départs collectifs vers le Sud-Ouest, quand ce n'est pas, marginalement, vers le Canada. C'est alors aussi que se forge la réputation négative de Gourin, dans les Montagnes noires, capitale d'une émigration vers les États-Unis commencée dès le milieu du XIXe siècle et qui, à l'échelle du canton, enregistre onze mille cinq cents départs entre 1880 et 1970 ! La perte de dynamisme lié au départ des jeunes enclenche une spirale négative caractérisée par la lenteur de

Le sculpteur et céramiste René Quillivic réalise plusieurs des plus remarquables monuments aux morts de Basse-Bretagne, là où la douleur s'exprime plus souvent qu'ailleurs en termes locaux : c'est le costume des mères ou des épouses, c'est souvent aussi l'inscription parfois délibérément ambiguë, *Maro evit ar vro*, « Mort pour la patrie », qui peut être aussi bien la « grande patrie » française que la Bretagne.

l'amélioration du cadre de vie : plusieurs centaines de communes n'ont pas encore l'électricité à la fin des années trente…

La crise économique mondiale ne peut pas plus expliquer ces difficultés. Oui, biscuiteries nantaises et usines de chaussures de Fougères peinent, oui, la ligne maritime des Antilles, la Compagnie générale transatlantique et les forges de Trignac ferment ou se déclarent en faillite, oui, la région nazairienne souffre tellement que ses chômeurs se lancent en 1933 dans une « marche de la faim » désespérée jusqu'à Nantes. Mais, grâce au rôle social encore si important de l'agriculture, le bilan est en Bretagne moins tragique qu'ailleurs.

L'innovation, réelle, reste locale – le port de pêche industrielle de Kéroman à Lorient, en 1927 –, modeste – la centrale hydro-électrique de Guerlédan en 1929 –, éphémère, comme la présence de l'armée américaine et de ses engins de toutes sortes, pourtant massive à Brest, Saint-Nazaire et Nantes de 1917 à 1922.

En 1962, l'Association bretonne aux États-Unis organise son douzième grand bal annuel (ci-dessous). Les porteuses de coiffes sont placées au premier plan, comme pour souligner cette forte et en même temps désespérée quête d'une identité qu'il faut chercher à travers quelques pièces de vêtements – prêtés par l'association –, quelques mots de breton, un groupe folklorique et l'enseignement de la gavotte. La réalité est plus prosaïque : celle d'immigrés ordinaires comme Louis et Marie Le Guily (à gauche, leur carte de travail).

La diversité de l'univers des salariés bretons. Les biscuitières de LU (en haut, à gauche) rassemblées, vers 1900, dans le très moderne hall d'expédition de l'usine nantaise. À gauche, les Bigoudènes de la conserverie Hénaff de Pouldreuzic en 1919, mettant en boîte des petits pois : au premier plan à gauche, les patrons, Jean Hénaff et sa femme, portent le gilet et la coiffe du pays. Les riveurs nazairiens (ci-dessus) au travail sur le pont de l'*Île-de-France* en 1932. Et les pêcheurs du Guilvinec (ci contre) qui, vers 1910, débarquent encore les langoustines dans de grands paniers tressés.

**La crispation conservatrice**

Ces Bigoudènes en coiffe derrière le drapeau rouge sont les grévistes du grand mouvement social de 1924 qui, depuis Douarnenez, embrase toutes les conserveries du sud du Finistère aux cris de « *Pemp real a vo* » (« Nous aurons nos 1 franc 25 »). Cela conduit même à l'élection – alors illégale – de Joséphine Pencalet, meneuse de la lutte, au conseil municipal de Douarnenez. L'auteur du tableau : Charles Tillon, ancien mutin de la mer Noire, responsable communiste très actif dans la grève victorieuse, futur responsable de la résistance et ministre du général de Gaulle…

Devant le monde qui commence à changer si vite à « l'extérieur », une très large part des « élites » et une part majoritaire de l'opinion se crispent sur le passé et le refus de la modernité. L'idée que les questions paysannes se règlent à la pointe de la fourche s'impose à travers le corporatisme rétrograde prôné par le syndicaliste paysan Henri Dorgères, qui rencontre un vif succès à partir de 1929 autour de Rennes et dans le sud du Finistère : il en restera une nette tendance à l'action violente.

Le refus de toute mise en cause de la société « traditionnelle » et du rôle de l'Église conduit un évêque aussi écouté que celui de Quimper, Adolphe Duparc, à prendre la tête d'une grande manifestation contre le gouvernement de gauche en 1924. Le socialisme reste marginal sauf en Trégor, en Basse-Loire et à Brest, qui a élu dès 1904 un maire et dès 1910 un député de cette couleur. Le communisme est plus localisé encore, malgré le bastion conquis à Douarnenez en s'appuyant sur les grandes grèves des ouvrières sardinières

en 1924-1925. Même en 1936, le Front populaire n'emporte qu'un tiers des sièges. Et la province tout entière se rallie donc logiquement et massivement au pétainisme en 1940 – même si sept députés du Finistère figurent parmi les quatre-vingts qui refusent les pleins pouvoirs au Maréchal –, avec d'autant plus de conviction que le drame de Mers-el-Kébir et ses victimes pour l'essentiel bretonnes ravivent l'anglophobie.

## La timidité culturelle

Comme le reste de la France, la Bretagne s'est passionnée dès le tout début du XXᵉ siècle pour le cyclisme et l'aviation, et rapidement pour le football, développé avec tant de succès par les patronages catholiques que le mouvement laïc a emprunté ici la même voie au lieu de choisir le rugby, comme dans le Sud-Ouest. Les loisirs festifs se sont folklorisés, ou « modernisés » : le couple traditionnel de sonneurs, biniou et bombarde, est sévèrement concurrencé par la clarinette et l'accordéon, et le costume de fête du XIXᵉ siècle cède rapidement devant le costume de ville.

Vers 1930, à Plougoumelen, près de Vannes, François Le Sommer (au biniou) et J.-L. Le Ray (à la bombarde) sonnent pour les mariés à la sortie du café où ont été accueillis les invités. Le recours à ces deux instruments – traditionnel dans l'ensemble du Morbihan et du sud du Finistère – est d'autant plus marquant que les mariés et la plupart des invités ont abandonné le costume « traditionnel ». La volonté de continuité des musiciens d'aujourd'hui, autour de la revue *ArMen* ou au sein de l'association *Dastum* et de sa revue *Musique bretonne*, explique qu'il ait été possible d'identifier les sonneurs.

C'est donc la différence qu'il faut commencer à chercher, et elle n'est plus évidente. Le Bleun Brug (Fleur de bruyère), mouvement culturel clérical lancé par le prêtre Jean-Marie Perrot en 1905, passe ainsi après 1925 de la fête populaire et conviviale et des activités théâtrales en breton à l'exaltation du rêve autonomiste, ce qui provoque l'effondrement de son audience. Le mouvement régionaliste n'est que version locale d'un conservatisme social illustré avec éclat par l'animateur, de 1902 à 1946, de l'Union régionaliste bretonne, le marquis Régis de L'Estourbeillon de La Garnache, et son aile plus culturelle et plus ouverte sur les réalités économiques ne rencontre elle aussi d'écho que dans l'univers des notables. Un mouvement autonomiste bien plus radical se développe à la fin des années 1920, mais, malgré de spectaculaires attentats en 1932, le Parti national breton, créé l'année précédente, évolue vers une extrême droite fascisante qui limite considérablement son audience.

Les seules innovations réelles, pour rester presque confidentielles, ne manquent pourtant pas d'intérêt. En 1923 ainsi, quelques artistes créent le mouvement des Seiz Breur (Sept Frères), avec l'objectif de faire se rencontrer héritage artistique breton et modernité, mais leur production, limitée pour l'essentiel aux arts décoratifs, ne laisse guère de postérité malgré sa réelle qualité et l'audience passagère que lui donne une participation remarquée à l'exposition parisienne des Arts décoratifs en

Ablamour m'en deus **KOMZET BREZONEG!** (Parce qu'il a parlé breton!)

Le Nantais Jorj (Georges) Robin, mort à 24 ans, en 1928, s'inscrit dans les débuts du mouvement des Seiz Breur par ses grès en ronde bosse aux lignes puissantes et dépouillées, à l'exemple de cette *Bigoudène* (ci-contre) de la manufacture quimpéroise HB.

1925 et au pavillon de la Bretagne à l'Exposition universelle de 1937. Les objectifs littéraires de la revue *Gwalarn* (Norois) sont très proches, mais la prétention de son animateur Roparz Hemon à créer une langue bretonne « moderne » autant qu'une littérature pleinement insérée dans la

D́ans un uniforme qu'il a lui-même dessiné, avec des symboles – brassard, et en arrière-plan le *triskell* – évidemment pas neutres en ce

culture internationale coupe cette tentative de tout lien avec la culture populaire. Les compromissions de son animateur avec l'occupant allemand, entre 1940 et 1944, déconsidèrent en outre sa démarche.

### 1940-1944 : le nœud fondateur ?

À l'évidente exception du domaine économique figé par la guerre, les quatre années de l'occupation allemande constituent à bien des égards un condensé décisif des choix possibles pour l'avenir de la Bretagne.

Le premier, celui du conservatisme, s'exprime dans le pétainisme et il est poussé à l'extrême dans une dérive nationaliste qui conduit certains militants à combattre sous l'uniforme allemand. Pour marginal qu'il soit, cet engagement déconsidère durablement, et injustement, l'ensemble d'un mouvement culturel breton infiniment plus divers.

10 décembre 1941, le peintre et sculpteur Yann Goulet (ci-dessus) préside une réunion des cadres du Parti national breton. Les errements et dans certains cas les crimes commis pendant la guerre par des militants nationalistes trouvent pour partie leur origine dans la perception simpliste qu'ils ont du rôle de l'école et donc de « l'État français » luttant contre la langue bretonne (en haut, à gauche, une image de propagande nationaliste éditée vers 1926).

Accessoirement ou presque, le régime de Vichy contribue à installer un découpage régional qui sépare du reste de la Bretagne la Loire-Inférieure, soumise à Angers à partir de 1941. Ce choix reprend celui opéré par l'Église catholique en 1859, en matière d'archevêchés, et surtout celui des régions économiques créées en 1938, mais c'est évidemment le lien avec le régime ensuite unanimement condamné qui sera utilisé par les détracteurs de ce découpage.

La sensibilité doloriste trouve un terrible champ d'application dans la destruction quasi totale des villes de Brest, Saint-Nazaire et Lorient par des bombardements alliés visant notamment les bases sous-marines allemandes, et par les ravages également opérés par les Américains à Nantes en 1943 et à Saint-Malo en 1944. Et, si les cinq cents déportés juifs de Bretagne morts à Auschwitz ne laissent à peu près aucune trace dans les mémoires, les presque cinq mille victimes de la répression nazie – fusillés et résistants déportés non rentrés des camps – constituent l'assise d'une mémoire résistante fondatrice.

Dans la France libérée d'après 1944, la Bretagne a acquis en effet un nouveau statut, celui d'une province pleinement républicaine et française, qui a payé le prix de la liberté commune. L'exemple du départ collectif des hommes de l'île de Sein, très exceptionnel mais bien réel, est particulièrement précieux puisqu'il associe symboliquement, et dès juin 1940, la Bretagne à l'épopée gaulliste. L'exécution de quarante-huit otages à Nantes et Châteaubriant (dont Guy Môquet), en octobre 1941, en représailles à l'exécution par des résistants communistes

Née dès l'été de 1940, la Résistance se structure réellement à partir de 1942, et la répression des polices allemande et française conduit, à partir du printemps 1944, à la constitution de maquis à l'exemple de celui de Saint-Marcel près de Vannes (ci-dessous, à gauche), qui résiste à une attaque allemande le 18 juin 1944. Le fait que ce succès est relativement isolé, ne doit pas faire oublier le courage des combattants et les lourdes pertes des trois années antérieures, ainsi que l'essentiel effet sur l'opinion, développé par des tracts artisanaux comme celui, manuscrit (détail ci-dessous), qui est diffusé à Nantes après l'exécution des otages d'octobre 1941. C'est donc dans la

## Nos morts crient Vengeance

du commandant de la place de Nantes, le lieutenant-colonel Hotz, ne marque pas seulement, à l'échelle nationale, un tournant décisif dans l'opinion à l'égard de l'occupant : elle vaut à la métropole un titre de Compagnon de la Libération qui efface des mémoires la collaboration de ses édiles et d'ailleurs aussi les activités des résistants nantais et la terrible répression qu'ils subissent. Les maquis expriment et enracinent une tradition politique d'extrême gauche dans le Trégor et les monts d'Arrée, mais sont suffisamment nombreux et divers (Saint-Marcel dans le Morbihan, Saffré en Loire-Inférieure…) pour que chacun y puise le sentiment d'un bon choix collectif.

La Bretagne de 1944-1945 n'a pas matériellement changé, mais rien n'y sera plus pareil.

fierté et la douleur qu'est accueillie la Libération, retardée jusqu'en septembre 1944 pour Brest détruite (ci-dessus) et jusqu'en mai 1945 pour les « poches » de Lorient et de Saint-Nazaire.

L a formidable transformation économique des « trente glorieuses » secoue une Bretagne assoupie : entre nostalgie et créativité, dynamisme musical et marées noires, Tabarly et Gourvennec, identité et ouverture, se définit peu à peu une nouvelle manière d'être breton.

**CHAPITRE 5**

# LE GRAND RÉVEIL

Le petit géant noir de la compagnie théâtrale Royal de Luxe, dans les rues de Nantes – clin d'œil de l'histoire pour une ville dont la richesse fut longtemps négrière. Ci-contre, le trimaran de Loïc Peyron : la mer, espace de travail, de souffrances et de peurs, devenue aussi un terrain de jeu. Les symboles d'un nouveau rapport à l'histoire, d'un nouveau regard sur le monde : la Bretagne d'après le grand réveil.

## Un double handicap

La Bretagne n'avait jamais connu ce rôle de
première victime de la guerre, et l'immense effort
de reconstruction se double ici de la nécessité de
combler le retard économique. Cette situation très
particulière en France explique, en partie, la lenteur
de la reconstruction, au point que les derniers
baraquements « provisoires » ne disparaîtront pas
avant l'extrême fin des années 1960 ; elle explique,
aussi, la persistance de l'exode rural.

En apparence d'ailleurs, le relèvement est très
lent : le déblaiement des villes ravagées s'étale
jusqu'en 1948, et les ouvriers de la reconstruction,
bientôt rejoints par leurs familles, survivent dans
des milliers de baraquements parfois sans eau
courante. Les choix architecturaux de la
reconstruction ne témoignent pas non plus d'une
grande audace ou d'une grande créativité : pour
ses quartiers détruits, Nantes rejette ainsi le projet
novateur de Le Corbusier au profit d'une prudente
reprise du passé, et Saint-Malo choisit de même
de cacher le béton par des placages de granit qui
laissent l'impression d'une ville refaite à
l'identique. Là où l'ampleur des destructions impose
de créer, la structure même de la ville est
entièrement repensée, mais Brest paie son habitat
collectif confortable et son nouveau plan en damier
d'une surprenante coupure avec la mer et le port.

Brest détruite reçoit
le général de Gaulle
en juillet 1945 (en haut,
à gauche). Lorient
reconstruite autour de la
place Alsace-Lorraine et
de l'église Notre-Dame-
des-Victoires (ci-dessus).
En deux images,
tout semble dit de
l'effacement des ravages
de la guerre. Belle
illusion. Passe encore
sur les efforts, nationaux
(à droite, le célèbre
*Retroussons nos
manches* sur une affiche
de 1945), et sur les
difficultés de
ravitaillement, aggravées
par le grand écart entre
prix et salaires. Mais
la reconstruction paraît
interminable aux
sinistrés.

Dans le Morbihan, onze mille immeubles et bâtiments divers ont été totalement détruits, à Lorient pour l'essentiel. En 1947 – seulement! – est élaboré un plan de reconstruction qui restructure le parcellaire de la ville, en élargit les espaces publics, en déplace le centre: vingt-cinq mille Lorientais vivent alors dans des baraques ou s'entassent chez des parents à la campagne. La reconstruction commence vraiment en 1949, pour ne s'achever qu'au milieu des années 1960. Et il faut attendre bien plus longtemps pour qu'une identité et une culture renaissent dans la ville profondément transformée.

## Un formidable bouillonnement

Pourtant, derrière ces lenteurs et les souffrances qu'elles entraînent, la Bretagne change. Même si la reconstruction chasse souvent du centre des villes les populations ouvrières incapables de payer le coût du confort « moderne », des solidarités très fortes sont nées dans les quartiers de baraquements et les misères partagées. L'avenir se dessine aussi dans le choix d'utiliser les gravats pour édifier ici une zone industrielle (Lorient), là un parc paysager (Saint-Nazaire). Et la ville l'emporte pour la première fois: vers 1960, la population bretonne est majoritairement urbaine.

RETROUSSONS NOS MANCHES
*Ça ira encore mieux!*

Surtout, la volonté est là, et c'est nouveau.
En 1950, des élus de presque tous les partis et des
responsables économiques créent un Comité
d'étude et de liaison des intérêts bretons, le CELIB,
qui devient un *lobby* d'autant plus efficace auprès
de l'État que son objectif affiché est d'obtenir une
parfaite intégration de la Bretagne dans la modernité
nationale. Il est donc reconnu cinq ans plus tard
comme un interlocuteur officiel et obtient en 1956
un Programme d'action régionale. Même si le

Le béret ou la casquette, le bleu de travail, le vélo ou le solex : les signes de la classe ouvrière « traditionnelle » ; mais en arrière-plan, le *France*, alors en voie d'achèvement aux chantiers de Saint-Nazaire. Nous sommes en 1961, à l'un des apogées de la « Navale », fleuron d'une Bretagne

Comité s'efface au cours des années 1960, il est à
l'origine de réalisations spectaculaires, comme
le Centre national de télécommunications de
Pleumeur-Bodou, célèbre par son radome (1962),
l'usine marémotrice de la Rance (1966) et le plan
routier breton (1968) qui vaut aujourd'hui encore
à la région de quasi-autoroutes gratuites.

La volonté nouvelle, c'est aussi celle de ne plus
subir. Entre 1950 et 1955, ceux qui ont payé le prix
principal de la reconstruction par les bas salaires, les

sous-industrialisée : 28% seulement de la main-d'œuvre travaille dans l'industrie (39% pour l'ensemble de la France). Les capitaux sont cependant extérieurs, et l'activité très dépendante de l'État qui, depuis 1951, subventionne fortement la construction navale.

mauvais logements, les privations du rationnement réclament, avec violence parfois, leur part des résultats : en 1950 parmi les ouvriers de l'arsenal de Brest, en 1955 chez les métallos de Saint-Nazaire et de Nantes, en 1957 encore à Saint-Nazaire, la répression de la grève entraîne mort d'homme. Les hausses de salaire obtenues sont si vite dévorées par l'inflation que la main-d'œuvre bretonne reste sous-payée, et « sage » en dehors des quelques noyaux revendicatifs : c'est ce qui attire Citroën à Rennes en 1961, et Thomson à Brest en 1963.

Plus révélateur encore, les campagnes bougent, en profondeur. La Jeunesse agricole catholique (JAC) apparue dans les années 1930 devient un mouvement de masse qui, avec l'aide des « jeunes vicaires », oriente le dynamisme d'une génération de jeunes paysans de l'après-guerre. La JAC fait émerger de très nombreux nouveaux cadres ruraux, futurs responsables agricoles, professionnels et syndicaux, et même des figures politiques comme Pierre Méhaignerie ou le député centriste Bernard Lambert passé dans les années 1960 à l'extrême gauche.

Mises en service en 1962, les antennes du Centre national d'études des télécommunications (CNET) de Pleumeur-Bodou donnent à toute la France l'image d'une évidente modernité, d'accès facile à travers la transmission transatlantique d'images de télévision. Autour de Lannion, et plus largement de Brest à Rennes, usines de pointe, innovations (central téléphonique numérique en 1970, Minitel au début des années 1980) laissent un temps espérer un eldorado technologique qui n'aura réellement duré qu'une génération.

## L'or vert

Les campagnes vivent alors ce qui est certainement, quant au rythme, *la* révolution agricole de la Bretagne. En un quart de siècle, entre 1950 et 1975, tout change. Les agriculteurs se tournent vers les cultures spéculatives (les légumes notamment : le chou-fleur, l'artichaut…) et plus encore vers l'élevage. Ils s'appuient sur une formation solide et encore améliorée au sein de la JAC, développent une agriculture de groupe en s'associant ou en mettant en commun des machines désormais omniprésentes – cinq fois plus de tracteurs en dix ans, de 1955 à 1965 ! –, et surtout des coopératives qui, à force de restructurations, deviennent dans les années 1960 de grandes puissances économiques.

L'énorme accroissement de la production – celle du lait décuple en vingt-cinq ans ! – et du machinisme exige la transformation du parcellaire et donc du paysage : c'est la grande époque du remembrement, de l'arasement des talus, de l'abattage des pommiers, et donc du recul du bocage. C'est l'essor aussi d'une agriculture industrielle, en matière d'élevage de volailles et de porcs notamment.

Plus encore, cette agriculture productiviste – le terme indique bien l'obsession qui est sienne, et que personne alors ne met en cause – entre à un degré inégalé dans une économie capitaliste : elle dépend étroitement des prêteurs, du marché international et donc de la fluctuation des cours du soja aussi bien que du pétrole. Elle conduit à une très forte baisse de la population agricole, mais aussi au formidable essor de l'industrie agro-alimentaire.

Ce qu'on appelle alors l'« or vert » semble ne plus avoir de limites : dans un genre traditionnel, des paysans prennent d'assaut en 1961 la sous-préfecture de Morlaix pour imposer une réorganisation des marchés agricoles. Mais les mêmes – au moins pour le responsable syndical Alexis Gourvennec – créent en 1972 une compagnie maritime, la Brittany Ferries, chargée à l'origine d'améliorer les exportations vers la Grande-Bretagne.

« Voir, juger, agir » : la devise de la JAC rompt avec une certaine passivité des campagnes. Elle exprime les valeurs d'une société encore très marquée par le catholicisme mais qui aspire désormais à une ouverture vers l'extérieur, au progrès technique, au changement du cadre de vie. La plupart de ses militants choisissent ensuite une voie syndicale traditionnelle (la FNSEA) – non exempte d'actions dures (« bataille de l'artichaut » en 1962,

grève du lait en 1972) –, mais liée au modèle productiviste, dans la ligne d'Alexis Gourvennec. Une minorité s'engage à gauche, en se montrant solidaire du mouvement ouvrier en mai 1968 (ci-contre, à Nantes), et se retrouve, avec la Confédération paysanne, dans un modèle agricole social et respectueux de l'environnement.

## Les années tournant

Même si 1968 se traduit à Nantes par une originale mais éphémère alliance du mouvement ouvrier et d'un mouvement syndical paysan alors ancré

à gauche sous l'influence de Bernard Lambert, le grand tournant se situe dans les années 1970, lorsque les changements économiques et sociaux profonds se traduisent dans tous les domaines. Le plus révélateur est sans doute que la Bretagne redevienne pour la première fois depuis un siècle et demi, en 1975, une région d'immigration, et le demeure depuis. C'est alors aussi que le quotidien rennais *Ouest-France* devient le premier en France par son tirage. Alors encore qu'apparaissent les signes d'une mutation politique dont les effets se font pleinement sentir aujourd'hui : en 1973, le Parti socialiste entame une progression qui lui vaut quatre ans plus tard la conquête des villes principales, et aujourd'hui la majorité dans tous les départements (sauf le Morbihan) et dans le Conseil régional.

Car les esprits changent. En 1972, une entreprise parfaitement anonyme de fabrication de pièces en caoutchouc, le Joint français, implantée depuis dix ans à Saint-Brieuc, connaît une grève

En choisissant le pseudonyme de Stivell, la « source jaillissante » (à gauche), Alain Cochevelou a bien senti et exprimé l'importance de la musique dans le renouveau culturel breton des années 1970. Toute une génération de chanteurs à la suite de Glenmor, de groupes aux noms bretons (Diaouled ar Menez, Sonerien Du, Bleizi Ruz) se forme, qui anime les bals désormais dénommés partout, même en Haute-Bretagne, *festoù-noz*. Plus tard, le chant « traditionnel » renaît et s'exprime dans de très nombreux et modestes festivals tels le « Chant du peuple », à Locronan en 1988 (ci-dessous).

Saint-Brieuc, mars 1972 : manifestant ouvrier de l'entreprise Joint français et CRS face à face. Pourquoi cette photographie du journaliste d'*Ouest-France* Jacques Gourmelen est-elle considérée aujourd'hui comme *le* document symbolique des années 1970 en Bretagne ? La grève du Joint français porte sur 70 centimes d'augmentation de l'heure et un treizième mois. Les 1 015 ouvriers y sont mal payés (30 % de moins que dans une autre filiale de la Compagnie générale d'électricité en région parisienne), peu qualifiés, peu syndiqués : situation alors banale en Bretagne. Or toute la région se mobilise, quinze mille personnes manifestent, la solidarité ouvrière mais aussi paysanne intervient, celle des artistes et des intellectuels également. Tout en fait a joué : le sentiment de vivre une situation de type néocolonial, le mépris d'une direction parisienne refusant toute négociation avec les syndicats, le refus d'une évidente exploitation. Et plus encore, l'émergence d'une nouvelle « fierté bretonne », toute une région se retrouvant dans une aspiration à la dignité, dans le refus des situations du passé, symbolisées par les deux protagonistes de la photo, dont la presse révélera qu'ils avaient fréquenté ensemble les bancs de la même école…

historique : une banale revendication salariale conduit à une grande grève très largement soutenue dans l'ensemble de la région par intellectuels, hommes politiques, artistes, clergé. L'enjeu est en effet devenu le « Breton exploité » face au « capitaliste parisien », et surtout le droit de « vivre au pays » dans la dignité. C'est la version sociale d'un grand mouvement culturel qui s'exprime dans la musique et la chanson – Glenmor, Alan Stivell –, dans la littérature – Paol Keineg, Yann-Ber Piriou –, dans le cinéma même – René Vautier, les époux Le Garrec –, avec des moyens limités.

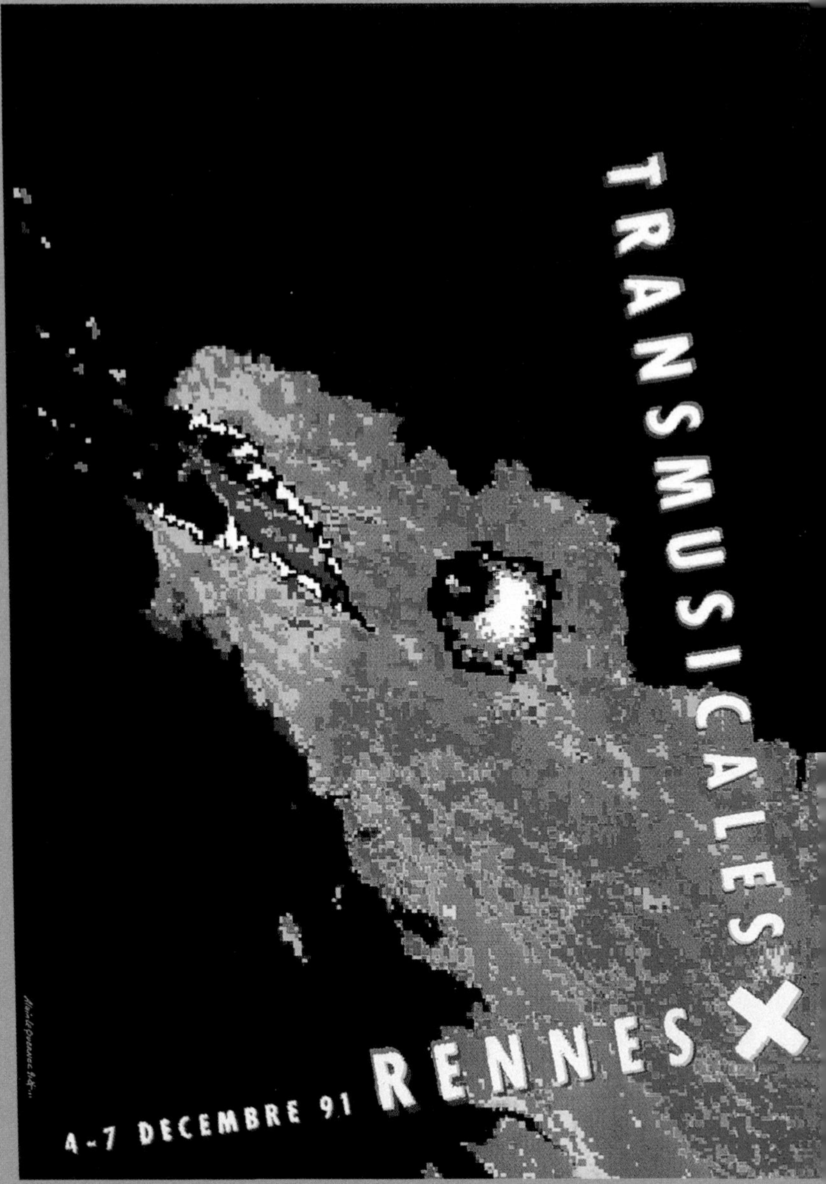
TRANSMUSICALES X
RENNES
4-7 DECEMBRE 91

Yann Sohier et Ar Falz

un instituteur laïc dans la Bretagne des années 30

MUSÉE DE MORLAIX. 15 JUIN-30 AOUT 83

1926.1927. Luttes sociales en Pays Bigouden

Soirée Débat. Salle municipale. Pont l'Abbé. Vendredi 29 octobre 1982
Organisée par la C.G.T. pays bigouden

Fañch Le Henaff
(voir p. 116) et Alain
Le Quernec, tous deux
formés à l'école
polonaise, marquent
depuis plus d'un quart
de siècle l'expression
graphique bretonne,
avec le choix commun
de traiter de manière
évidemment
contemporaine des
sujets de large portée
(« Pasqua connection »
pour Le Henaff,
Amnesty international
pour Le Quernec,
par exemple) et, plus
encore, ceux de leur
enracinement, à
l'exemple de ces trois
affiches de Le Quernec.
Les « Trans » rennaises
(à gauche) sont, depuis
1979, un festival qui
associe, pour des
publics très divers,
rock, techno, rap, etc.
La promotion de la
soirée débat organisée
à Pont-L'Abbé en 1982
par la CGT a été
assurée par trois cents
affiches seulement (en
bas, à droite), mais le
succès du graphisme
– très proche de celui
du tableau de Charles
Tillon (voir p. 102) –
a été tel qu'il a fallu
ensuite retirer
l'affiche pour les
collectionneurs.
L'affiche consacrée
à Yann Sohier aborde
un sujet plus pointu
encore : cet instituteur,
proche à la fois des
autonomistes et des
communistes, fonde en
1933 un mouvement
culturel très actif dans
le milieu enseignant,
Ar Falz [La Faucille].

Plus durablement s'enracinent les effets de changements intervenus dans les années 1960 : l'image de la modernité bretonne, diffusée à vingt millions d'exemplaires par deux timbres-poste consacrés à Pleumeur-Bodou ; et surtout la création des universités de Nantes puis de Brest qui accompagnent la véritable explosion de l'enseignement supérieur.

Le *Chasse-Marée* (1981) marque un tournant dans l'édition patrimoniale et historique bretonne : la qualité formelle de la revue et sa précision imposent ensuite, non sans difficultés économiques, des niveaux comparables à des revues comme *ArMen* (histoire et ethnologie) ou la plus modeste *Kreiz Breizh*, consacrée au Centre Bretagne.

### Le prix du changement

Cette profonde transformation fait également entrer la Bretagne dans les règles d'un jeu capitaliste définies ailleurs. Concrètement, à partir du milieu des années 1970, les « restructurations » l'emportent sur les décentralisations, à l'exemple de la fermeture des chantiers navals nantais en 1987. De même l'agriculture devient-elle étroitement tributaire des fluctuations du marché, qui entraînent des crises répétées, secteur par secteur, et souvent en réponse de violentes manifestations de producteurs déboussolés et parfois aux abois devant les exigences des banques. Dans les années 1980, la concentration des coopératives agricoles devient telle que leur contrôle échappe très largement aux paysans. Un secteur aussi emblématique que la pêche entre lui aussi dans une crise qui semble profonde, et qui doit sans doute moins aux règlements de plus en plus contraignants en matière de préservation d'espèces qu'au déséquilibre entre une production pas assez organisée et une commercialisation entrée très tôt dans la mondialisation.

La pêche est en passe d'entrer dans le temps du souvenir et de la nostalgie, renouvellement de la sensibilité doloriste du passé qui explique largement l'énorme succès en 1975 du livre de souvenirs

de Pierre-Jakez Hélias, *Le Cheval d'orgueil*, et en partie au moins la vague patrimoniale au succès particulièrement sensible en Bretagne. Les énormes fêtes consacrées à la « voile traditionnelle », le succès d'une revue de patrimoine maritime comme *Le Chasse-Marée*, l'écho rencontré par les très nombreuses et courageuses initiatives de relance de la langue bretonne montrent cependant que cette nostalgie nourrit le désir d'un avenir enraciné.

### Une brutalité assez bien acceptée

Aucune région française n'a autant changé en vingt-cinq ans. Une région à la personnalité si forte s'est en outre très largement alignée sur les moyennes françaises, qu'il s'agisse de démographie, de politique, de pratique religieuse et bien sûr d'urbanisation avec son cortège de difficultés sociales. Les agressions écologiques y ont en outre été particulièrement

La réelle dureté du métier de marin pêcheur (ci-dessous, à bord d'un chalutier du Guilvinec) – que rappellent régulièrement des « drames de la mer » – s'inscrit en outre désormais dans des perspectives assombries par la raréfaction de certaines espèces et des règlements européens qui tentent de préserver les ressources en imposant des quotas et en encourageant la destruction des chalutiers.

sensibles : depuis 1967, la Bretagne a subi huit marées noires, dont une des plus importantes à l'échelle mondiale, celle de l'*Amoco Cadiz*, le 16 mars 1978, sur les côtes du Léon. Et le projet de création d'une centrale nucléaire à Plogoff, tout près de la pointe du Raz, est perçu par une large part de l'opinion de semblable manière.

Or les réactions à cette brutalité globale, et à ces agressions précises ont été étonnamment mesurées. Même l'affrontement autour de Plogoff, en 1980-1981, n'a pas dépassé le niveau de heurts entre policiers et manifestants. Les marées noires, après un temps – long – d'adaptation des autorités, ont été l'occasion de réactions collectives qui ont notamment permis de remporter la victoire devant la justice américaine, au terme d'une procédure de quatorze années parfois vécue comme une nouvelle lutte d'Astérix contre les puissants armateurs de l'*Amoco Cadiz*. Que l'animateur principal de cette lutte, Alphonse Arzel, soit lui aussi un ancien de la JAC est le symbole fort d'un enracinement.

Ci-dessous, le 25 mai 1980, cent mille personnes se rassemblent près de la pointe du Raz pour manifester contre le projet d'y implanter une centrale nucléaire.

Plus largement, la tentation du repli nationaliste n'a jamais rencontré en Bretagne d'écho important autre que dans une presse parfois complaisante : si la destruction du relais du Roc Trédudon en 1974 marque les esprits en privant de télévision pendant plusieurs mois les Bas-Bretons, le FLB (Front de libération de la Bretagne) est toujours resté un

Le patient ramassage à la pelle du pétrole souillant les côtes a marqué les mémoires autant que les photographies de goélands englués lors des huit marées noires subies par les côtes

groupuscule, et le décès d'une jeune femme victime d'un attentat à Quévert en 2000 semble avoir mis un terme à toute velléité de ce genre. Même l'aile de gauche du mouvement breton, parfaitement légaliste, l'Union démocratique bretonne, ne parvient à obtenir quelques élus locaux que par son alliance avec le Parti socialiste.

La consécration de la division administrative de la Bretagne historique ne provoque pas non plus de mouvement d'opinion important. Elle ne provoque à peu près aucune réaction lors de son adoption en 1956, ne suscite de protestation notable qu'après l'accès à la pleine autonomie des Conseils régionaux en 1982, et le retour de la Loire-Atlantique dans une région de Bretagne relève aujourd'hui peut-être plus du rêve que d'un avenir prévisible.

bretonnes, du *Torrey Canyon* (1967) à l'*Erika* (1999). Mais ces images sont associées en Bretagne à celles, plus fortes encore, du naufrage sur la côte – cas exceptionnel – de l'*Amoco Cadiz*, relayé par la télévision : Alain Le Quernec saisit remarquablement cette blessure identitaire en livrant au journal *Le Monde* cette Bécassine (en haut, à gauche), l'ancienne dinde bretonne désormais rouge de colère...

Tabarly et ses *Pen Duick*... Excellent marin autant que « taiseux », le navigateur disparu en 1998 avait tout pour incarner l'essor de la plaisance, chaque amateur se rêvant en Tabarly. Né dès la première moitié du XIXᵉ siècle, le phénomène a pris une importance économique, sportive et médiatique largement associée à la Bretagne.

### L'identité, « pétrole de la Bretagne » ?

« La Bretagne a un pétrole fabuleux : son identité. » La boutade du patron Jean-Jacques Goasdoué, lancée en 1998, exprime bien deux réalités dont profite désormais la région : l'importance inégalée du tourisme, et l'attraction exercée par une originalité devenue plus rare dans un univers citadin et mondialisé, une originalité dont l'image est soigneusement cultivée.

Les paysages, maritimes en particulier, bénéficient d'une valorisation exceptionnelle par la médiatisation de la voile sportive, phénomène largement original à l'échelle mondiale. Même si l'école de voile des Glénan se développe dès l'immédiat après-guerre, c'est la victoire d'Éric Tabarly dans la première course transatlantique, en 1964, qui lance un phénomène médiatique de grande ampleur, appuyé ensuite sur les émules de Tabarly et les nombreuses courses organisées au départ de la Bretagne. La Bretagne de même est devenue, en concurrence avec le Midi, la deuxième « terre de festivals » en jouant sur une image décalée, ce que souligne bien le nom des trois principaux, l'Interceltique de Lorient, les Vieilles Charrues de Carhaix et les Terre-Neuvas de Bobital. L'image d'une qualité de vie exceptionnelle est entretenue aussi bien dans les campagnes, qui attirent désormais de très nombreux résidents britanniques,

que dans des villes comme Nantes et Rennes qui figurent régulièrement aux premiers rangs des classements diffusés par les magazines.

Les coiffes ne se voient quasiment plus que dans les musées et les manifestations folkloriques, mais le radome aussi est devenu un musée : l'exploitation de la culture et de l'identité ne s'est pas figée sur le passé, s'accompagne d'investissements lourds – Rennes et Nantes comptent parmi les rares villes françaises à avoir investi dans un musée d'histoire entièrement neuf ou rénové –, et même d'initiatives résolument ancrées dans une culture contemporaine qui n'a plus rien à voir avec le passé breton, à l'exemple des incessantes initiatives nantaises.

Les Vieilles Charrues : affirmer dans un clin d'œil l'enracinement, à Carhaix, dans le Poher, mais s'ouvrir aux cultures du monde. Né en 1992, le festival est devenu l'une des trois premières manifestations françaises de l'été. Et programme aussi bien Ibrahim Ferrer (ci-dessous) que les frères Morvan, figures emblématiques du chant à danser local, le *kan ha diskan*...

## Fragilités et ouverture

Cette évolution ne bénéficie pas également à tous.
L'arrivée du TGV à Rennes et Nantes, en 1989,
a accentué l'écart devenu sensible entre Haute et
Basse-Bretagne. Le tourisme et l'attraction exercée
par la mer ont de même fortement profité à l'*Armor*
(le littoral) alors que l'*Argoat* (Bretagne intérieure)
ne se développe que dans la proximité des villes
principales.

L'économie, de même, est comme ailleurs de plus
en plus dépendante de la conjoncture internationale
et de choix financiers. Ce n'est pas, historiquement,
une situation nouvelle pour la Bretagne, mais c'est
évidemment une source d'incertitude, d'autant que
le modèle de développement des « trente glorieuses »

Bretagne « éternelle »
de l'île de Sein (à
gauche); Bretagne
de la qualité de vie,
à Nantes (ci-dessus)
ou à Rennes, toutes
deux régulièrement en
tête des classements
nationaux des villes
« où il fait bon
vivre ». Ces réalités
incontestables ne
doivent pas dissimuler
qu'ici aussi se
désespèrent les
chômeurs, tremblent
les sans-papiers,
mangent des pâtes
les salariés contraints
au temps partiel, et
brûlent les voitures.

a montré ses limites : le coût en matière
d'environnement – la pollution de l'eau et de
certaines côtes en particulier, le tarissement des
ressources halieutiques – est devenu insupportable
pour une part croissante de la population.

Et pourtant, la Bretagne dispose d'un formidable
atout, que met bien en évidence la comparaison
avec un autre territoire de forte identité et de long
marasme économique : la Corse. La faiblesse
historique de la tentation nationaliste en Bretagne,
et son échec final, le refus, au-delà de moments

Dans une région où l'investissement éducatif, très concurrentiel – entre enseignements public et privé confessionnel –, est fortement valorisé depuis un siècle, l'essor des universités n'est pas un fait banal. De l'unique institution rennaise (1806) naissent Rennes I, Rennes 2/Haute-Bretagne (ci-dessous), Nantes (1962), l'Université de Bretagne occidentale à Brest (1969) et l'Université de Bretagne Sud à Lorient et Vannes (1995), avec au total 100 000 étudiants. Une « Université européenne de Bretagne » les fédère toutes (sauf Nantes) depuis 2006 pour viser l'excellence au niveau international.

précis de tension, de la crispation identitaire, ont dégagé un immense horizon. Dans la Bretagne du début du XXIe siècle, il n'est plus nécessaire de choisir entre l'ouverture et l'identité : si l'image n'était pas politiquement connotée, on pourrait retenir que la « force tranquille » de cette identité ne garantit évidemment rien pour l'avenir, mais qu'elle permet tout. Une conciliation originale se met en place, celle de l'identité ouverte à toutes les influences culturelles, à tous les paris économiques et, de plus en plus, à toutes les immigrations. C'est ainsi que se définit, peu à peu, une autre manière d'être breton.

# TÉMOIGNAGES
# ET DOCUMENTS

# Langue bretonne et bilinguisme

*Depuis le transfert des lieux de pouvoir à Rennes et Nantes, au XIᵉ siècle, la Bretagne est bilingue : breton et français – sous la forme locale du gallo – y coexistent d'une manière qui n'a jamais été simple, d'autant que depuis un siècle pratique et statut de ces langues évoluent rapidement.*

### Qu'est-ce que le breton ?

Le breton appartient à une des deux familles de langues celtiques, la *brittonique*, qui comprend le gallois, le cornique (langue de la Cornouaille anglaise, disparue au XVIIIᵉ siècle) et le breton. Il doit sa singularité à la symbiose réalisée à partir du Vᵉ siècle entre la langue des immigrants venus de la grande île de Bretagne et le gaulois d'Armorique. Ce *vieux-breton* n'est connu que par des inscriptions portées en marge ou entre les lignes de manuscrits (ce qu'on appelle des *gloses*), progressivement étudiées depuis 1872. De sa littérature perdue, il demeure cependant une réputation européenne à travers les diverses adaptations de la « matière de Bretagne » : le cycle d'Arthur, la Table ronde, le mythe de Tristan…

L'usage de cette langue, attesté à son apogée (sans doute vers le VIIᵉ siècle) jusqu'aux abords de Dol, de Rennes et de l'estuaire de la Loire, recule ensuite pour se fixer au XIIIᵉ siècle à l'ouest d'une ligne de Saint-Brieuc à Saint-Nazaire. Sauf en Pays nantais – où ne demeure qu'un isolat bretonnant –

autour de Batz, dans la presqu'île guérandaise –, la pratique n'évolue guère ensuite jusqu'à la fin du XIXᵉ siècle et détermine ce qu'on appelle la *Basse-Bretagne*, partie occidentale de la province, de langue bretonne.

### Qui parle le breton ?

L'usage de la langue recule devant le rayonnement des langues romanes ou d'oïl, mais aussi, dès le Moyen Âge, de l'intérieur, quand une partie des classes privilégiées adopte le parler roman : à partir du début du XIIᵉ siècle ainsi, les ducs de Bretagne ne maîtrisent plus la langue bretonne. Bien avant donc l'union de la Bretagne au royaume de France (intervenue en 1532), la langue de l'administration est le français, ou le latin. Il en est de même pour les lucratifs emplois à la cour de France ou dans l'administration royale pour les nobles bretons.

Le breton acquiert donc le statut de langue du peuple, et très largement de langue cantonnée à l'oral, avec la dévalorisation qui va alors de pair, même s'il demeure pratiqué aussi par de petits nobles en contact régulier avec les paysans, et par une partie du clergé. Il demeure en théorie la langue de communication entre fidèles et clercs en Basse-Bretagne (selon la « règle d'idiome » édictée par le pape Grégoire XI en 1373), mais sa pratique par le clergé doit être relancée par la Réforme catholique du XVIIe siècle. À partir de la Révolution, il devient un instrument de résistance face à la laïcisation, puis à la République : dans les années 1920 encore, le breton est ainsi, en dehors des villes, la langue exclusive de la prédication dans toute la Basse-Bretagne.

### Le statut du breton

Devenu au XIXe siècle langue exclusive des paysans et de ceux qui les fréquentent, sans littérature puisqu'à peu près personne ne reconnaît alors ce statut aux textes de transmission orale, le breton finit par être perçu par ses locuteurs eux-mêmes comme une langue honteuse. Ce dénigrement, un des aspects les plus forts de l'identité négative de la Bretagne, explique largement le sensible recul du nombre des pratiquants après 1945 : toute une génération cesse de pratiquer la langue avec les enfants.

Parallèlement pourtant, le statut du breton se revalorise, lentement d'abord, à l'initiative d'un petit nombre d'intellectuels. Une chaire de « celtique » est créée en 1903 à l'université de Rennes et, à partir de 1925, la revue *Gwalarn* [Noroît] s'efforce de diffuser une littérature « moderne » et de normaliser une langue partagée entre plusieurs formes dialectales. Le renouveau culturel des années 1970 conduit même à l'essor d'un enseignement à tous niveaux, en particulier dans l'enseignement élémentaire (classes bilingues publiques et privées, écoles *Diwan*), et à une présence – symbolique – à la télévision, à la radio et sur Internet. Mais la France n'a aucune politique de préservation des langues et n'a pas ratifié la Charte européenne des langues régionales adoptée par le Conseil de l'Europe en 1992.

Le paradoxe actuel est donc celui d'une langue de moins en moins pratiquée (sans doute pas plus de 250 000 personnes), peu enseignée (environ 2 % du public scolaire), mais dont l'image n'a jamais été aussi forte, au point de s'installer dans la signalisation, la publicité et évidemment de nombreuses institutions culturelles.

### Le gallo

Le terme, utilisé par les bretonnants du XVIIe siècle pour désigner les locuteurs de parlers romans, réapparaît dans les années 1970 pour caractériser l'ensemble des parlers romans de *Haute-Bretagne*, venus du latin populaire. Le gallo est donc un de ces parlers de langue d'oïl concurrencé à partir du XIVe siècle par l'essor du parler interdialectal que devient alors le français.

Disparu dans les villes dès le XIXe siècle, il cède dans les campagnes de la première moitié du XXe face au prestige du français. Ses promoteurs actuels créent une littérature et même des dictionnaires (le premier est publié en 1995), obtiennent une option au baccalauréat et un affichage symbolique dans quelques stations du métro de Rennes.

Alain Croix

# Le regard des voyageurs

*Dès le XVIIᵉ siècle, la Bretagne apparaît comme exotique à nombre de voyageurs, mais c'est avec la vague romantique qu'elle acquiert l'exceptionnel statut de conservatoire de l'archaïsme, voire de la sauvagerie. Le trait est parfois rude, voire forcé, mais cette « Papouasie bretonne » fascine les étrangers, parisiens autant qu'anglais : bientôt, les peintres – et pas seulement à Pont-Aven – et les photographes prendront le relais…*

## Bonne chère, lutte et danse

*En 1626 ou 1627, le comte de Souvigny découvre avec ravissement, en Léon, les spécificités culturelles bretonnes.*

Un prêtre de la terre (de Madame de Brézal) nous pria à sa première messe et à son festin. Nous fûmes surpris de voir les poignées de cartes de jeu que les paysans jetaient dans le bassin à l'offrande, et beaucoup plus quand nous eûmes vu l'appareil du festin, sous une feuillée longue de plus de deux cents pas, à double rang de tables, et tout au bout celle qui était préparée pour Madame de Brézal, ses demoiselles et toute la noblesse conviée. Cette table et les deux autres furent servies par cent garçons vêtus en Bas-Bretons, selon l'usage du pays, avec des livrées. On demeura plus de trois heures à table. Vers la fin, ces pauvres gens, qui se portaient bien, s'avançaient près de notre table et burent à la santé de Madame de Brézal, un genou en terre. Sortant de là, nous trouvâmes sur une belle pelouse le peuple de cinq ou six paroisses, qui était assemblé chacun en son particulier, ayant à leur tête celui qui était préparé pour lutter. Celui-là qui en avait un autre en tête, vis-à-vis de lui, s'avançait à mi-chemin, et étant proches ils se faisaient civilités l'un à l'autre en disant que c'était beaucoup d'honneur à lui d'avoir affaire à un homme qui fût en si bonne estime. L'autre répondait à propos, et promettaient tous deux, touchant à la main l'un de l'autre, de ne point user des supercheries et ne se prendre point par aucune partie du corps qui fût défendue. Après leurs compliments et protestations, ils s'éloignaient l'un de l'autre d'environ dix ou douze pas, et, demi-courbés, s'avançaient peu à peu pour venir aux prises et faire faire le saut que l'on appelle le saut de Breton, qui réussissait à quelques-uns ; et, quand cela était que le vainqueur pouvait jeter le vaincu tombant sur le dos, tous ceux de son village allaient au-devant de lui avec des haut-bois pour le couronner en signe de victoire. D'autres fois, le combat était si opiniâtre que les champions perdaient l'haleine et ruisselaient de sang, et demeuraient quelquefois d'accord d'une petite trêve pour prendre haleine. Mais enfin ils ne se quittaient point que l'un ne fût victorieux. Cependant il y en avait d'autres qui faisaient des prises à la course et à tirer la bague. Après ces divertissements il suit un branle général de tout le peuple qui danse naturellement les passe-pieds avec telle cadence et justesse que nous n'avons point de baladins en France.

*Vie, mémoires et histoire de Messire Jean de Gangnières, chevalier, comte de Souvigny, lieutenant général des camps et armées de Sa Majesté,* Paris, 1906-1909

### Les rats et les tétaces pendantes...

*Dix ans plus tard, un noble normand très cultivé et d'une insatiable curiosité, Dubuisson-Aubenay, accomplit un périple dont il laisse un formidable récit, tout d'observations de terrain, parfois brutales... Ainsi à propos de Rennes. Il est aussi un des tout premiers étrangers à s'aventurer en mer, jusqu'à l'île de Groix.*

La ville de Rhennes est peu belle. Le pavé est comme celuy de Vienne en Austriche, fort petit et pointu ; les rues estroites, les maisons s'élargissant par le haut, en sorte qu'en beaucoup de lieux elles se touchent presque l'une l'autre, et à peine le jour entre-t-il dans les rues ; car les seconds estages s'advancent en dehors sur les premiers, les 3es sur les 2es, et ainsy tousjours se vont estrécissant. Par dedans elles sont mal ordonnées, les chambres et quartiers mal disposés. En la pluspart des logis il faut passer à travers la salle ou cuisine pour aller à l'escurie ou estable. C'est comme au reste de la Bretagne : les bestiaus passent par mesme passage que les hommes, et peu s'en faut qu'ils ne logent ensemble. Et comme les logis sont partie de pierre ardoisine et principalement de bois, les rats et les souris y sont en plus

grand nombre que j'aye jamais veu en aucun autre lieu. Leur meuble est, à l'avenant : leurs licts sont fort courts et fort aults de terre, leurs tables aultes et les sièges d'autour fort bas. Les puces et les punaises n'y manquent pas.

Il y a néanmoins quelques belles maisons en la ville par-cy par-là, qui sont basties de neuf. [...]

Un des bastiments et choses curieuses que l'on voye à Rhennes, c'est la tour de l'Horloge, où pend une cloche qui est très grosse et estimée plus que celle de Rouen. Elle est siée par un costé expressément, afin de luy diminuer de la force du son qui pourroit estre trop confus pour distinguer les heures, et ébranleroit le clocher qui est fort délicat. Ils disent que le son faisoit avorter les femmes grosses, tant il étoit épouvantable. J'en ay les mesures ailleurs.

L'autre chose curieuse est un bust de bois, de forme gigantale, qui estoit cy-devant posé, au-dessus des premières fenestres, au-dessus de la boutique de l'apothicaire Fourreau [...]. Ceste statue est d'énorme aspect, et, comme elle est creuse, par dedans on luy fait mouvoir la machoire d'enbas et les deus yeux, gros comme boulets de pièce de campagne ; ce que l'on faisoit jadis tandis que la procession de la Feste Dieu passoit par là et s'arrestoit à y encenser. On l'appeloit la Teste Bieu. Elle a esté ostée de là, de peur de scandale, les uns estimans que c'estoit la teste d'un saint, et les autres disans que c'estoit un idole resté des payens. Cela est à présent gardé chez le sieur de la Marpaudaye, advocat en présidial, au-dessus dudit apothicaire. Il n'y a rien de bien fait ni d'ouvrage antique, ains [mais] peut estre de 60 ou 80 ans seulement.

Une autre curiosité dans Rhennes, que le prince de Condé y trouvoit, estoit la présidente de Marbeuf, du surnom Le Fèvre, qui a eu 32 enfans, son mary fort jeune et vert, et elle se portant assez bien, sinon qu'elle avoit une fièvre quarte en automne 1636.

[...]

L'isle [de Groix] a 1 lieue grande de longueur, et [1/2] de largeur. Il y a force fontaines et ruisseaus d'eau douce, et deux grands trous ou cavernes, appellés l'un le grand, l'autre le petit Enfer.

Force croisiers, qu'ils appellent bisets, et pigeons sauvages nichent dans les rochers, et force pyrrhocoraces ou chouettes noires, à bec et piés rouges, qu'en françois ils disent estre dites cigales. Point de perdris : on y en a porté qui n'ont point subsisté.

La terre est labourable et fertile en blay, non en vin. Il y a, par-cy par-là, quelque lande et des arbres, mais rares et battus du costé des vens, comme s'ils estoient tondus exprez. Il y a néammoins force lauriers. Il y a force rochers dorés, quasi comme pyrites, et force autres pierres froides, belles comme marbre poli blanc. Ils se chaufent de chaume, et, pour la pluspart, de bousée de vache, qu'ils font sécher, ainsy qu'en Armor et par ceste coste, plaquée contre des murailles exposée au soleil. Le feu en est puant. Ils ont peu de bestail. L'air y est rude, mais fort sain. Les femmes, fort laides et à grandes tétaces pendantes. Ils se portent bien et vivent 80 ans, hommes et femmes. Ils parlent breton naturel ; mais des hommes qui hantent terre ferme, il y en a qui parlent françois.

*La Bretagne d'après l'Itinéraire de monsieur Dubuisson-Aubenay*, Presses universitaires de Rennes, 2006

**Landes désertes et luxe de la capitale**

*L'agronome anglais Arthur Young ne comprend pas l'utilité des landes dans le système agricole breton, ce qui le conduit à exagérer le contraste, réel, entre misère rurale et luxe nantais.*

À mon grand étonnement, je vois que les landes s'étendent jusqu'à 3 milles de la grande cité commerciale de Nantes ! C'est là un problème et une leçon à étudier, mais pas pour le moment.

Dès mon arrivée à Nantes, je vais au théâtre, qui est nouvellement construit, en belle pierre blanche ; sur la façade, un magnifique portique avec huit beaux piliers élégants ; quatre autres colonnes à l'intérieur séparent le portique du grand vestibule. À l'intérieur, tout est doré et peint, et le *coup d'œil* de l'entrée me fait une puissante impression. Le théâtre, je pense, est deux fois plus grand que Drury Laue et cinq fois plus magnifique. C'était dimanche, par conséquent il était plein. *Mon Dieu !* m'écriai-je en moi-même, c'est donc à ce spectacle que mènent toutes ces landes, tous ces déserts, ces bruyères, ces genêts, ces fondrières, que j'ai traversés pendant 300 milles ? Par quel miracle se fait-il que toute cette splendeur et cette richesse des cités de France n'aient aucune liaison avec la campagne ? Il n'y a pas de douce transition de l'aisance au confort, du confort à la richesse ; vous passez d'un coup de la mendicité à la profusion, de la misère des huttes de terre à Mlle Saint-Huberti, à de splendides spectacles, qui coûtent 500 livres par soirée. La campagne abandonnée, ou, si un gentilhomme y réside, vous le trouvez dans quelque méchant trou, en train d'épargner cet argent qui est prodigué avec profusion dans les plaisirs d'une capitale.

Arthur Young, *Voyage en France en 1788*, traduction de Henri Sée, Armand Colin, Paris, 1931

## La misère bretonne

*Souvent acerbe voire méprisant, Flaubert n'en saisit pas moins avec beaucoup d'acuité des réalités bretonnes comme la misère et l'alcoolisme.*

C'était jour de marché, la place était pleine de paysans, de charrettes et de bœufs ; on entendait sonner les rauques syllabes celtiques mêlées au grognement des animaux et au claquement des charrettes, mais pas de confusion, d'éclats, ni rires dans les groupes ni bavardages sur le seuil des cabarets, pas un homme ivre, pas de marchand ambulant, point de boutique de toile peinte pour les femmes, ou de verroterie pour les enfants, rien de joyeux, de heurté, d'animé. Ceux qui veulent vendre attendent résignés et sans bouger le chaland qui vient à eux. Dans la place se promènent des couples de bœufs avec quelque enfant qui les retient par les cornes, ou bien trotte une maigre rosse au milieu de la foule qui s'écarte, sans jurer ni se plaindre. Puis on se regarde un instant, la convention se conclut et l'on s'en retourne chez soi sans s'attarder davantage. En effet le village est éloigné, la lande est grande, le soir arrive, il n'y a personne au logis, la mère est partie dans les tamarins couper des bourrées pour l'hiver, l'enfant est sur la côte à ramasser le varech ou à garder les moutons. Quant au valet de ferme, le plus souvent il n'y en a pas, chaque cultivateur ayant d'ordinaire un petit coin de terrain qu'il égratigne tout seul tant bien que mal et dont il est le maître, l'esclave plutôt ! puisqu'il s'use vainement dessus. L'homme ne pouvant engraisser la terre, la terre ne pouvant nourrir l'homme, pourquoi donc ne la quitte-t-il pas ? pourquoi ne se vend-il pas comme le Suisse ? ne s'exile-t-il

point comme l'Alsacien ? pourquoi y demeure-t-il avec un amour si opiniâtre ! qui le sait ? le sait-il lui-même ?

[…]

Il faut assister à ce qu'on appelle ses fêtes, pour se convaincre du caractère sombre de ce peuple. Il ne danse pas, il tourne ; il ne chante pas, il siffle. Ce soir même, nous allâmes, dans un village des environs, voir l'inauguration d'une aire à battre. Deux joueurs de *biniou*, montés sur le mur de la cour, poussaient sans discontinuer le souffle criard de leur instrument, au son duquel couraient au petit trot, en se suivant à la queue du loup, deux longues files qui revenaient sur elles-mêmes, tournaient, se coupaient et se renouaient à des intervalles inégaux. Les pas lourds battaient le sol, sans souci de la mesure, tandis que les notes aiguës de la musique se précipitaient l'une sur l'autre dans une monotonie glapissante. Ceux qui ne voulaient plus danser s'en allaient, sans que la danse en fût troublée, et ils rentraient de suite quand ils avaient repris haleine. Pendant près d'une heure que nous considérâmes cet étrange exercice, la foule ne s'arrêta qu'une fois, les musiciens s'étant interrompus pour boire un verre de cidre ; puis, les longues lignes s'ébranlèrent de nouveau et se remirent à tourner. À l'entrée de la cour, sur une table, on vendait des noix, à côté était un broc d'eau-de-vie, par terre une barrique de cidre ; non loin, se tenait un particulier en casquette de cuir et en redingote verte ; près de lui, un homme, en veste avec un sabre suspendu par un baudrier blanc : c'était le commissaire de police de Pont-L'Abbé avec son garde champêtre.

Gustave Flaubert, *Par les champs et par les grèves [voyage de 1847]*, G. Charpentier et Cie, Paris, 1886

# Les stéréotypes

*Vu de Paris aussi bien que de la ville en général – Babin et Chérot sont des Nantais – le Breton est rustre, grossier, ivrogne, violent, sale… C'est qu'il a le triple malheur d'être paysan, parfois étranger par la langue, et pauvre voire miséreux puisque immigré. Le XIXᵉ siècle y ajoute une touche de sauvagerie et de brutalité, capable de séduire quand il s'agit du « sauveteur breton » affrontant les éléments, et, dans les milieux progressistes, une touche de bigoterie. Il faut attendre les années 1970 pour que le stéréotype se renverse et devienne fierté revendiquée.*

### Fainéants, ivrognes et chicaneurs…

*D'origine nantaise, le trésorier de France Jean-Baptiste Babin n'en aligne pas moins – ou justement pour cette raison –, dans une courte description de la province, à peu près tous les stéréotypes négatifs qui courent alors sur les Bretons.*

Comme cette province est dans un acul et qu'il n'y a qu'une partie de ses habitants qui se mêle de commerce les mêmes raisons qui conservaient la valeur aux Héduens de César entretiennent la rudesse, la fainéantise et l'ivrognerie chez les Bretons. Car n'étant pas fort soigneux de chercher ailleurs plus de civilité qu'ils n'en ont ou sortant de chez eux si tard ou pour si peu de temps qu'ils ne peuvent ou ne pensent pas à changer, ils demeurent presque tous sujets aux défauts du pays et à des fougues et à des emportements extrêmes où le vin et le défaut de nourriture et de bons exemples les poussent ordinairement. Ils étouffent ainsi les avantages qu'ils ont de la nature et, quoique dépaysés parmi les autres nations, ils deviennent capables et fort intelligents, ils perdent cette lumière chez eux et s'y rendent comme des bêtes. Mais outre l'amour qu'ils ont pour le vin qui leur est étranger et la paresse du peuple qui fait et entretient sa pauvreté pour ce qu'à tous les jours de marché et des fêtes, chaque homme mange et boit tout ce que son travail et son industrie lui ont acquis les autres jours et s'ivre ordinairement surtout en Basse-Bretagne avec sa femme et ses enfants.

Le procès est un autre cancer qui le dévore et il s'y porte avec tant d'ardeur que pour lui fournir sa pâture, il se retranche souvent de ses autres excès. Le grand nombre de juridictions et de juges dont cette terre est infectée donne à ces misérables la pente qu'ils ont à chicaner et puis comme ils sont naturellement intéressés et brutaux et moins sujets à se faire justice que gens du monde, ils commettent souvent des violences et ne savent ce que c'est de se corriger ou de se repentir.

Ceux qui habitent les terres voisines des autres provinces, soit que le climat s'y trouve un peu plus tempéré, soit que l'exemple de leurs voisins les excite semblent être plus modérés et plus laborieux que les autres mais comme la terre est presque partout ingrate, il coûte tant à la mettre en rapport qu'outre que les vents de mer qu'ils appellent salés et les pluies presque journalières emportent souvent l'espérance et les fruits du laboureur et que depuis quelques années les impositions ont été triplées, les paysans y sont presque tous pauvres et misérables. Il n'y a que les gens de commerce qui se tirent de la nécessité et sans la commodité des ports qui sont fréquents dans la province, on n'y verrait que des malheureux.

*Profil de la Bretagne* (1663),
édité par D. Le Page,
*La Bretagne d'après l'Itinéraire de
Monsieur Dubuisson-Aubenay*,
Presses universitaires de Rennes, 2006

**Le stéréotype pris sur le fait**

*Onction ecclésiastique ou tolérance anglaise ? Le pasteur Thomas Price compare les mises en garde reçues de savants parisiens rentrant de Basse-Bretagne et rencontrés à Rennes, et ce que lui-même observe en 1829 :*

À l'approche de la frontière des Bas-Bretons, je m'attendais à voir d'un instant à l'autre des êtres suprêmement surnaturels et primitifs, à mi-chemin entre les Esquimaux et les Hottentots, une sorte de condensé de tout ce que les deux hémisphères ont de plus caractéristique. J'en étais ainsi à chercher des yeux mes cousins bretons, vêtus de leurs peaux de bêtes et arborant leur anneau au nez, m'efforçant d'imaginer le *beau idéal* ès haillons et mendiants qui m'attendait, lorsque j'entendis mes premiers mots de breton près Chatelaudrin. Quelle ne fut

ma déception en constatant que manquaient les cris de guerre et les wigwams tant attendus !

[…] La vérité est que les Bas-Bretons, dans cette contrée, loin d'être de vrais sauvages comme ces Parisiens voudraient nous le faire accroire, vivent au contraire dans des chaumières aussi confortables que celles des gens de leur classe dans le reste de la France et apparemment aussi bien bâties que celles des petits fermiers de maint comté anglais.

Bien que cette accusation de barbarie soit sans fondement […], il faut cependant reconnaître que dans certains coins reculés du plus occidental des départements la population vit dans une misère extrême.

*Tour through Brittany
made in the year 1829*, Londres, 1854,
traduit et publié par J.-Y. Le Disez,
*Étrange Bretagne. Récits de voyageurs
britanniques en Bretagne (1830-1900)*,
Presses universitaires de Rennes, 2002

**« Les peuplades toujours renaissantes de Bas-Bretons »**

*La formule d'un Nantais écrivant au maire en 1849 indique bien un contexte qui explique la teneur du rapport du conseiller municipal et polytechnicien Auguste Chérot sur les « hordes nomades » : nous sommes en 1851, l'année où le chemin de fer arrive à Nantes…*

Monsieur le Maire, […]
Nous avons la conviction qu'il est possible, avec une ferme volonté et beaucoup de persévérance, de faire pénétrer les améliorations nécessaires dans les classes malheureuses de notre cité ; mais, nous devons le reconnaître nos espérances se décourageraient, si les quartiers misérables, dont nous poursuivons l'assainissement, devaient être régulièrement infectés, le mot n'est

pas trop fort, par ces invasions de mendiants qui nous viennent des campagnes de la Bretagne.

Ces populations, étrangères à notre département, chez lesquelles la malpropreté la plus repoussante est une seconde nature, et dont la dégradation morale est descendue à un niveau effrayant, viennent périodiquement encombrer nos quartiers les plus pauvres et les plus insalubres. Elles recherchent et n'obtiennent qu'à des prix élevés, en raison de leur insolvabilité même, des logements où le devoir de l'administration ne lui permet pas de tolérer la présence d'êtres humains. Ce sont généralement des réduits ou hangars, n'ayant d'autre ouverture qu'une porte pour donner accès à l'air et à la lumière ; dont le sol est une boue permanente, entretenue par l'humidité qui suinte des murs et du toit ; sol sur lequel repose l'unique couchette des habitants, un amas de paille recouvert de quelques guenilles fétides ! Aussi, une bonne partie des interdictions que nous vous avons demandé de prononcer s'appliquent-elles aux logements de cette catégorie d'habitants.

Lorsqu'ils parviennent à occuper des habitations qui ne sont pas, par elles-mêmes, dans des conditions d'insalubrité, leurs habitudes d'une malpropreté hideuse, sur la personne, les vêtements, dans toutes les fonctions usuelles de la vie, ne tardent pas à y créer une insalubrité grave. Ajoutons que la plupart de ces malheureux ne comprennent que le bas-breton, et qu'il est presque impossible aux agents de l'autorité de s'en faire comprendre.

Nous ne saurions trop insister sur ce point, monsieur le Maire ; chacun de leurs séjours est une véritable infection des habitations, qui doit paralyser tous nos efforts et les vôtres, si on n'apporte un remède énergique à ce fléau. Car c'est un véritable fléau, une plaie déplorable que la présence, parmi nos populations, de ces pauvres gens, dont la dégradation morale égale la dégradation physique.

« Rapport sur les immigrations bretonnes dans la ville de Nantes », Bibliothèque municipale de Nantes 94 646, publié par D. Guyvarc'h, « Un manifeste de 1851 contre les immigrés bretons », *Genèses*, n° 24, septembre 1996

### Le cagot armoricain

*Dans le contexte du très vif affrontement entre l'Église catholique et l'État, le polémiste anarchiste Laurent Tailhade signe l'éditorial du numéro de* L'Assiette au beurre *consacré au « Peuple noir : la Bretagne », illustré par Torent.*

Sombres ilotes, victimes irresponsables du prêtre et de l'alcool ! [...] Hier, ils insultaient Renan pour complaire aux voleurs en soutane qui, grâce au Concordat, escroquent les deniers du contribuable, pour déférer à la troupe des hobereaux, qui vit de proxénétisme, de maquerellage, et de courses, et de jeu.

Il n'est pas de meilleurs chrétiens que

Tityre aux cheveux gras et Naïs aux pieds ssles
Proméditent le geste auguste de l'amour :
Fraîcho idylle ! Tapis dans la hutte sans jour
Leurs baisers sentiront le bouc, ô pastorale !

cette crapule de Bretagne ; il n'en est pas de plus réfractaire à la civilisation. Idolâtre, fesse-mathieu, lâche, sournois, alcoolique et patriote, le cagot armoricain ne mange pas, il se repaît ; il ne boit pas, il se saoule ; ne se lave pas, il se frotte de graisse ; ne raisonne pas, il prie, et, porté par la prière, tombe au dernier degré de l'abjection. C'est le nègre de la France, cher aux noirs ensoutanés qui dépouillent à son bénéfice les véritables miséreux. Car, pour venir à l'aumône juteuse, à l'estaminet réconfortant, il n'est aucunement utile d'être dans le besoin, mais bien de plaire à la Congrégation et à ses affidés.

*L'Assiette au beurre*, nº 131,
3 octobre 1903

### Fils de plouc et fier de l'être

*L'universitaire Jean Rohou est un bon exemple du retournement du stéréotype : il revendique des origines qui, historiquement, faisaient de lui un fils de plouc.*

Je n'étais pas seulement provincial et fils de paysans, visiblement marqué par mes origines jusqu'à vingt ans et au-delà. J'étais un plouc, né tout au fond là-bas, où tant de noms de communes commencent par *Plou*. […]

Michel Treguer, fils d'instituteur, ignorait le breton. Dès la génération précédente, sa grand-mère avait pris soin d'écarter son père de cette langue de sous-développés, exigeant même « du curé qu'il lui enseigne le catéchisme en français », alors que tous les autres l'apprenaient en breton, raconte-t-il dans *Aborigène occidental*. […] Voici donc notre pur francophone, brillantissime lycéen de surcroît, qui passe l'oral du bac à Quimper en 1956. L'épreuve de latin porte sur les premiers

vers de l'*Énéide*. « Mon interrogateur me prie de commencer par les lire, mais m'arrête pour me demander d'une voix glaciale : "Vous êtes brestois ? – Oui, monsieur. – Cela s'entend" »…
Bretonnants ou pas, nous avions un vigoureux accent qui ne laissait aucun doute. À mon arrivée en classes de lettres supérieures à Rennes en 1952, quand je m'adressais à des camarades angevins ou tourangeaux, ils disaient : « Pardon ? ». Souvent, notre patronyme trahissait lui aussi notre origine barbaresque. Certains camarades de Treguer, étudiants à Paris vers 1960, « eussent aimé changer de nom pour effacer ce signe qui les marquait trop visiblement ». […]

Aujourd'hui, c'est un honneur d'être breton. Mais jusqu'aux environs de 1970, nous étions un antimodèle usuel pour tout le monde. Vers 1972, j'ai entendu à la radio un Marocain à qui l'on demandait pourquoi il était rentré au pays, au lieu de rester en France. « On me méprisait répondit-il : on me traitait comme un inférieur, un minable, un Breton ! » À la même époque, un automobiliste a été condamné pour avoir traité un gendarme de « vraie tête de Breton ».

Le pire, c'est que nous avions intériorisé cette vision de nous-mêmes. Au collège de Saint-Pol-de-Léon, alors que la majorité des élèves et des enseignants étaient fils de paysans, tous originaires du pays *plou*, « *plouc* était l'injure suprême, l'injure par excellence », témoigne Louis Pouliquen, d'un an mon aîné. « On en souffrait terriblement » de ces injures, dit un autre de mes contemporains léonards. Nous vivions dans l'inhibition et dans la gêne de ce que nous étions.

Jean Rohou, *Fils de plouc*,
Ouest-France, Rennes, 2005

# Barzaz Breiz et collectage

*Oubliée, la notoriété européenne du Barzaz Breiz. Ignorée, la formidable entreprise de collecte de la littérature orale, sans égale en France, qui, dans la deuxième moitié du XIX<sup>e</sup> siècle pour l'essentiel, livre des milliers de complaintes, de chansons, de contes, de relevés ethnographiques. Des premiers et empiriques passionnés aux très sérieux, patients et passionnés chercheurs qu'ont été les Luzel, Le Braz, Orain et autres Sébillot, s'écrit pourtant une page essentielle de l'histoire culturelle de la Bretagne.*

### Le Barzaz Breiz, un monument

*Quelles qu'aient pu être ensuite les critiques visant sa propension à réécrire plus ou moins profondément les textes publiés, le vicomte Théodore Hersart de La Villemarqué apporte en 1839 à un public international l'éclatante démonstration qu'il existe une littérature de transmission orale, parfois fort ancienne. Les commentaires dont il accompagne les textes du* Barzaz Breiz *(« Recueil poétique de Bretagne ») révèlent bien l'idéologie du collecteur.*

Les regrets que nourrissent encore les plus énergiques des Bretons modernes, principalement parmi les peuples des montagnes, ne se traduisent plus guère aujourd'hui qu'en rustiques effusions ; l'esprit national qui portait les pères à la révolte ne fait plus insurger les fils, mais il les maintient dans une sorte d'opposition contre le présent. Il ne s'est pas encore allié chez les paysans, comme chez les Bretons des classes supérieures, aux idées larges et élevées qu'ont partout éveillées les progrès de la haute civilisation. Le flambeau de ces idées n'éclaire pas encore d'un jour vrai, pour les montagnards, les ruines d'un passé qu'ils apprécient moins bien que leurs compatriotes instruits, en les aimant autant : grâce aux bienfaits d'une instruction donnée avec intelligence, discernement et patriotisme, et adaptée à leur idiome, à leurs croyances, à leurs mœurs, ils pourront bientôt allier eux-mêmes les lumières aux sentiments. En attendant cette union désirable, ils conservent une partie des idées nationales de leurs ancêtres, moins toutefois l'espoir de les réaliser. Les hommes qui ont assez vécu pour assister aux dernières luttes des libertés bretonnes contre l'autorité royale ; ceux qui ont défendu leurs autels et leur foyer contre la tyrannie révolutionnaire ; ceux qui ont résisté au despotisme impérial ; ceux dont les ministres de la Restauration ont payé les sacrifices par l'ingratitude, et la fidélité par la défiance, en arrachant de

leurs mains des armes rougies d'un sang
versé pour la royauté : toute cette masse
de mécontents, trompée dans ses
espérances, et qu'impatiente le joug
nouveau de la loi générale, entretient dans
le cœur du paysan des montagnes, par les
récits traditionnels, par les conversations
journalières et par les chants nationaux,
le vieil esprit patriotique.

*Barzaz-Breiz. Chants populaires
de la Bretagne*, édition de 1867

## François-Marie Luzel, ou la méthode critique

*Proche de Renan, Luzel s'emploie à de
très amples collectes, notamment auprès
de Marguerite Philippe et de Barbe
Tassel, qui lui fournissent une bonne part
des* gwerzioù *(complaintes) et* sonioù
*(chansons) qu'il publie à partir de 1868.
Un poste d'archiviste départemental du
Finistère consacre en 1881 – il a soixante
ans – cet inlassable zèle et son ambition
méthodologique, qu'illustre ce passage de*
L'héritière de Keroulaz, *transposition de
la véritable histoire d'une noble lénoarde
du XVIe siècle, mariée contre son gré.*

Les voilà fiancés et mariés :
Elle va à Châteaugal avec son mari.
Dur eût été le cœur de celui qui n'eût
    pleuré,
S'il eût été à Keroulas,

[...]

L'héritière disait,
En arrivant à Châteaugal :
– Apportez-moi un escabeau pour
    m'asseoir,
Si je suis la belle fille de cette maison.

Escabeau pour s'asseoir lui a été donné,
Et un autre à son mari, auprès d'elle :
– Ouvrez toutes grandes les fenêtres,

Je vois des pauvres par, bandes ;
Ouvrez toutes grandes les fenêtres,
Afin que je leur donne une partie de
    mes biens.
Quand je regarde encore, vers la grande
    roule,
Je vois un cavalier vêtu de bleu ;

Un cavalier vêtu de bleu,
Qui ressemble à Kerthomas…
Et Kerthomas demandait,
En arrivant à Châteaugal :

– Bonjour et joie à tous dans cette maison,
L'héritière où est-elle ?
– Kerthomas, entrez dans la maison,
Afin que votre cheval aille à l'écurie.

Un banquet est terminé,
Et un autre est commencé ;
Et un autre est commencé,
Quand le souper sera terminé, vous la
    verrez…

L'héritière disait
À sa petite servante, cette nuit-là :
– Délacez-moi mes corsets,
Car mon cœur est brisé !

Elle n'avait pas fini de parler,
Qu'elle tomba à terre ;
Elle tomba à terre,
Et mourut aussitôt sur la place.

Et Kerthomas (mourut) aussitôt qu'elle,
Avant de sortir de la maison !…

Dieu pardonne à leurs âmes,
Ils sont tous les deux sur les tréteaux
    funèbres ;
Ils sont tous les deux devant Dieu,
Et puissions nous tous y aller aussi !…

*Chants et chansons
populaires de la Basse-Bretagne,
Gwerzioù*, 1874, rééd. Maisonneuve
et Larose, Paris, 1971

## En Haute-Bretagne aussi

*En jouant sur la saveur du gallo, et sur la part plus importante ici des chansons drôles, des collecteurs comme Paul Sébillot et Adolphe Orain révèlent un patrimoine très riche même si, le plus souvent, il n'a pas la même épaisseur historique que celui de Basse-Bretagne.*

### Le Gas Faraud

Je sommes vantiez le plus mal gas
Que n'y ait dans la parouâsse,
Et je n'sommes jamais le dernier
A sortir de la mâsse.
Toujours le keuuté dans l'chantiau :
Pour té, Margot, que j'endure de
     miaux, *(bis)*
Pour té, Margot, que j'endure !

J'ons cor un ben pus biau chapé,
Qu'stula qu'est su ma tête
Mais c'est pour mett' o les dimanches
Et pais les jours de fêtes,
Pour aller vâ mon Isabiau.
Pour té, etc.

Quand c'est que j'chanton au lutrin,
Je somme emmêle les prêtes,
Et si j'savions queuque brin d'latin,
J'serions teurtous leux maît'es,
Pour chanter un *Tantum ergo.*
Pour té, etc.

[…]

C'est o les filles de d'sez nous
Que je jeue ben mon rôle,
J'te les happe par dessus l'chignon,
Et pais j'te les ramône,
J'te leux boute un tour de musiau,
Pour té, etc.

J' voudras ben qu'tous les procurous
N'mangerient qu'des punâses ;

Les pauv' p'tits labourious comme ma
N'en seraient qu'pû à lous âses,
Je sauterions comme des toriaux.
Pour té, Margot, qu'j'endure de
     miaux, *(bis)*
Pour té, Margot, qu'j'endure !

Paul Sébillot, Littérature<br>orale de la Haute-Bretagne, 1880,<br>rééd. Maisonneuve et Larose, Paris, 1967

### Mon Dieu, mon Dieu, quand J'irons-ti dans le paradis ?

Une vieille bigote de la paroisse de Bruz s'en allait tous les soirs à l'église, se prosternant la face contre terre, et terminait chaque fois sa prière en répétant à haute voix :
   « *Mon Dieu, Mon Dieu, quand j'irons-ti dans le paradis ?* »
   Le bedeau chargé de fermer les portes du Saint-Lieu fut obligé à plusieurs reprises d'inviter la fille à s'en aller ; mais elle y mettait tant de mauvaise volonté que le pauvre homme trouvait souvent sa soupe froide en rentrant au logis.
   Pour se venger, il résolut de jouer un tour à la vieille, et pour cela il se concerta avec le sonneur de cloches.
   Un soir que la bonne femme répétait encore : « *Mon Dieu, Mon Dieu, quand j'irons-ti dans le paradis ?* » les hommes qui étaient montés dans le clocher répondirent : « Demain, ma fille ».
   La vieille se leva, rayonnante de joie, et courut bien vite dans le village annoncer la bonne nouvelle à ses voisines.
   – Venez demain matin chez moi, leur dit-elle, pour vous partager tout mon mobilier.
   Le lendemain soir, elle se rendit à l'église où le bedeau et les sonneurs avaient attaché à l'extrémité d'une corde traversant la nef, un *callebasson*, sorte de grand panier profond dans lequel on l'invita à monter.

– Faut-il garder mes sabots ? cria-t-elle.

– Oui, gardez tout, répondit le bon Dieu.

Elle s'installa commodément dans son panier et cria : « Tirez à vous ! »

L'ascension s'opéra aussitôt ; mais une fois que la vieille fut arrivée à la nef, ils lâchèrent la corde et la fille descendit plus vite qu'elle n'était montée.

Furieuse, elle sortit de son panier en disant : « Je ne l'aurais jamais cru, mais il y a des mauvaises gens dans le ciel comme sur la terre. » Et elle s'en retourna dans son village réclamer tout ce qu'elle avait donné le matin à ses voisines. Celles-ci lui répondirent : « Ma fille, fallait rester dans le paradis ; ce que tu nous as donné est bien à nous. »

*(Conté par Fine Daniel, fermière à Bruz.)*

Adolphe Orain,
*Contes de l'Ille-et-Vilaine*, 1901,
rééd. Maisonneuve et Larose, Paris, 1968

**Anatole Le Braz**

*Universitaire et orateur exceptionnel, Le Braz est aussi un collecteur de littérature autant que d'ethnographie, ce qui nourrit sa célèbre* Légende de la mort chez les Bretons armoricains *(1893), fruit d'un long travail de terrain en Trégor.*

**Le char de la mort**

*(Conté par Françoise Omnès de Bégard, plus connue sous le nom de Fantic Jan ar Gac [Françoise (fille de) de Jeanne Le Gac] – septembre 1890.)*

C'était un soir, en juin, dans le temps qu'on laisse les chevaux dehors toute la nuit.

Un jeune homme de Trézélan était allé conduire les siens aux prés. Comme il s'en revenait en sifflant, dans la claire nuit, car il y avait grande lune, il entendit venir à l'encontre de lui, par le chemin, une charrette dont l'essieu mal graissé faisait : wik ! wik !

Il ne douta pas que ce ne fût *karriguel ann Ankou* (la charrette, ou mieux la brouette de la Mort).

– À la bonne heure, se dit-il, je vais donc voir enfin de mes propres yeux cette charrette dont on parle tant !

Et il escalada le fossé où il se cacha dans une touffe de noisetiers. De là il pouvait voir sans être vu.

La charrette approchait.

Elle était traînée par trois chevaux blancs attelés en flèche. Deux hommes l'accompagnaient, tous deux vêtus de noir et coiffés de feutres aux larges bords. L'un d'eux conduisait par la bride le cheval de tête, l'autre se tenait debout à l'avant du char.

Comme le char arrivait en face de la touffe de noisetiers où se dissimulait le jeune homme, l'essieu eut un craquement sec.

– Arrête ! dit l'homme de la voiture à celui qui menait les chevaux.

Celui-ci cria : *Ho !* et tout l'équipage fit halte.

– La cheville de l'essieu vient de casser, reprit l'Ankou. Va couper de quoi en faire une neuve à la touffe de noisetiers que voici.

– Je suis perdu ! pensa le jeune homme qui déplorait bien fort en ce moment son indiscrète curiosité.

Il n'en fut cependant pas puni sur-le-champ. Le charretier coupa une branche, la tailla, l'introduisit dans l'essieu, et, cela fait, les chevaux se remirent en marche.

Le jeune homme put rentrer chez lui sain et sauf, mais, vers le matin, une fièvre inconnue le prit, et le jour suivant, on l'enterrait.

Anatole Le Braz,
*Légende de la mort chez les Bretons armoricains*, 1893

# Littératures

*Peut-on imaginer qu'il existe une littérature en langue bretonne ? Et que citer en français, au-delà de l'incontournable Chateaubriand ? Et pourtant, Victor Segalen, Louis Guilloux et Guillevic n'ont pas que des racines bretonnes : ils y trouvent une partie de leur inspiration – une partie seulement, car ils sont bien écrivains autant que Bretons. Et, la barrière de la langue franchie, le romancier Youenn Drezen et le poète Yann-Ber Piriou, parmi bien d'autres, ont trouvé leur public.*

## Visions d'outre-tombe

*De Chateaubriand, ce bref récit de peurs de jeunesse : « À peine étais-je né, que j'ouïs parler de mourir ».*

Tel marin, au sortir de ces pompes, s'embarquait tout fortifié contre la nuit, tandis que tel autre rentrait au port en se dirigeant sur le dôme éclairé de l'église ; ainsi la religion et les périls étaient continuellement en présence, et leurs images se présentaient inséparables à ma pensée. À peine étais-je né, que j'ouïs parler de mourir : le soir, un homme allait avec une sonnette de rue en rue, avertissant les chrétiens de prier pour un de leurs frères décédé. Presque tous les ans, des vaisseaux se perdaient sous mes yeux, et, lorsque je m'ébattais le long des grèves, la mer roulait à mes pieds les cadavres d'hommes étranges, expirés loin de leur patrie. Madame de Chateaubriand me disait, comme sainte Monique disait à son fils : *Nihil longe est a Deo* : « Rien n'est loin de Dieu. » On avait confié mon éducation à la Providence : elle ne m'épargnait pas les leçons.

*Mémoires d'Outre-Tombe*,
1<sup>re</sup> édition, 1850,
Bibl. de la Pléiade, Gallimard, Paris, 1951

## Victor Segalen en Bretagne

*Tant inspiré par l'Asie et les peuples du Pacifique, Segalen n'a laissé sur la Bretagne que le bref récit d'un voyage à bicyclette à l'été 1899 : A Dreuz an Arvor (À travers l'Armor).*

La « Ville neuve », quelconque, allonge ses petits quais au ras d'un port envasé, très odorant lui aussi, mais auprès duquel le parfum d'Audierne semble délectable. La « Ville close », au contraire, toute curieuse, enserrée, condensée en ses remparts moyenâgeux comme en un corselet de pierre, s'ouvre, en avant et en arrière, par deux portes basses, dont l'une, qui donne sur la Ville neuve, est précédée d'un pont-levis. De l'une à l'autre se faufile, se faisant étroite, l'unique rue de la vieille ville. Pour l'instant, elle donne passage, à grande vitesse, aux indigènes qui sortent comme des fous de la messe dominicale. Les femmes surtout, élargies encore de toute la largeur de leur collerette blanche en soc de charrue, balaient la rue de leur remous précipité. C'est à contre-courant qu'il faut gagner la seconde porte. Celle-ci bée sur un petit bras de mer reliant le port à la pleine d'eau ; en face, « Le Passage » – vers Pont-Aven –, très animé, fourmille de bateaux faisant toilette pour les régates, séchant leurs toiles, essayant leurs flèches… Sur la gauche, un torpilleur allonge son museau noir et ras. Le bac, chargé comme une boîte à sardines, tout blanc sous un chargement des coiffes extravagantes du pays, transborde de pleines batelées de paysannes. D'autres, sur la cale, et d'autres encore, jusqu'à perte de vue, attendent le passeur.

Et de plus en plus, la « Ville close » engoncée en ses remparts péninsulaires, renforcés de bastions émergeant de son humide ceinture, simule une exacte réduction du curieux Saint-Malo :

On demande un Chateaubriand.

Piteusement réduits au chemin de fer, nous roulons sur Rosporden, où les coiffes se démesurent encore, ainsi que les carrures de leurs propriétaires, au féminin.

Victor Segalen, « Journal de voyage », 1899, *Œuvres*, coll. Bouquins, Robert Laffont, Paris, 1995

## Louis Guilloux : une littérature prolétarienne

*Le fils du modeste cordonnier briochin n'est pas seulement le créateur de l'immortel Cripure du* Sang noir. *Dans un autre roman,* La Maison du Peuple, *il évoque la difficile confrontation de la culture héritée avec la naissance d'un mouvement revendicatif.*

Depuis son mariage, ma mère ne faisait plus à l'église que des visites brèves, qui duraient le temps d'une prière devant l'autel. Elle souffrait de ne pouvoir rendre à Dieu les devoirs ordinaires d'une chrétienne, mais elle ne se plaignait pas. Elle avait renoncé à elle-même.

Quand j'étais enfant, elle m'enseignait à prier avant de me mettre au lit. Je récitais le *Notre Père* et l'*Ave Maria*.

J'avais à peine trois ans au moment de la guerre Russo-Japonaise. Ma mère m'apprit alors à prier « pour ces pauvres malheureux qui sont à la guerre ». Tous les soirs, avant de m'endormir, je répétais avec elle : « Mon Dieu, ayez pitié de ces pauvres malheureux qui sont à la guerre. »

[…] Quand vint la grève des boulangers, il se produisit un fait étrange. Une grève n'était pas chose commune chez nous. Ma mère, qui savait que les ouvriers des autres corporations devaient se joindre aux boulangers pour manifester, craignit que mon père prît une trop grande part à cette affaire. Le soir où la manifestation devait avoir lieu, elle le vit partir avec inquiétude.

Louis Guilloux, *La Maison du Peuple*, Grasset, Paris, 1927

## Youenn Drezen, ou le bretonnant déviant

*Le Bigouden Yves Le Drézen a perdu la vocation au séminaire, puis, de conservateur très hostile au mouvement ouvrier, se fait ouvriériste en même temps que militant nationaliste breton. Il sera journaliste « blanc », puis « rouge » lorsqu'il espère – en vain – entrer à* L'Humanité, *puis plutôt brun… En 1941, très favorable à la collaboration avec l'occupant, il publie* Itron Varia Garmez, *dénoncé par ses anciens amis catholiques, dont la version française paraît deux ans plus tard chez Denoël : l'autonomisme breton et la classe ouvrière y sont liés quelque peu mécaniquement.*

Paul Tirilly avait serré les lèvres, très fort.

– La plainte de ceux qui ont faim, dit-il. Je ne sais quel refrain breton on va pouvoir mettre sur cette chanson de *L'Internationale*. Qu'est-ce que proposent les *Breiz Atao* et les «bretonnants» pour atténuer la faim dans le pays ? Il ne suffit pas de s'exciter contre les gaspilleurs au pouvoir, ni de maudire ceux qui étouffent l'Âme du Pays. Comme le font, par exemple, les Communistes contre les Propriétaires du Capital et les Marchands de Canons. Il ne suffit pas, non plus, de faire miroiter un avenir radieux. Parlote ne nourrit point. Et les politiciens usent de trop de parlotes. Donner à manger aux gens, d'abord et tout de suite, voilà le plus urgent. C'est le problème à résoudre. Avant de redonner de la force au corps, de la santé au mental et la patience de prêter une oreille attentive aux conseils. Les conseils pour «sauver la Bretagne» seront bons à prendre ensuite. Ensuite seulement.

– Ma foi !, dit l'un, moi, je suis socialiste. Et même que j'affirme qu'on peut faire du bon travail pour le monde entier, comme le veut *L'Internationale*, et rechercher notre bien propre, nous Bretons, dès à présent. Et je prétends que l'on peut, dès à présent, parler d'un avenir plus favorable.

*L'Internationale* continuait à résonner, comme le bruit de la mer, sous la voûte vitrée des Halles.

– Je suis con ! se dit-il. Avant de trouver à redire au discours de ces types, je ferais mieux d'aller les écouter.

– Les gars, je vais aux Halles avec vous. Maman, passe-moi mon manteau.

Youenn Drezen,<br>
Itron Varia Garmez, traduction<br>
de Francis Favereau, Anthologie<br>
de la littérature bretonne au XX<sup>e</sup> siècle,<br>
t. 2, édititons Skol Vreizh,<br>
Morlaix, 2004

## Guillevic, l'exilé

*Suprême poésie de l'exil et des racines…*

Dans les brisants,
Dans les cris des goélands,
Dans l'écume qui retombe en eau,
Dans la marée qui commence à monter,
Dans le goémon qui s'accroche aux
    rochers,

Je me convie.
Je m'y retrouve.

Guillevic,<br>
Art poétique,<br>
Gallimard, Paris, 1989

Je vois bien que j'existe
Pour l'océan.

Alors, qu'il me traduise
En palourdes, berniques,
En vagues, en rochers,

Je n'en serai pas amoindri,
Bien au contraire.

Idem

L'océan lui aussi
Écrit et ne cesse d'écrire.

À chaque marée
Il écrit sur le sable.

Il écrit tous les jours,
Toujours la même chose.
C'est sans doute
Ce qu'il doit se dire,

La même chose, et pourtant
Qui s'en fatigue ?

Ne le jalouse pas :
C'est l'océan.

Idem

## Les chants désespérés...

*En 1974, trois ans après une anthologie poétique bilingue et « de combat »,* Défense de cracher par terre et de parler breton, *et donc en pleine vague culturelle « bretonne », paraît un recueil personnel de Yann-Ber Piriou,* Ar mallozhioù ruz *(Les malheurs rouges), qui comprend ce poème, mis en musique ensuite par plusieurs interprètes. À travers l'histoire d'une veuve de la Première Guerre mondiale, c'est l'histoire du peuple des pauvres et d'un siècle de misère...*

### Planedenn (Destin)

Pa rankas dilezel ar gêr
Ha mont d'ar brezel da bellvro
Ar c'hleier galv a vralle taer
Ne zeuas ket he gwaz en dro.

Pa'c'h eo aet kuit da seitek vloaz
E oa koant 'vel ur rozenn wenn
Lizher avat n'he deus bet biskoazh
He merc'h zo kollet da viken.

Ha pa laoskas he mab e barkoù
Da vont da vervel 'velan tad
An drez a greskas en e brajoù
Gant ar balan hag al linad.

Bugale all zo aet da Baris
Bevañ amañ ne oa ket aes
Bugale all zo aet da Baris
Skeud an Ankou zo war ar maez.

He zi bet gwechall leun a vuhez
À zo digor d'an avel foll
Ha piv a gredo tamall neuze
M'he deus gwinardant war an daol ?

Kredit ac'hanon kompagnunez
Evit dastum o fezhioù aour
Un toullad mat eus an aotronez
À oar ober teil gant ar paour.

Arc'hoazh e vo kaset d'an ospis
Hec'h unan gant he c'halon yen
E bugale zo aet da Baris
Pe da lec'h all n'ouzon ket ken.

*Quand il dut quitter la maison*
*Et aller à la guerre loin du pays,*
*Le tocsin sonnait violemment.*
*Son mari ne revint pas.*

*Quand elle est partie à dix-sept ans,*
*Elle était belle comme une rose blanche.*
*Elle n'a pourtant jamais reçu de lettre.*
*Sa fille est perdue pour toujours.*

*Et quand son fils laissa ses champs*
*Pour s'en aller mourir comme le père,*
*La ronce poussa dans ses prés*
*Avec le genêt et l'ortie.*

*D'autres enfants sont allés à Paris,*
*Vivre ici n'était pas facile,*
*D'autres enfants sont allés à Paris,*
*L'ombre de l'Ankou plane sur la*
*    campagne.*

*Sa maison autrefois pleine de vie*
*Est ouverte au vent fou.*
*Et qui osera blâmer alors*
*Si elle a de l'alcool sur la table ?*

*Croyez-moi, compagnons,*
*Pour ramasser leurs pièces d'or,*
*Un bon nombre de ces « messieurs »*
*Savent mépriser le pauvre.*

*Demain on la conduira à l'hospice,*
*Toute seule, le cœur froid.*
*Ses enfants sont allés à Paris,*
*Ou bien ailleurs, je ne sais plus.*

Yann-Ber Piriou,
*Ar mallozhioù ruz,* texte et traduction
d'après *Révoltes, résistances et révolution
en Bretagne,* livre-disque,
Association Nantes-Histoire,
Nantes, 2007

# La puissance de l'Église catholique

*L'Église a imposé sa marque sur tous, absolument tous les aspects de la vie culturelle, sociale et même largement économique, l'apogée de cette influence se situant dans la deuxième moitié du XIX<sup>e</sup> siècle, au temps de la toute-puissance des recteurs. Elle a utilisé largement pour cela une peur de la mort enracinée dans la culture. Elle s'est cependant heurtée, en permanence, à des résistances ou à une indifférence plus marquées en ville et dans les ports, avant de céder, tardivement et d'autant plus brutalement, devant le monde moderne : Dieu a changé en Bretagne…*

### « Devant l'ossuaire, on s'agenouille… »

*En 1894, Anatole Le Braz raconte : « La foule s'avance, clergé en tête, en un long serpentement noir, dans le gris ouaté du crépuscule ; le vent gonfle les surplis des prêtres, les mantes des femmes, hérisse les chevelures floconneuses des vieillards, attise les cires ardentes aux mains des enfants de chœur. Devant l'ossuaire on s'agenouille, et l'assistance entonne une sorte d'incantation pleine à la fois d'angoisse et de fougue, et qui secoue les chanteurs eux-mêmes d'un inénarrable frisson. C'est la Gwerz ar Garnel. »*
*(Journal des débats, 1<sup>er</sup> novembre 1894). Ce dialogue entre les vivants et les morts est une véritable synthèse de l'utilisation de la mort par l'Église catholique.*

Allons à l'ossuaire, chrétiens, et voyons les reliques
De nos frères, nos sœurs, de nos pères, nos mères,
De nos voisins, de nos plus grands amis

Voyons le triste état auquel ils sont réduits.
Vous les voyez en morceaux, réduits en miettes,
Et même la plupart ne sont plus que poussière
On ne voit plus leur noblesse, leurs richesses, leur beauté,
La mort et la terre les ont détruites.

[…]

Or, dans l'état misérable où ils sont réduits
Ils parlent un langage muet mais très éloquent
À chacun d'entre nous : tâchons d'en profiter,
Tant qu'il plaira à Dieu de nous laisser ici-bas.

[…]

Nous avons été sur la terre, vivant tout comme vous,
Parlant et marchant, et buvant et mangeant ;

Et voici maintenant l'état où nous
　　sommes réduits,
Après avoir été en terre, nourriture
　　des vers.

Si vous nous demandez où sont allées
　　nos âmes,
Nous répondrons : au purgatoire, car
　　c'est là notre pays ;
Elles brûlent dans le feu pour acquitter
　　la dette
Contractée sur terre envers la justice
　　d'un Dieu.

[…]

Du milieu des flammes, elles ne cessent
　　de crier
Demandant vos prières pour pouvoir
　　sortir
Des sombres prisons où elles furent
　　jetées ;
Hâtez-vous donc de les aider, et ne
　　tardez pas.

C'est à vous que nous demandons,
　　parents et amis,
De vous souvenir de nous quand vous
　　passez par le cimetière.
Dites en passant : que Dieu pardonne
Aux trépassés au purgatoire, car c'est là
　　notre pays.

Une aumône, une prière faite avec
　　dévotion,
Un jeûne ou une messe ou une
　　communion,
Peuvent beaucoup pour soulager ou
　　diminuer nos peines,
Et nous retirer en un instant du milieu
　　des flammes.
　　　　Fiacre Cochart, « La complainte
de l'ossuaire (*Gwerz ar Garnel*) », 1750,
traduction Henri Pérennès, « Les hymnes
de la Fête des Morts en Basse-Bretagne »,
*Annales de Bretagne*, t. 36, 1924-1925

## Les difficultés du XVIIIe siècle

*Dans la lancée des missions voulues très
populaires animées par Louis-Marie
Grignion de Monfort au tout début du
XVIIIe siècle, les Montfortains œuvrent,
notamment, en Pays nantais, et constatent
les difficultés dans les paroisses proches
des villes, de la Loire, des rivières, des
côtes : partout, en fait, où les idées et les
hommes circulent.*

### Saint-Nazaire, 8 septembre - 21 octobre 1752.

Cette mission, à la providence, fut très
fervente, très suivie et des paroissiens et
des étrangers. Le peuple, bon, docile et
dévot. Le bourg qui est considérable, se
ressent des bords de la mer. Les
principaux bourgeois, prévenus contre
les missionnaires, ne s'approchèrent
point ; dès le 3e jour, ils s'assemblèrent et
ils conclurent de ne point fournir de
cierges aux dépens de la fabrique ; le
peuple y pourvut abondamment, aussi
bien ici qu'à la providence.

### Rezé, 26 janvier - 26 février 1755.

Cette mission, fondée et due par les Mrs
du séminaire de Nantes, fut bonne pour
les paroissiens. Le peuple, sur les bords
de la Loire, s'en ressent, aussi bien que
de la proximité de la ville. Les islois,
toujours attachés à leur ancienne
pratique en changeant le poisson pour le
vin passager, donnent bien de la peine.
On fut content, et de l'assiduité, et de
l'attention à écouter la parole de Dieu.
Leur libéralité fut grande pour le
plantement de la croix et la construction
du calvaire qui sont superbes.

### Saint-Sébastien-sur-Loire, 25 mai - 24 juin 1760.

Cette mission, fondée et due par les Mrs
de St Clément, ne valut rien. Les

processions nombreuses qui s'y rendirent pendant la 1re semaine, causèrent une dissipation étrange. L'ivrognerie, le goût du plaisir y règnent absolument. Les habitants de Pirmil, qui font une très grande partie de la paroisse, ne parurent presque pas [...].

Pierre-François Hacquet, *Mémoire des missions des Montfortains dans l'Ouest (1740-1779)*, publié par Louis Pérouas, Fontenay-le-Comte, 1964

### Souvenirs de mission, quarante ans après

*Du 15 septembre au 2 octobre 1932 une mission se déroule à Plouguerneau (Finistère). Dans les années 1970, Madeleine et Thérèse évoquent leur souvenir du missionnaire, le père Yvon :*

« M. : « Que celui qui n'a pas la conscience claire la mette en règle ! » »

T. : « Mettez votre conscience en règle », disait-il ! Il plaisait aux hommes, et pourtant qu'est-ce qu'ils en prenaient ! Ils le respectaient ! « En voilà un prêtre ! » Parce qu'il leur sortait... et il en disait aux hommes ! Quand il montait en chaire à Plouguerneau, les hommes ne soufflaient mot. Pas un mot ! « Qu'est-ce qu'on va encore prendre ?...» Il leur disait de tout sur leurs conduites, sur le malheur de leurs femmes, etc. Ils entendaient de tout... Il y a toutes sortes d'existences sur cette terre et certaines femmes sont malheureuses avec leurs hommes. Certaines sont bien malheureuses ! La femme peut faire tout ce qu'elle peut et son mari ne sera jamais satisfait. Seule compte la boisson ! L'homme trouvait la maison trop froide et quand il avait bu, pour un rien, il était prêt à battre sa femme. Le Père Yvon leur expliquait tout cela. C'était un homme !

M. : Quand il était en chaire, il se faisait entendre ! [...]

T. : Il y avait foule aux missions ! Et l'on voyait les hommes, les yeux brillants, fixant le prêtre, le Père Yvon par exemple.

À la sortie, on les entendait parfois dire : « On en a pris aujourd'hui ! On en a entendu aujourd'hui ! »

T. : Le Père Yvon n'y allait pas de main morte !

M. : Ils savaient bien quand il leur tapait dessus !

T. : C'étaient des sermons. Ce n'est pas comme maintenant. Maintenant il n'y a plus de sermons. [...]

T. : C'était un sacré renard... Il savait y faire avec les hommes, et il les piquait ! Il les mordait ! Et ensuite sur la rue, il discutait gentiment avec eux, et alors, les hommes souriaient. Ils riaient en l'écoutant, mais il les mordait aussi ! C'est terrible !

Fañch Elégoët, « Paysannes du Léon », *Tud ha Bro*, no 3-4, 1980

### An Aotrou Person, Monsieur le Recteur

*En 1981, le père Capucin Medar publie un témoignage remarquable, dans la mesure où il évoque encore le « Monsieur » – et le breton utilise le même terme pour « Seigneur » – qu'est le Recteur, tout en insistant sur des charges désormais perçues comme écrasantes : nous sommes au moment du grand basculement entre le temps des recteurs tout-puissants et celui des recteurs – bientôt banalisés en « curés » – simples prestataires de services...*

Dans ma paroisse, il y a trois Seigneurs. Trois Seigneurs ? Oui, trois Seigneurs : le Seigneur Dieu, Monsieur le Recteur, et « Monsieur le Château ». [...]

Monsieur le Recteur, c'est aussi un Seigneur. On le voit à l'église et allant et venant entre l'église et le presbytère. Allant et venant aussi à travers la paroisse. À pied le plus souvent. Pour visiter les malades, leur apporter la communion ou administrer l'extrême-onction à un malade à l'agonie. Les allées et venues de Monsieur le Recteur se font toujours sous le regard perçant des femmes du bourg, cachées derrière les rideaux de leurs fenêtres. Ces femmes ont la réputation de mettre volontiers leur nez partout : – « Bonjour, Monsieur le Recteur ! Où portez-vous donc l'extrême-onction ? » vous pouvez en être sûr, chacune saura sans tarder qui est mort.

Monsieur le Recteur quitte aussi souvent son presbytère pour aller déjeuner avec d'autres Recteurs. C'est l'usage, dans chaque presbytère, de préparer un déjeuner une fois par mois pour tous les prêtres du canton. Le déjeuner du mois. Chacun son tour.
– « Monsieur le Recteur va au déjeuner du mois », dit la dévote en termes choisis.
– « Gueuletonner », dit quelque mauvaise langue.

Tout le monde respecte Monsieur le Recteur. Jour après jour, chacun a affaire à lui sur le terrain de la conscience. Sur ce terrain-là, au fond du cœur, au plus profond de son âme, le chrétien entre en rapport avec Dieu. Éclairer, faciliter, aplanir, enseigner les rapports du chrétien avec son Dieu, c'est le travail du prêtre. Le travail de Monsieur le Recteur.

Tad Medar, *An tri Aotrou*, à compte d'auteur, 1981, traduction d'Alain Croix

### Dieu change en Bretagne

*L'enquête du sociologue Yves Lambert sur la paroisse de Limerzel (Morbihan) illustre très concrètement la brutalité des changements intervenus dans le magistère de l'Église catholique, ainsi dans le domaine de la liturgie.*

Il est vrai que la nouvelle liturgie, en mettant l'accent sur la parole, est plus en affinité avec la religiosité des classes moyennes et des couches instruites, comme l'ont avancé François-André Isambert et André Rousseau. Toutefois, on peut dire aussi qu'elle est en congruence avec le nouveau contexte de pratique minoritaire, d'adhésion plus personnelle, d'instruction plus élevée, d'information plus large et d'esprit plus critique. « Nous allons non pas suivre la messe mais y participer, souligne le bulletin en janvier 1965, y jouer notre rôle d'assemblée, essayer de découvrir la beauté, la nécessité de la liturgie de la Parole » ; « c'est un changement de mentalité qui doit s'opérer chez la plupart des chrétiens » (mai 1965), l'usage du français devant permettre « que tout le peuple de Dieu comprenne mieux et prenne une part plus active » (novembre 1967). De même le style de la prédication a changé : « Il faut certainement actualiser les homélies, constatait l'abbé Moran. Il faut partir des choses du moment, des événements de l'époque. Alors on peut encore accrocher par cela tandis qu'un sermon comme autrefois, où on "planait" peut-être un peu, ça n'accroche pas autant. » « Les sermons, ce n'est plus du tout la même chose, observait de son côté une agricultrice (1976). Autrefois, ils parlaient beaucoup sur les commandements de Dieu, les sacrements, les mystères, les sept péchés capitaux… Que de changements depuis quinze ou vingt ans, mon Dieu ! Et c'était adapté à chaque fête. Maintenant, ils ne parlent plus beaucoup de péchés : autrefois ils insistaient, oh là là ! Mais les gens ne marcheraient plus, ils ne les écouteraient plus ! Maintenant, c'est la charité, la bonne entente entre les familles, entre les voisins. »

Yves Lambert,
*Dieu change en Bretagne*,
Le Cerf, Paris, 1985

# BIBLIOGRAPHIE

Aucune autre région n'a suscité autant de publications à caractère historique : le *Dictionnaire d'Histoire de Bretagne*, éditions Skol Vreizh (2008), propose une bibliographie (très sélective !) de 3 800 titres, et le *Dictionnaire du patrimoine breton*, éditions Apogée (2000), une autre, largement différente, de 3 742 titres.

Quatre **synthèses** émergent du lot. Aux éditions Ouest-France, André Chédeville a dirigé une monumentale *Histoire de Bretagne* en 12 volumes, achevée en 2005. Aux éditions Skol Vreizh, *Toute l'histoire de Bretagne, des origines à la fin du XXᵉ siècle* (1999), également collectif, très accessible, parfois militant. Aux éditions du Seuil, l'*Histoire de la Bretagne et des Bretons* de Joël Cornette (2005). Aux éditions Apogée et Presses universitaires de Rennes (PUR), *Bretagne. Images et histoire* (1993), la plus concise, très illustrée.

Chaque **département** a son histoire, souvent vieillie : distinguons *Le Finistère*, éditions Bordessoules (1991), dirigé par Yves Le Gallo. Dans les histoires de **pays**, l'*Histoire du Pays bigouden* (2002) et celle du *Léon* (2007), aux éditions Palantines. Dans les nombreuses histoires de **villes**, celles des éditions Palantines, très illustrées et souvent très solides (*Nantes*, d'Olivier Pétré-Grenouilleau, *Vannes*, de Christian Chaudré…), l'*Histoire de Quimper*, éditions Privat (1995), l'*Histoire de Brest*, éditions CRBC (2000), l'*Histoire de Rennes*, éditions Apogée/PUR (2006), et *Nantais venus d'ailleurs. Histoire des étrangers à Nantes des origines à nos jours*, PUR (2007).

Des également nombreuses synthèses **thématiques**, retenons l'*Histoire littéraire et culturelle de la Bretagne* dans l'édition illustrée de Champion et Slatkine (1987) ; *La Bretagne des savants et des ingénieurs*, éditions Ouest-France (1991-1999) ; *Femmes de Bretagne. Images et histoire*, éditions Apogée/PUR (1998) ; et chez les mêmes éditeurs *Les Bretons et la mer* (2005).

Pour se faire une idée de la recherche historique actuelle, les actes d'un colloque : « Bretagne et identités régionales pendant la Seconde Guerre mondiale », Centre de recherche bretonne et celtique (2002).

Sauf précision contraire, tous ces ouvrages sont collectifs, et permettent d'accéder à la plupart des historiens actuels de la Bretagne.

Au-delà, nous proposons quelques ouvrages au champ plus précis, choisis parmi de très nombreuses publications de grande qualité :
– Broudic, Fañch, *La pratique du breton de l'Ancien Régime à nos jours*, PUR, 1995.
– Lagrée, Michel, *Religion et cultures en Bretagne (1850-1950)*, Fayard, 1992.
– Laurent, Donatien, *Aux sources du Barzaz-Breiz. La mémoire d'un peuple*, ArMen, 1989.
– Le Couëdic, Daniel, *Les architectes et l'idée bretonne (1904-1945)*, Société d'histoire et d'archéologie de Bretagne, 1995.
– Perron, Tangui, *Le cinéma en Bretagne*, éditions Palantines, 2006.
– Provost, Georges, *La fête et le sacré. Pardons et pèlerinages en Bretagne aux XVIIᵉ et XVIIIᵉ siècles*, éditions du Cerf, 1998.

Il est facile en outre de suivre l'actualité de l'histoire grâce aux **revues**, destinées à un large public comme *ArMen*, ou plus savantes mais aux numéros souvent remarquables dans le cas des *Annales de Bretagne et des pays de l'Ouest*, des *Mémoires de la Société d'histoire et d'archéologie de Bretagne* et du *Bulletin de la Société archéologique du Finistère*.

On peut repérer la plupart des travaux universitaires non publiés en consultant http://www.uhb.fr/sc_sociales/crhisco/memhou et, pour les thèses, http://www.sudoc.abes.fr. Et même aller plus loin encore en consultant des **sites** qui livrent le dépouillement de certaines revues :
– http://www.hermine.org
– http://www.britalis.org
– http://www.uhb.fr/sc_sociales/crhisco/dipou

## TABLE DES ILLUSTRATIONS

### COUVERTURE

**1ᵉʳ plat** *La Révolte des sardinières*, Charles Tillon, h/t, 1926. Musée de Bretagne, Rennes.
**Dos** : *La Bigoudène*, Georges Robin, grès, 1927. Musée de la faïence, Quimper.
**2ᵉ plat** : La ville de Saint-Malo.

### OUVERTURE

**1** Marché de Quimper, costumes de Pont-L'Abbé, Léon Gimpel, autochrome, mai 1909. Société française de photographie.
**2** Saint-Pol de Léon, marché aux choux-fleurs sur la place de la cathédrale, Georges Chevalier, autochrome, 5 avril 1920. Musée départemental Albert-Kahn, Boulogne-Billancourt.
**3** Paysannes au marché aux bestiaux de Rosporden, Charles Delius, 1933.

**4** Bretonnes de Fouesnant dans une barque, Jacques Henri Lartigue, 1933. Fondation Jacques-Henri-Lartigue.
**5** Roscoff, le départ pour la pêche, Georges Chevalier, autochrome, 6 avril 1920. Musée départemental Albert-Kahn, Boulogne-Billancourt.

*monde*, conçue par Michel Le Nobletz, v. 1630. Évêché, Quimper.
**54b** Pleumeur-Bodou, menhir de Saint-Duzec, christianisé v. 1673.
**55** *Taolenn* du *Miroir du monde*, conçue par Michel Le Nobletz, v. 1630. Évêché, Quimper.

**CHAPITRE 3**

**56** *Vue de l'intérieur du port de Brest* (détail), Jean François Hue, h/t, 1793. Musée de la Marine, Paris.
**57** Saint Georges, figure de proue, bois sculpté polychrome, 1775. Musée du Château des Ducs, Nantes.
**58** Code paysan de 1675, « Copie du règlement fait par les nobles habitants des quatorze paroisses unies du pays Armorique situées depuis Douarnenez jusqu'à Concarneau ». Archives départementales des Côtes-d'Armor.
**59** *Allégorie de la répression de la révolte du papier timbré*, Jean Bernard Chalette, h/t, 1676. Musée des Beaux-Arts, Rennes.
**60-61** *Vœu collectif des habitants de la place des Lices lors de l'incendie de 1720*, Jean François Huguet, h/t, 1721. Musée de Bretagne, Rennes.
**61b** Registre de marques des tisserands de Quintin, 1738. Archives départementales des Côtes-d'Armor.
**62-63** *Inauguration de la statue de Louis XIV sur la place Royale de Rennes*, Jean François Huguet, 1733. Musée

de Bretagne, Rennes.
**64h** *Portrait de Duguay Trouin*, anonyme, h/t, XIXᵉ s. Musée d'histoire de la ville et du pays malouin, Saint-Malo.
**64-65** *L'Avant-port de Brest*, Louis Nicolas van Blarenberghe, dessin à l'encre noire et gouache, XVIIIᵉ s. Musée du Louvre, Paris.
**65h** Combat naval en vue du cap Lizard en Cornouailles remporté par Duguay-Trouin, le 21 oct. 1707, Jean Antoine Théodore de Gudin, h/t, XIXᵉ s. Musée du château de Versailles.
**66-67** *Vue du port de Lorient*, Jean François Hue, h/t, fin XVIIIᵉ s. Musée de la Compagnie des Indes, Lorient.
**66** Vase balustre, porcelaine de Chine, 1710. *Idem.*
**67** Plat dit du « Trio musical européen », porcelaine de Chine, v. 1700. *Idem.*
**68-69h** La pêche à la morue à Terre-Neuve, techniques à bord et à terre, planche *in* Duhamel du Monceau, *Traité général des pêches*, 1759. Service historique de la Défense, Brest.
**68-69b** *La rade et le port de Saint-Malo*, Jean François Hue, h/t, fin XVIIIᵉ s. Musée de la Marine, Paris.
**70** Plan, profil et distribution du navire nantais *La Marie Séraphique*, René Lhermitte, v. 1770, aquarelle. Musée du Château des Ducs, Nantes.
**72** Portrait anonyme.

Coll. part.
**73** Portrait d'un armateur nantais de la famille Montaudouin, Negrini, h/t, 1757. Musée du Château des Ducs, Nantes.
**74** Place de la Petite-Hollande, île Feydeau, Nantes.
**75h** *Vue perspective du théâtre Graslin et de la nouvelle comédie*, Antoine Hénon, 1780, litho. Musée Dobrée, Nantes.
**75b** Mascaron, rue Kervégan, île Feydeau, Nantes.
**76** Planche *in* Christophe Paul de Robien, *Description historique, topographique et naturelle de l'ancienne Armorique*, milieu du XVIIIᵉ s., ms 0310. Bibl. de Rennes Métropole.
**77** *Idem.*
**77h.** *Portrait de Christophe Paul de Robien*, Jean François Huguet, 1ʳᵉ moitié du XVIIIᵉ s., litho. Musée de Bretagne, Rennes.
**78** Partition de *La Négresse*, 1788. Archives municipales, Nantes.
**78-79** *Les Révoltés de Fouesnant ramenés à Quimper par la Garde nationale en 1792*, Jules Girardet, h/t, v. 1886-1887. Musée des Beaux-arts, Quimper.
**80-81** *Combat de Quiberon en 1795*, Jean Sorieul, h/t, 1850. Musée d'Art et d'Histoire, Cholet.
**81b** Ignace Le Garrec refuse de prêter serment à la Constitution civile du clergé, vitrail, XIXᵉ s., église paroissiale de Kerlaz.

**CHAPITRE 4**

**82** *Le Pardon de Notre-Dame-des-Portes à Châteauneuf-du-Faou*, Paul Sérusier, h/t, v. 1894. Musée des Beaux-Arts, Quimper.
**83** Planche extraite de l'album *L'Enfance de Bécassine*, 1913. Bibl. mun., Rennes.
**84h** Biscuits LU Lefèvre-Utile, affiche, Firmin Bouisset, 1897. Musée de Bretagne, Rennes.
**84b** « L'excellent thon », pancarte publicitaire Cassegrain, Henry Le Monnier, 1930. Musée de Bretagne, Rennes.
**85** *La Sardinerie*, Lucien Simon, aquarelle, gouache et mine de plomb, v. 1911. Musée des Beaux-Arts, Dijon.
**86** *Vue des forges de Basse-Indre*, anonyme, h/t, 1846. Coll. part.
**87h** *L'Inexplosible nᵒ 21 Ville-de-Nantes sur la Loire*, milieu XIXᵉ s., litho. Musée du Château des Ducs, Nantes.
**87b** *Femmes et fillettes de Plougastel-Daoulas*, Charles Cottet, h/t, v. 1900. Coll. part.
**88** Costume d'homme de Pluméliau, François Hippolyte Lalaisse, aquarelle, XIXᵉ s. Musée des Civilisations de l'Europe et de la Méditerranée, Paris.
**89** Deux femmes en costume de Guémené, *idem.*
**90-91** *La Récolte de pommes de terre*, Lucien Simon, h/t, 1907. Musée des Beaux-Arts de Quimper.
**92** *La Translation de l'ossuaire de Trégastel*,

## CRÉDITS PHOTOGRAPHIQUES

## REMERCIEMENTS

L'auteur remercie Jean-Christophe Cassard, Fañch Roudaut et Didier Guyvarc'h pour leur amicale relecture, Daniel Giraudon, Morgan Guyvarc'h, Bernadette Kessler, Pierre Le Gall, Stéphane Ménoret, pour les précisions données dans l'urgence, Bertrand Guillet et Christel Douard pour l'avoir laissé profiter de leurs précieuses découvertes iconographiques – la *Marie-Séraphique* et le photographe Lohse –, et ses interlocuteurs des éditions Gallimard, Anaïck Bourhis, Pascale Comte, ainsi que les si efficacement exigeants Laurent Lempereur et Anne Lemaire.

L'éditeur remercie également Joël Cornette, Emmanuelle Devos (cinémathèque Robert Lynen de la Ville de Paris), Christiane Jamet (Association Bretagne-Transamerica, Gourin), Noël Le Brazidec (musée du Château des Ducs, Nantes), Frédérique Lebris (musée Albert-Kahn, Boulogne-Billancourt), Cécile Le Faou (musée de Bretagne, Rennes), Dorothée Le Moing (bibliothèque de Rennes Métropole).

## ÉDITION ET FABRICATION

### DÉCOUVERTES GALLIMARD

COLLECTION CONÇUE PAR Pierre Marchand. DIRECTION Elisabeth de Farcy.
COORDINATION ÉDITORIALE Anne Lemaire. GRAPHISME Alain Gouessant.
COORDINATION ICONOGRAPHIQUE Isabelle de Latour. SUIVI DE PRODUCTION Fabienne Brifault.
SUIVI DE PARTENARIAT Madeleine Giai-Levra.
RESPONSABLE COMMUNICATION ET PRESSE Valérie Tolstoï.
PRESSE David Ducreux et Alain Deroudilhe.

### LA BRETAGNE, ENTRE HISTOIRE ET IDENTITÉ

ÉDITION Laurent Lempereur. ICONOGRAPHIE Anaïck Bourhis, assistée de Annabelle Biau.
MAQUETTE Pascale Comte. LECTURE-CORRECTION Pierre Granet. PHOTOGRAVURE Nouveau Cap.

Alain Croix, historien et universitaire,
s'est beaucoup intéressé à l'histoire culturelle (en contribuant notamment à l'*Histoire
culturelle de la France*, éditions du Seuil, 1997), au patrimoine (il a largement contribué
et co-dirigé le *Dictionnaire du patrimoine breton*, Apogée, 2000), à l'histoire de la
Bretagne (avec par exemple *L'Âge d'or de la Bretagne*, éditions Ouest-France, 1993, ou,
en collaboration, le *Dictionnaire d'histoire de Bretagne*, éditions Skol Vreizh, 2008).
Il est très attaché à la démocratisation de l'histoire, souci exprimé par la publication
d'un ouvrage collectif, le *Guide de l'histoire locale* (éditions du Seuil, 1990),
et à une « histoire citoyenne » à l'exemple de l'animation de *Nantais venus d'ailleurs.*
*Histoire des étrangers à Nantes des origines à nos jours* (Presses universitaires de
Rennes, 2007). Passionné par l'utilisation de l'image en histoire, il a dirigé ou co-dirigé
les quatre volumes de la collection « Images et histoire » (coédition Presses universitaires
de Rennes/Apogée) consacrés à l'histoire de la Bretagne, réalisé, en collaboration avec le
cinéaste Patrice Roturier, dix films documentaires dont deux ont été primés (*L'Or noir*,
sur la traite négrière, et *Pêcher à Islande*), et beaucoup travaillé en collaboration avec
des musées, de la conception de l'exposition (« Les Bretons et Dieu », 1985) à la
participation au conseil scientifique du Musée d'histoire de Nantes depuis 2000.

*Dépôt légal : mars 2008
Numéro d'édition : 154841
ISBN : 978-2-07-034907-4
Imprimé en France par Loire-Offset*